Martha Moran

La teoría
literaria
contemporánea

Ariel

Ariel Literatura y Crítica

Raman Selden,
Peter Widdowson,
y Peter Brooker

La teoría
literaria
contemporánea

3.ª edición actualizada

Ariel

Título original:
A Reader's Guide to Contemporary Literary Theory, 4th edition

Traducción de:
1.ª y 2.ª ed. (corregida): JUAN GABRIEL LÓPEZ GUIX
3.ª ed. actualizada: BLANCA RIBERA DE MADARIAGA

Diseño cubierta: Nacho Soriano

1.ª edición: septiembre 1987
2.ª edición corregida: abril 1989
3.ª edición actualizada: noviembre 2001

© 1985: Raman Selden
© 1997: Peter Widdowson/Peter Brooker
Esta traducción de *A Reader's Guide to Contemporary Literary Theory,*
Fourth edition, ha sido publicada con permiso de Pearson Education Limited

Derechos exclusivos de edición en español
reservados para todo el mundo
y propiedad de la traducción:
© 1987 y 2001: Editorial Ariel, S. A.
Provença, 260 - 08008 Barcelona

ISBN: 84-344-2504-1

Depósito legal: B. 46.161 - 2001

Impreso en España

En memoria de Raman Selden, como siempre.

PREFACIO A LA CUARTA EDICIÓN

La teoría literaria contemporánea de Raman Selden (1985) ve la luz en su cuarta edición. Poco después de revisar la 2.ª edición, Raman falleció de forma prematura y trágica de un tumor cerebral. Fue una persona querida y sumamente respetada, no sólo por la notable hazaña de conseguir redactar una obra breve, clara e informativa y al margen de toda polémica sobre una materia tan variada y escollosa. En 1993 apareció la 3.ª edición, una actualización que debemos a Peter Widdowson. Y ahora, producto de su éxito y popularidad ininterrumpidos, ha llegado la hora de poner a punto una nueva revisión de *La teoría literaria*.

Tres años es mucho tiempo en teoría literaria contemporánea y el panorama, qué duda cabe, ha sufrido cambios sustanciales. Por esta razón, la obra se ha reescrito de forma exhaustiva y en su totalidad —esta vez de la mano de Peter Widdowson y Peter Brooker— y se ha vuelto a poner al día la bibliografía. En la 3.ª edición ya señalamos que, como es natural, el volumen empezaba a tener dos funciones más claramente diferenciadas que cuando Raman Selden inició el proyecto tan sólo diez años atrás, a mediados de la década de 1980. Los primeros capítulos se ocupaban de la parte histórica, esbozando los movimientos a partir de los cuales las nuevas tendencias habían cobrado impulso y habían sido desbancadas, mientras que los últimos trataban de hacer poco caso precisamente de esas nuevas tendencias, a fin de poner de manifiesto las coordinadas en las que vivimos y practicamos la teoría y la crítica en la actualidad. Esta tendencia se ha acentuado en la actual versión —materializándose en una nueva reordenación y reestructuración— de manera que, prácticamente la mitad del libro, está formada ahora por los últimos cuatro capítulos. La Introducción incluye una serie de reflexiones sobre las razones que subyacen a estas revisiones.

En la 3.ª edición, Peter Widdowson recibió la decisiva ayuda de tres asesores: Peter Brooker (actual coautor), Maggie Humm (autora de *A Reader's Guide to Contemporary Feminist Criticism*, Harvester Wheatsheaf, 1994) y Francis Mulhern. La deuda para con ellos aún perdura —sus contribuciones están presentes en varios fragmentos de la obra—, como también de los autores ya mencionados en los prefacios anteriores. En esta ocasión, los autores están en deuda con otros tres asesores más: Sonya Andermahr e Ian McCormick de Nene College, Northampton, y Lynnette Turner de la Universidad de Hertfordshire. Los dos primeros contribuyeron de modo inestimable a la redacción del nuevo capítulo sobre «Teorías gays, lesbianas y *queer*» y la última a los capítulos sobre las teorías «feministas», «posmodernistas» y «poscolonialistas» que han sido revisadas a fondo. Sin su profundo conocimiento y su percepción crítica, esta nueva edición no sería más que una pálida sombra de lo que es. Nuestro más sincero agradecimiento.

La anterior edición contenía numerosas referencias a la obra paralela de Raman Selden, *Practising Theory and Reading Literature* (Harvester Wheatsheaf, 1989), en un intento por acercar a los estudiantes a estos ejemplos concretos de la teoría en la práctica. Este libro sigue siendo un instrumento de gran utilidad para tales menesteres y hemos conservado una bibliografía seleccionada de él (abreviada en las notas a pie de página en PTRL). Pero el volumen que de verdad complementa a esta 4.ª edición es el que los autores actuales publicaron recientemente, *A Practical Reader in Contemporary Literary Theory* (Harvester Wheatsheaf, 1996), que es en muchos sentidos un compañero a la medida para *La teoría literaria contemporánea*. Incluye ejemplos de crítica de textos literarios específicos, realizados por muchos de los teóricos que se discuten aquí y tiene remisiones a lo largo de toda la obra como *A Practical Reader* (junto con los números de los capítulos importantes).

INTRODUCCIÓN

Es desconcertante pensar cuánto han cambiado las cosas desde mediados de la década de 1980 —tan sólo doce años atrás—, cuando Raman Selden emprendió por vez primera la nada fácil tarea de escribir una breve guía de introducción a la teoría literaria contemporánea. En la Introducción a las ediciones previas de *La teoría literaria contemporánea* todavía podía afirmar que:

> Hasta hace muy poco, ni los lectores de literatura corrientes ni los críticos literarios profesionales tenían ningún motivo para preocuparse de los derroteros seguidos por la teoría literaria. Ésta parecía constituir una especialización bastante poco común, de la que, en los departamentos de literatura, se encargaban contados individuos que, en realidad, eran filósofos disfrazados de críticos literarios... La mayoría de los críticos, como Samuel Johnson, daban por sentado que la gran literatura era universal y expresaba las grandes verdades de la vida humana... [y] se dedicaban a hablar de la experiencia personal del autor, del trasfondo histórico y social de la obra, de su interés humano, del «genio» imaginativo y de la belleza poética de la verdadera literatura.

Para bien o para mal, tales generalizaciones acerca del campo de la crítica literaria no podrían hacerse hoy día. De la misma forma, en 1985 Raman señalaría acertadamente el final de la década de 1960 como el momento en el que empezaron a cambiar las cosas y comentó que durante los últimos veinte años, aproximadamente, los estudiantes de literatura han tenido que soportar una aparentemente interminable serie de desafíos a ese consenso del sentido común que provenían, en su mayoría, de fuentes intelectuales europeas (y en especial francesas y rusas). Para la tradición anglosajona, esto fue una sorpresa especialmente desagradable. Pero Raman presentó aún el «estructuralismo» como «un nuevo intruso vergonzoso en el lecho del *alma mater* del doctor Leavis» (Cambridge), especialmente un estructuralismo con «un toque de *marxismo*» y subrayó el hecho aún más *outré* de que ya existía «una crítica *postestructuralista* del estructuralismo», una de las principales influencias en las que se encontraba el «estructuralismo *psicoanalítico*» del escritor francés Jacques Lacan. Todo lo cual, afirmó en aquel entonces, «no hacía sino confirmar unos cuantos prejuicios arraigados». No albergo la menor intención de crítica hacia Raman, por descontado —en efecto, que *pudiera* decir esto para salirme con la mía—, sino que una coyuntura así en el seno de los estudios literarios o «ingleses» parece pertenecer ahora de forma irrevocable al pasado oscuro y distante. Tal y como atestiguan las últimas páginas de esta introducción, durante los últimos doce años ha tenido lugar un cambio sísmico que ha transformado el mapa de la «teoría literaria contemporánea» y que, por consiguiente, ha requerido una reconfiguración pareja de *La teoría literaria contemporánea*.

No obstante, hemos conservado —junto con, todo hay que decirlo, una buena proporción de lo que Raman escribió originalmente en las primeras ediciones de la obra— un compromiso con muchas de sus ideas originales sobre la necesidad de una guía clara, concisa e introductoria del tema. Hay que añadir que las constantes fisuras y reformas de la teoría contemporánea desde entonces parecen confirmar la continua necesidad de algún tipo de mapa básico de este escolloso y complejo terreno y la amplia adopción de esta obra en todas las universidades de habla inglesa también parece confirmarlo.

En un principio, Raman Selden decidió escribir *La teoría literaria contemporánea* porque estaba firmemente convencido de que las cuestiones planteadas por la crítica literaria moderna son lo bastante importantes como para justificar semejante esfuerzo de clarificación y porque en aquel entonces muchos lectores no estaban de acuerdo con el habitual rechazo desdeñoso de lo teórico. Por lo menos, deseaban saber con exactitud qué se les pedía que despreciaran. Como Raman, hemos dado por supuestos la curiosidad y el interés del lector en el tema y, por lo tanto, también que precisa de un mapa descriptivo como guía preliminar para recorrer el difícil terreno de la teoría por sí mismo. A propósito de esto, también creemos firmemente que las secciones de «Bibliografía seleccionada» al final de cada capítulo, con sus listas de «Textos básicos» y «Lecturas avanzadas», forman una parte integrante de nuestro proyecto para familiarizar al lector con el pensamiento que compone el actual campo de estudio: la *Teoría*, al principio y al final, no es un sustituto de las teorías originales.

Inevitablemente, cualquier intento por redactar un resumen breve de conceptos complejos y discutibles, al querer decir mucho con pocas palabras, se incurre en simplificaciones excesivas, compresiones, generalizaciones y omisiones. Por ejemplo, hemos tomado la decisión de que los planteamientos basados en premisas de la lingüística omnipresente y de las teorías psicoanalíticas están mejor separados a lo largo de diversos capítulos que agrupados en secciones discretas dedicadas a ellos. «La crítica del mito», que cuenta con una larga y variada historia e incluye la obra de Gilbert Murray, James Frazer, Carl Jung, Maud Bodkin y Northrop Frye, se ha omitido porque nos pareció que no había penetrado en la corriente principal de la cultura académica ni popular y tampoco ha desafiado las ideas heredadas tan vigorosamente como las teorías que examinamos. El capítulo sobre la «Nueva Crítica, el formalismo moral y F. R. Leavis» está situado antes del formalismo ruso, cuando hasta una rápida ojeada indicará que cronológicamente el último precede al primero. Esto obedece a que aunque el formalismo ruso se desarrolló principalmente en las dos segundas décadas del siglo XX, no tuvo un impacto acusado hasta finales de las décadas de 1960 o 1970, cuando fue redescubierto de forma efectiva, traducido y puesto en circulación por los intelectuales occidentales que formaban parte de los nuevos movimientos marxistas y estructuralistas de la época. En este sentido, los formalistas rusos «pertenecen» a la última época de su *reproducción* y fueron movilizados por los nuevos críticos de izquierdas precisamente durante su asalto a la crítica literaria establecida, representada en las culturas anglosajonas, de forma preeminente, por la Nueva Crítica y el leavisismo. Por esta razón, presentamos el último como *previo* al formalismo en términos de ideología teórica crítica porque ellos representan las tradiciones de la crítica, desde un principio y de forma básica, con el que la teoría literaria contemporánea tuvo que conectar. En cualquier caso, aunque la obra no pretende ofrecer un panorama completo de su campo y no puede ser sino selectiva y parcial (en ambos sentidos), lo que ofrece es una panorámica sucinta de las tendencias más provocativas y sobresalientes de los debates teóricos de los últimos treinta años.

Pero de forma más general y dejando a un lado por el momento el hecho de que en 1996, si no en 1985, los efectos de estos debates teóricos fueron objeto de estudios literarios tan señalados que es impensable ignorarlos, ¿por qué rompernos la cabeza con la teoría literaria? ¿En qué afecta todo esto a nuestra experiencia y nuestra comprensión de la literatura y la escritura? En primer lugar, el énfasis dado al aspecto teórico tiende a socavar la concepción de la lectura en tanto actividad *inocente*. Si nos preguntamos por la elaboración del significado en la ficción, por la presencia de la ideología en la poesía, o por la forma de determinar el *valor* de una obra literaria, no podemos al mismo tiempo seguir aceptando de modo ingenuo el «realismo» de una novela o la «sinceridad» de un poema. Quizás algunos lectores quieran conservar sus ilusiones y lamenten la pérdida de la inocencia pero, si son lectores serios, no pueden desconocer los grandes avances realizados por los principales teóricos en los últimos años. En segundo lugar, lejos de tener un efecto esterilizante sobre nuestra lectura, las nuevas formas de entender la literatura vigorizan nuestro compromiso con los textos. Por supuesto, si uno no tiene la intención de reflexionar sobre lo que lee, poco será lo que pueda ofrecerle cualquier tipo de crítica literaria. Por otra parte, algunos quizás objeten que las teorías y los conceptos teóricos merman la espontaneidad de su respuesta ante las obras literarias. Olvidan que ese discurso «espontáneo» proviene de modo inconsciente de la teorización de las generaciones anteriores y que su discurso sobre «sentimiento«, «imaginación», «genio», «sinceridad» y «realidad» está lleno de teoría muerta que, santificada por el paso del tiempo, se ha convertido en parte del lenguaje del sentido común. Si pretendemos ser aventureros y experimentadores en nuestras lecturas, debemos serlo también en nuestra concepción de la literatura.

Podemos considerar que las diferentes teorías literarias plantean diferentes cuestiones acerca de la literatura, desde el punto de vista del escritor, de la obra, del lector o de lo que normalmente llamamos «realidad». Ningún teórico, claro está, admitirá ser parcial y, por lo general, tendrá en cuenta los otros puntos de vista en el interior del marco teórico elegido para su enfoque. El siguiente esquema, elaborado por Roman Jakobson para representar la comunicación lingüística, es útil para distinguir los diversos puntos de vista:

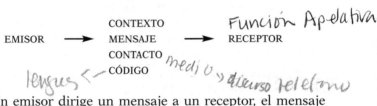

$$\begin{array}{ccc}
 & \text{CONTEXTO} & \\
\text{EMISOR} \longrightarrow & \text{MENSAJE} & \longrightarrow \text{RECEPTOR} \\
 & \text{CONTACTO} & \\
 & \text{CÓDIGO} &
\end{array}$$

Un emisor dirige un mensaje a un receptor, el mensaje utiliza un código (normalmente, un idioma que ambos conocen), posee un contexto (o «referente») y se transmite por medio de un contacto (un medio, como puede serlo una charla, un teléfono o un escrito). Para nuestros propósitos, podemos eliminar el «contacto»: en efecto, para los teóricos de la literatura no posee un interés especial ya que (excepto en el caso de las representaciones teatrales) éste siempre se lleva a cabo por medio de la letra impresa. Así, el esquema queda del siguiente modo:

$$\begin{array}{ccc}
 & \text{CONTEXTO} & \\
\text{ESCRITOR} \longrightarrow & \text{OBRA} & \longrightarrow \text{LECTOR} \\
 & \text{CÓDIGO} &
\end{array}$$

Si adoptamos el punto de vista del emisor, damos prioridad al uso emotivo del lenguaje; si nos centramos en el contexto, aislamos su uso referencial, etc. De modo similar, las teorías literarias tienden a dar mayor énfasis a alguna función en detrimento de las obras. Si tomamos las principales teorías objeto de nuestro estudio, podemos colocarlas en el esquema del modo siguiente:

ROMÁNTICA HUMANISTA	MARXISTA ⟶ FORMALISTA ESTRUCTURALISTA	⟶ TEORÍA DE LA RECEPCIÓN

[anotaciones manuscritas: enfoque; vida del escritor; manera de escribir; experiencia del lector; códigos]

Las teorías románticas hacen hincapié en la mente y la vida del *escritor*; las teorías orientadas a la recepción (crítica fenomenológica) se centran en la experiencia del *lector*; las formalistas concentran su atención en la obra en sí misma; la crítica marxista considera fundamental el *contexto* social e histórico; y la estructuralista llama la atención sobre los *códigos* utilizados en la elaboración del significado. En sus formulaciones más brillantes, ninguno de estos planteamientos hace caso omiso de las demás dimensiones de la comunicación literaria: por ejemplo, la crítica marxista occidental no sostiene una perspectiva estrictamente referencial del lenguaje y el escritor, el público y el texto se analizan en un marco sociológico general. Sin embargo, vale la pena señalar respecto a lo que hemos esbozado anteriormente que ninguno de los ejemplos se han tomado de los campos teóricos más recientes del feminismo, postestructuralismo, posmodernismo, poscolonialismo y teorías gays, lesbianas u homosexuales. Esto es porque todas estas corrientes, en sus diferentes formas, alteran y distorsionan las relaciones entre los términos en el diagrama original y son estos movimientos los que dan cuenta de la escala desproporcionada del intervalo de doce años existente entre el momento en que Raman Selden empezó el libro y el momento de su actual revisión.

Las tendencias en la teoría y la práctica de la crítica se han diversificado en progresión geométrica desde 1985 y la forma y la composición de la actual versión de *La teoría literaria contemporánea* trata de explicar esto y lo atestigua. Aunque no está demasiado estructurada para indicar un cambio así, la obra se divide ahora en dos partes diferenciadas. Las teorías que abarcaban la totalidad de las primeras ediciones (junto con la adición que se realizó en 1993 del cap. 1) se han reducido y comprimido en los capítulos 1-6 o en menos de la mitad del volumen entero. Está claro que ahora forman parte de la *historia* de la «teoría literaria contemporánea», pero no se describen de forma precisa como «teoría literaria contemporánea» por sí mismas. Esto no quiere decir que sean superfluas, estériles o irrelevantes —sus premisas, metodologías y percepciones continúan ilustrando y pueden constituir aún la fuente de nuevos e innovadores puntos de partida a la hora de teorizar sobre literatura—, pero en la medida en que fueron los que han marcado la pauta de los nuevos líderes en este campo y, con obvias excepciones (p. ej., las teorías marxistas), han caducado y están fuera de la carrera actual. Una decisión difícil en este contexto fue cómo tratar el capítulo de las teorías feministas. En ediciones anteriores, aquí era donde concluía la obra —señalando que la acción se desarrollaba ahora aquí—; pero la cronología del capítulo, que con frecuencia discurría paralela a otras teorías de las décadas de 1960 y 1970, hizo que pareciera una ocurrencia tardía gestual: «y luego apareció el feminismo». Por lo tanto, en la presente edición, hemos devuelto al capítulo que comprende este lapso temporal, con su epicentro angloamericano y francés mayoritariamente «blanco», a un lugar más apropiado al final de la mitad «histórica» del libro y relatos diseminados de los feminismos más recientes, llevando la cuenta especialmente de sus energías fundamentales fuera de Europa, en los últimos capítulos «contemporáneos». El largo capítulo sobre el postestructuralismo contiene actualmente bastante más información sobre las teorías psicoanalíticas y un tratamiento actualizado del Nuevo Historicismo y el materialismo cultural. El capítulo de 1993 sobre el posmodernismo y el poscolonialismo se ha dividido en dos capítulos diferentes, con nuevas secciones que presentan tanto a los nuevos teóricos que acaban de iniciar sus contribuciones importantes en el campo como el impacto de las obras sobre género, sexualidad, raza y etnia. Además, hay un capítulo entero nuevo sobre las teorías gays, lesbianas y homosexuales, lo cual hace que la obra cubra las áreas más dinámicas y actuales de la actividad. Finalmente, las secciones de la «Bibliografía seleccionada» se han rehecho para hacer que sean más ligeras, más accesibles y de nuevo, más actualizadas.

Entonces, ¿qué ha ocurrido de especial desde 1985 hasta hoy en el campo de la «teoría literaria contemporánea»; cuál es el contexto que explica la radical revisión de *La teoría literaria contemporánea*? Para empezar, «teoría» e incluso «teoría literaria» ya no se puede considerar de forma práctica como un cuerpo de trabajo progresivamente emergente, desarrollándose a través de una serie de fases definibles o «movimientos» —de producción, crítica, avances, reformulaciones, etc. Esto era así a finales de los años de 1970 y a principios de los años de 1980, aunque, sin duda, nunca fue cierto del todo— cuando parecía haber llegado la «hora de la teoría» y reinaba un ansia, incluso entre los propios y entusiasmados participantes, de que una nueva materia académica, peor, un nuevo escolasticismo —radical y subversivo, sí, pero también potencialmente exclusivo en su abstracción— estaba cobrando forma. Los libros brotaban de las prensas, abundaban las conferencias, los cursos de «teoría» en los programas universitarios llegaron a ser *de rigeur*, proliferaron los Master of Arts y cualquier concepto residual de «práctica» y de «lo empírico» eran espantosamente problemáticos. Esa «hora de la teoría» ya no obtiene —bien porque paradójicamente coincidió con el auge del poder político de la nueva derecha, bien porque, por definición, en un mundo posmoderno no podía sobrevivir en un estado más o menos unitario, o bien porque contenía, como criatura posmoderna que era, los agentes catalizadores para su propia dispersión, están más allá de poder afirmarse con certeza. Pero ha tenido lugar un cambio— un cambio que ha originado una situación muy diferente a la del campo intelectual cada vez más abstracto y obsesionado con sí mismo en el que la edición original de esta obra tan sólo alcanzaba a describir y contener. En primer lugar, la «teoría» singular y capitalizada ha evolucionado con rapidez en una serie de «teorías» —a menudo sobrepuestas y mutuamente generativas, pero también en controversia productiva—. En otras palabras, la «hora de la teoría» ha engendrado una tribu enormemente diversa de *praxes* o prácticas teorizadas, al mismo tiempo conscientes de sus propios proyectos y que representan formas radicales de acción política, al menos en el dominio cultural. Éste ha sido el caso concretamente de las teorías y prácticas críticas que se centran en el género y la sexualidad y de aquellas que pretenden deconstruir las que giran alrededor de Europa y la cuestión étnica. En segundo lugar, dada la escisión teórica posmoderna que hemos sugerido antes, se ha producido un giro de varios grados hacia posiciones y prioridades ostensiblemente más tradicionales. El veredicto es que «la teoría ha fracasado»: lo cual, en un irónico guiño posmoderno, quiere decir que «el fin de la teoría» está a la vista. Esto no son de ningún modo los espasmos de Lázaro de la vieja guardia que regresa de entre los muertos, sino la perspectiva de jóvenes académicos que las han pasado moradas con la teoría y que pretenden desafiar el dominio del discurso teórico en los estudios literarios en nombre de la propia literatura —para encontrar un modo de hablar de los textos literarios, acerca de la experiencia de leerlos y evaluarlos—. Puede que la llamada «nueva estética» sea una de las teorías emergentes que deba incluir una futura edición de la presente obra. Sin embargo, volveremos brevemente sobre la cuestión de la «práctica» en el presente contexto teórico un poco más adelante.

Otro de los efectos relacionados con los avatares de la teoría literaria contemporánea en el pasado reciente puede explicarse de la siguiente forma. Quizás el más notable haya sido la deconstrucción de las ideas de un «canon» literario determinado —de una selección acordada de «grandes obras» que constituyen el punto de referencia para la discriminación del «valor literario» y sin la denuncia de las cuales no puede completarse una educación literaria—. El desafío teórico de los criterios sobre los que se fundamenta el canon, junto con la llegada a la orden del día de muchos tipos «marginales» de producciones literarias y de otra índole cultural hasta la fecha excluidos de ella, ha provocado una explosión inmediata de los viejos hechos incuestionables y de los nuevos materiales aptos para un estudio serio. Mientras que el canon conserva algunos defensores de prestigio (por ejemplo, Harold Bloom y George Steiner), la tendencia que más hondo ha calado ha sido desplazar los estudios literarios hacia formas de «estudios culturales», en los que son susceptibles de análisis una gama mucho más amplia y exenta de cánones de productos culturales. Efectivamente, se puede decir con mayor exactitud que esta tendencia representa una forma de retroalimentación, ya que fueron precisamente las primeras iniciativas de los Estudios Culturales propiamente dichos los que estaban entre los agentes que ayudaron a subvertir las ideas naturalizadas de «literatura» y crítica literaria en un principio. Sin embargo, en el contexto de la «teoría literaria contemporánea», el movimiento más contundente más reciente ha sido hacia la evolución de «teoría cultural» como el término paraguas para todo el campo de investigación. Vale la pena señalar que la mayoría de los trabajos importantes, comentados en los últimos capítulos de la presente *La teoría literaria contemporánea* —sobre el posmodernismo, el poscolonialismo, las teorías gays, lesbianas y homosexuales en particular—, es siempre *más que* «literario». Estas teorías fomentan una reinterpretación global y un cambio de frente de todas las formas de discurso como parte de una política cultural radical, en la cual «lo literario» puede ser simplemente una forma más o menos importante de representación. Esta obra reconoce esto, pero, a su vez, y dada su brevedad, intenta conservar un centro *literario* dentro de los amplios procesos y en constante cambio de la historia cultural.

Sin embargo, pese a la complejidad y a la diversidad del campo tal y como lo hemos presentado, hay varias lecciones fundamentales planteadas por los debates teóricos sobre los últimos treinta años —algunas aprendidas no sólo por los radicales, sino también por aquellos que quieren defender posiciones y planteamientos más convencionales o tradicionalmente humanísticos—. Son: que toda la actividad crítico-literaria está siempre sostenida por la teoría; que la teoría, sea la que sea, representa una postura ideológica, si no expresamente política; que es más efectivo, si no más honesto, tener una praxis que sea explícitamente teorizada que funcionar con suposiciones naturalizadas y sin revisar; que una praxis así puede ser más táctica y estratégica que un absoluto aparentemente filosófico; que la «teoría» ya no es claramente monolítica e impresionante (y aun así difícil); y que será puesta en uso y criticada en vez de estudiada en abstracto y por sí misma.

Esta desmitificación de la teoría, por tanto, que ha desembocado en la gran pluralidad de prácticas teorizadas para intereses y propósitos específicos, debería permitirnos cuestionarnos más y ser más críticos al respecto. Podríamos desear preguntar, por ejemplo, hasta dónde podemos forzar el estudio autónomo de la teoría crítica en los cursos universitarios de literatura; si la teoría puede, de hecho, estudiarse como si fuera un género filosófico independiente; si puede llegar a haber una teoría universalmente aplicable; hasta qué punto necesitamos conocer la historia filosófica que informa de cualquier postura crítica o práctica antes de adoptarla; si las teorías particulares están ligadas, en efecto, a tipos determinados de textos o a períodos determinados (por ejemplo, ¿se puede aplicar igual la misma teoría al Renacimiento y a la literatura romántica, a un poema y a una novela?); ¿hasta qué punto y con qué justificación «reescribe» una posición teórica su objeto de estudio?; todos estos interrogantes son, en efecto, el reflejo de otras cuestiones tópicas acuciantes, suscitados sintomáticamente con creciente frecuencia en libros, artículos y conferencias: cómo enseñar y aprender «teoría»; cómo superar un compromiso pasivo con ella; cuál es, de forma decisiva, su relación con la práctica crítica? Estas cuestiones están en el centro de una política pragmática y estratégica en el terreno general de los estudios culturales de finales de la década de 1990 y demandan respuestas urgentes sobre si la «teoría» no acabará convirtiéndose en otra «materia» académica relativista y alienante. Los estudiantes tienen que ser capaces de realizar *elecciones* más informadas y comprometidas sobre las teorías que encuentran, realizar acercamientos críticos a ellas y desplegar las ideas resultantes en su propia práctica crítica. Como ayuda para este proceso, en la presente edición de *La teoría literaria contemporánea* hemos hecho referencias regularmente a su nuevo compañero, *A Practical Reader in Contemporary Literary Theory*, en el que hemos dedicado una atención más directa a estos temas en relación con teóricos específicos que trabajan sobre textos literarios específicos. De ningún modo constituye esto un intento de disminuir o negar la fuerza y la importancia del trabajo teórico por sí mismo, ni tampoco pretendemos promover un nuevo empirismo. Simplemente queremos reconocer que toda la crítica literaria es una práctica teórica y que estar en situación de comprender y movilizar la teoría —ser capaz de teorizar la propia práctica de cada uno— es emanciparse en el seno de la política cultural del período contemporáneo.

BIBLIOGRAFÍA SELECCIONADA

Antologías de teoría literaria

Brooker, Peter y Widdowson, Peter (eds.), *A Practical Reader in Contemporary Literary Theory*, Prentice Hall/Harvester Wheatsheaf, Hemel, Hempstead, 1996.

Davis, Robert y Schleifer, Ronald (eds.), *Contemporary Literary Criticism: Literary and Cultural Studies: 1900 to the Present*, Longman, Londres y Nueva York, 3.ª ed., 1994.

Lambropoulos, V. y Miller, D. N. (eds.), *K, Twen tieth-Century Literary Theory: An Introductory Anthology*, State University of New York Press, Albany, Nueva York, 1987.

Lodge, David (ed.), *Twentieth-Century Literary Criticism*, Longman, Londres y Nueva York, 1972.

—, *Modern Cristicism and Theory: A Reader*, Longman, Londres y Nueva York, 1988.

Newton, K. M. (ed.), *Twentieth-Century Literary Theory*, Macmillan, Basingstoke, 1988.

Rice, Philip y Waugh, Patricia (eds.), *Modern Literary Theory: A Reader*, Arnold, Londres, 2.ª ed., 1992.

Rylance, Rick (ed.), *Debating Texts: A Reader in Twentieth-Century Literary Theory and Method*, Open University Press, Milton Keynes, 1987.

Selden, Raman (ed.), *The Theory of Criticism from Plato to the Present: A Reader*, Longman, Londres y Nueva York, 1988.

Tallack, Douglas (ed.), *Critical Theory: A Reader,* Prentice Hall/Harvester Wheatsheaf, Hemel Hempstead, 1995.

Walder, Dennis (ed.), *Literature in the Modern World: Critical Essays and Documents*, Oxford University Press con la Open University, Oxford, 1990.

Lecturas avanzadas y obras de referencia

Bennett, Andrew y Royle, Nicholas, *An Introduction to Literature, Cristicism and Theory: Key Critical Concepts*, Prentice Hall/ Harvester Wheatsheaf, Hemel Hempstead, 1995.

Bergonzi, Bernard, *Exploding English*, Clarendon Press, Oxford, 1991.

Bloom, Harold, *The Western Canon*, Macmillan, Londres, 1995.

Cohen, Ralph (ed.), *The Future of Literary Theory*, Routledge, Londres, 1989.

Coyle, Martin, Garside, Peter, Kelsall, Malcom y Peck, John (eds.), *Encyclopaedia of Literature and Criticism*, Routledge, Londres, 1990.

«Critical Theory in the Classroom», *Critical Survey*, 4, 3, 1992.

Eagleton, Terry, *Literary Theory: An Introduction*, Blackwell, Oxford, 1983.

Earnshaw, Steven, *The Direction of Literary Theory*, Macmillan, Basingstoke, 1996.

Easthope, Antony, *Literary into Cultural Studies*, Routledge, Londres, 1991.

Green, Michael (ed.), *English and Cultural Studies: Broadening the Context*, John Murray, Londres, 1987.

Hawthorn, Jeremy, *Unlocking The Text: Fundamental Issues in Literary Theory*, Arnold, Londres, 1987.

— (ed.), *A Glossary of Contemporary Literary Theory*, Arnold, Londres, 1992; *A Concise Glossary of Contemporary Literary Theory*, edición de bolsillo.

Jefferson, Ann y Robey, David (eds.), *Modern Literary Theory: A Comparative Introduction*, Bastford, Londres, 2.ª ed., 1986.

Newton, K. M. (ed.), *Theory into Practice: A Reader in Modern Criticism*, Macmillan, Basingstoke, 1992.

Parrinder, Patrick, *The Failure of Theory: Essays on Criticism and Contemporary Fiction*, Harvester Wheatsheaf, Hemel Hempstead, 1987.

Payne, Michael (ed.), *A Dictionary of Cultural and Critical Theory*, Blackwell, Oxford, 1996.

Selden, Raman, *Practising Theory and Reading Literature: An Introduction*, Harvester Wheatsheaf, Hemel Hempstead, 1987.

Sim, Stuart (ed.), *The A-Z Guide to Modern Literary and Cultural Theorists*, Prentice Hall/Harvester Wheatsheaf, Hemel Hempstead, 1995.

Tallack, Douglas (ed.), *Literary Theory at Work: Three Texts*, Batsford, Londres, 1987.

Washington, Peter, *Fraud: Literary Theory and the End of English*, Fontana, Londres, 1989.

CAPÍTULO 1

LA NUEVA CRÍTICA, EL FORMALISMO MORAL Y F. R. LEAVIS

Los orígenes: Eliot, Richards, Empson

Los orígenes de la crítica en las tradiciones angloamericanas dominantes de mediados del siglo XX (aproximadamente entre los años 1920 a los de 1970) son complejos y muchas veces aparentemente contradictorios —como también lo son sus posiciones teórica y crítica y sus prácticas—. Pero, a grandes rasgos, podemos decir que la influencia del poeta y crítico literario y cultural de nacionalidad británica Matthew Arnold es fuertemente perceptible en ellos —sobre todo el Arnold que propuso que la filosofía y la religión serían «reemplazadas por la poesía»— en la sociedad moderna y quien sostenía que la «Cultura» —representando «lo mejor que se ha conocido y pensado en el mundo»— podría montar una defensa humanística contra la «Anarquía» (término de Arnold) destructiva de lo que F. R. Leavis llamaría más tarde la civilización «tecnológico-benthamita» de las sociedades urbanas e industrializadas. El principal mediador del siglo XX de Arnold, en los nuevos movimientos críticos, y él mismo la figura individual de mayor influencia tras de ellos —británicos o americanos—, fue el estadounidense (y naturalizado inglés) el poeta, dramaturgo y crítico T. S. Eliot (véase más adelante).

Por simplificarlo mucho, lo esencial de las diferentes inflexiones de la tradición angloamericana —que deriva de las dos fuentes mencionadas más atrás— es una consideración profunda, casi reverencial, por las propias obras literarias. Esto se manifiesta ni más ni menos en la forma de una preocupación obsesiva por «el texto en sí mismo», «las palabras escritas sobre el papel»; con las obras literarias como iconos de valor humano desplegados contra el barbarismo cultural del siglo XX; o como crítica «objetiva», «científica», «desinteresada» del texto (terminología de Arnold) —pero en el fondo representa la misma idealización estético-humanística de las obras de la Literatura—. Escribimos Literatura con mayúscula porque uno de los efectos más influyentes —y después más decisivamente deconstruidos— de esta tradición crítica fue el encumbramiento de algunas obras literarias por encima de otras mediante un análisis textual minucioso y «desinteresado» («escrutinio» que conduce a la «discriminación», ambos términos de Leavis). En otras palabras, tan sólo algunas obras literarias eran Literatura (lo mejor que se ha pensado y escrito) y podían formar parte de la «tradición» (término clave de Eliot y posteriormente de Leavis, como en *The Great Tradition*) o, como decimos actualmente, del canon. Por su naturaleza, el canon es exclusivo y jerárquico y se podría decir que está artificialmente construido por las opciones y selecciones realizadas por los agentes humanos (los críticos) de no ser por su tendencia endémica a naturalizarlos precisamente como *natural*: vienen dados de manera obvia e indiscutible, y no creados por la «discriminación» crítica, el gusto, la preferencia, la parcialidad, etc. Éste es el gran peligro; y naturalmente esto libra a enormes cantidades de obras literarias de ser objeto de un serio estudio. Por esta razón, en la revolución crítica posterior a los años de 1960 el canon tuvo que ser desmitificado y desmantelado, y todas las obras que habían sido «ocultadas a la crítica» —por ejemplo, la ficción «gótica» y «popular» o las obras de la clase trabajadora y de las mujeres— pudieron devolverse a la orden del día en un medio relativamente libre de evaluación con derecho preferente.

T. S. Eliot fue esencial para muchas de las tendencias que se han esbozado hasta ahora y su temprano ensayo «Tradition and the Individual Talent» (1919) ha sido quizás la obra individual más importante en la crítica angloamericana. En él, Eliot hace hincapié en dos cosas: en que los escritores deben tener «el sentido histórico» —es decir, un sentido de la tradición escrita en la que ellos mismos deben situarse—; y que este proceso refuerza la necesaria «despersonalización» del artista si pretende que sus obras alcancen la «impersonalidad» que tienen que tener si quiere «aproximarse a la condición de ciencia». Famosas son sus palabras: «La poesía no es un dar rienda suelta a la emoción, sino un escape de la emoción; no es la expresión de la personalidad, sino un escape de la personalidad.» El poeta (y debemos señalar el privilegio de la poesía de Eliot como género dominante, ya que ésta iba a convertirse en el foco central de gran parte de la Nueva Crítica —y, por lo tanto, un ejemplo de cómo las teorías particulares están relacionadas de forma más estrecha con determinados tipos de escritos: véase la Introducción—) se convierte en una especie de «catalizador» impersonal de la experiencia, un «médium» no de su consciencia o de su personalidad, sino de lo que, en última instancia, configura el «médium» en sí mismo —el poema— y nuestro único objeto de interés. En otra frase famosa de otro ensayo diferente («Hamlet», 1919; véase A Practical Reader, cap. 1), Eliot describe la obra de arte como un «objeto correlativo» de la experiencia que podría haberla engendrado: una recreación impersonal que es el objeto autónomo de atención. (Está estrechamente relacionado a la noción de «imagen» que es capital en la poesía de Ezra Pound, de Imagism y en la propia práctica poética de Eliot.) Lo que se desprende de todo esto en el contexto de la evolución de la Nueva Crítica es la (aparente) arremetida antirromántica del pensamiento de Eliot (un nuevo «clasicismo»); el énfasis en la «ciencia», la «objetividad», la «impersonalidad» y el «médium» como el objeto focal del análisis; y la idea de una «tradición» de obras que con mayor éxito mantienen la «esencia» de la experiencia humana en su «médium» constitutivo.

En el período inmediatamente posterior a la Primera Guerra Mundial, cuando Eliot desarrolló todas estas ideas, la «lengua inglesa» surgía (sobre todo en la Universidad de Cambridge) como una (algunos dirían la) materia principal de los programas educativos universitarios de Artes y con ella una nueva y joven generación de académicos decididos a trascender la vieja tradición crítica *belletrist* que había dominado el «inglés» hasta entonces. En cierto sentido, se les puede considerar como los primeros defensores de una crítica «profesional» que trabajaban desde dentro de la academia y era a ellos a quienes los preceptos críticos de Eliot atraían con más fuerza. Vale la pena registrar —tanto en el presente contexto como en el posterior del asalto a la teoría crítica contemporánea de la tradición anterior y de su consonancia con el posmodernismo— que esta nueva crítica tuvo una relación completamente simbiótica con el modernismo literario, encontrando la confirmación de sus premisas en estas obras y utilizándolas como sus modelos de texto para el análisis. Para resumirlo de forma simple, quizás: este nuevo movimiento crítico era la crítica «modernista».

I. A. Richards, William Empson y poco después F. R. Leavis (véase más adelante) fueron los principales defensores del nuevo Inglés en Cambridge. Richards, cuyo trabajo había discurrido en el campo de la filosofía (estética, psicología y semántica), escribió su influyente obra *Principles of Literary Criticism* en 1924. En ella trataba de forma innovadora de establecer una base teórica explícita para el estudio literario. Argumentando que la crítica debía emular la precisión de la ciencia, intentó articular el carácter especial del lenguaje literario, diferenciando el lenguaje «emotivo» de la poesía del lenguaje «referencial» del discurso no literario (en 1926 le seguiría su obra *Science and Poetry*), en el cual Richards incluyó ejemplos de los intentos de sus estudiantes por analizar poemas cortos y sin identificar, mostró lo descuidado que era su equipo de lectura y trató de establecer los principios básicos para una lectura poética minuciosa. La Crítica Práctica se convirtió, tanto en Estados Unidos como en Inglaterra, en la herramienta pedagógica y crítica obligatoria de los programas de inglés de la educación superior (y más tarde de la secundaria) —convirtiéndose rápida y peligrosamente en no teorizada y, por lo tanto, en naturalizada—, como la práctica crítica fundamental. Sin embargo, sus virtudes eran —aunque podemos llegar a lamentar sus calumnia a la hora de desmitificar las iniciativas teóricas de los últimos veinte años— lo que fomentó la lectura minuciosa y atenta de los textos y, en su abstracción intelectual e histórica, una especie de democratización del estudio literario en las aulas, en las que casi todo el mundo estaba en igual situación ante un texto «ciego» —un punto sobre el que volveremos a poner el acento cuando hablemos de la Nueva Crítica Americana—. En efecto, Richards dejó Cambridge en 1929 para establecerse en la Universidad de Harvard y su influencia, sobre todo a través de *Practical Criticism*, apoyó sustancialmente la evolución de los acontecimientos nativos en Estados Unidos que se movían en una dirección parecida.

William Empson, que cambió las matemáticas por el inglés cuando aún era un estudiante y se convirtió en discípulo de Richards, tiene una gran importancia en este contexto por su primera, famosa y precoz obra, escrita asombrosamente rápida (cuando aún era alumno de Richards), *Seven Types of Ambiguity* (1930). Sería poco preciso caracterizar a Empson simplemente como un Nuevo Crítico (su obra y su carrera posteriores rechazaron constantemente el etiquetaje o el encasillamiento fáciles), pero esa primera obra, con su énfasis en la «ambigüedad, como la característica que define el lenguaje poético, su virtuosa proeza de «crítica práctica» creativa y minuciosa y el despegue de los textos literarios de sus contextos durante el proceso de «lectura» de sus ambigüedades, fue especialmente influyente en la Nueva Crítica.

LOS NUEVOS CRÍTICOS AMERICANOS

La Nueva Crítica Americana, que surgió en los años de 1920 y que dominó sobre todo en los de 1940 y 1950, supone el establecimiento de la nueva crítica profesional en la emergente disciplina del «inglés» en la educación universitaria británica durante el período de entreguerras. Como siempre, los orígenes y las explicaciones de su surgimiento —en su auge hasta alcanzar proporciones casi hegemónicas— son complejos y finalmente indefinidos, aunque se pueden señalar algunos puntos. En primer lugar, varias de las figuras clave también formaban parte de un grupo llamado los Agrarios del Sur o «Fugitivos», un movimiento tradicional, conservador y orientado al sur, hostil a la industrialización y al agudo materialismo estadounidense dominado por «el Norte». Sin extendernos demasiado, aquí se vislumbra una consanguinidad con Arnold, Eliot y, más tarde, Leavis en su oposición a la moderna civilización «inorgánica». En segundo lugar, el punto culminante de la influencia de la Nueva Crítica fue durante la Segunda Guerra Mundial y la guerra fría que la sucedió y vemos cómo su privilegio de textos literarios (su «orden», «armonía» y «trascendencia» de lo histórico e ideológicamente determinado) y del análisis «impersonal» de lo que las convierte en grandes obras de arte (su valor innato que reside en su superioridad a la historia material: véase más adelante el ensayo de Cleanth Brooks sobre Keats en «Ode on a Grecian Urn») podría representar un refugio para los intelectuales alienados y, desde luego, para todas las generaciones de estudiantes quietistas. En tercer lugar, con la enorme expansión de la población estudiantil en Estados Unidos en este período, abasteciendo de productos de segunda generación de la «amalgama» americana, la Nueva Crítica con su base de «crítica práctica» era a la vez pedagógicamente económica (las copias de textos cortos se podían distribuir a todo el mundo por igual) y también una forma de tratar con masas de individuos que carecían de una «historia» en común. En otras palabras, su naturaleza ahistórica, «neutral» —el estudio sólo de «las palabras sobre el papel»— constituía a primera vista una actividad igualadora, democrática, muy apropiada para la nueva experiencia americana.

Pero fueran cuales fuesen las explicaciones socioculturales de su procedencia, la Nueva Crítica se caracteriza claramente en las premisas y en la práctica: no está relacionada con el contexto —histórico, biográfico, intelectual, etcétera—; no está interesada en las «falacias» de la «intención» o el «afecto»; únicamente se preocupa por «el texto en sí mismo», con su lenguaje y su organización; no busca el «significado» del texto, sino cómo éste «habla por sí mismo» (véase el poema de Archibald MacLeish «Ars Poetica», en sí mismo un documento sinóptico de la Nueva Crítica, que comienza: «Un poema no debe significar, sino ser»); se preocupa por averiguar cómo se relacionan las partes del texto, cómo éste alcanza su «orden» y «armonía», cómo contiene y resuelve la «ironía», la «paradoja», la «tensión», la «ambivalencia» y la ambigüedad; y sobre todo se preocupa por articular la poesía del propio poema —la quintaesencia formal— (y normalmente es un poema, pero véase Mark Schorer y Wayne Booth, más adelante).

Un ensayo temprano en la autoidentificación de la Nueva Crítica es «Criticism Inc.» de John Crowe Ransom (1937). (Su libro sobre Eliot, Richards y otros, titulado *The New Criticism*, 1941, dio nombre al movimiento.) Ransom, uno de los «Fugitivos» y editor del *Kenyon Review* 1939-1959, establece aquí las reglas básicas: «Criticism Inc.» es un «asunto» de profesionales —en particular, de los profesores de literatura de las universidades—; la crítica debería llegar a ser «más científica o precisa y sistemática»; los estudiantes deberían «estudiar literatura y no simplemente sobre literatura»; Eliot estaba en lo cierto al denunciar la literatura romántica como «imperfecta en la objetividad o "distancia estética"»; la crítica no está dentro de los estudios éticos, lingüísticos o históricos, que son simples «ayudas»; la crítica debería ser capaz de exhibir no el «núcleo de prosa» al cual puede reducirse un poema, sino «diferencias, residuos o tejidos que mantienen al objeto poético o entero. El carácter del poema reside, para el buen crítico, en su forma de exhibir la calidad residual».

Muchos de estos preceptos encuentran su aplicación práctica en la obra de Cleanth Brooks, también un «Fugitivo», académico profesional, editor de *Southern Review* (junto con Robert Penn Warren) 1935-1942 y uno de los practicantes más habilidosos y ejemplares de la Nueva Crítica. Las antologías suyas y de Warren, *Understanding Poetry* (1938) y *Understanding Fiction* (1943), se consideran a menudo como las responsables de la extensión de la doctrina de la Nueva Crítica durante generaciones entre los estudiantes de literatura de las universidades americanas, pero su libro más característico de lecturas es el que lleva el significativo título de *The Well-Wrought Urn: Studies in the Structure of Poetry* (1947), en el cual el ensayo epónimo sobre la urna de la Oda de Keats, «Keat's Sylvan Historian: History Without Footnotes» (1942), es, a nuestro parecer, el mejor ejemplo, explícito e implícito, de la práctica de la

Nueva Crítica que se podría encontrar. Brooks al mismo tiempo cita el inicio de la «Ars Poetica» de MacLeish (véase más atrás); se refiere a Eliot y a su concepto del «objetivo correlativo»; rechaza la importancia de la biografía; reitera por toda la obra los términos de la «propiedad dramática», la ironía, la paradoja (repetidamente) y el contexto orgánico; realiza una ejecución brillante leyendo del poema que deja su dictamen final «sentencioso» como un elemento dramáticamente orgánico; admira constantemente la «historia» del poema por encima de las historias «reales» de «guerra y paz», de «nuestras mentes gobernadas por el tiempo», de «acumulaciones de hechos» «carentes de significado», de «generalizaciones científicas y filosóficas que dominan nuestro mundo»; alaba de forma explícita el «hacerse una idea de la verdad esencial» del poema; y nos confirma el valor del poema (en 1942, en mitad de la pesadilla de la guerra) precisamente porque, como la urna de Keats, «todas respiran pasión humana muy arriba» —enfatizando así «el hecho irónico de que todas las pasiones humanas le dejan a uno saciado; de aquí la *superioridad del arte*» (la cursiva es nuestra). (Para Brooks sobre la «Oda a la Inmortalidad» de Wordsworth, véase *A Practical Reader.*)

Como la Nueva Crítica es, por definición, una «praxis», gran parte de su teoría discurre a lo largo de ensayos más específicamente prácticos (como vimos con Brooks más atrás) y no como escritos teóricos (para el rechazo de Leavis a teorizar su postura o a enzarzarse en una extrapolación filosófica, véase más adelante). Pero hay dos ensayos de la Nueva Crítica en particular que son claramente teóricos y que se han convertido en textos de gran influencia general en el discurso de la crítica moderna: «The Intentional Fallacy» (1946) y «The Affective Fallacy» (1949) escritos por W. K. Wimsatt —un profesor de inglés de la Universidad de Yale y autor del libro sintomáticamente titulado *The Verbal Icon: Studies in the Meaning of Poetry* (1954)— en colaboración con Monroe C. Beardsley, un filósofo de la estética. Ambos ensayos, influenciados por Eliot y Richards, enlazan con el nexo «emisor» (escritor)-«mensaje» (texto)-«receptor» (lector) esbozado en la Introducción, persiguiendo una crítica objetiva que abjure tanto de la aportación personal del escritor («intención») como del efecto emocional en el lector («afecto») con el fin de estudiar puramente las «palabras sobre el papel» y cómo funciona el aparato. El primer ensayo argumenta que «el diseño o la intención del autor ni está disponible ni es deseable como un estándar para juzgar el éxito de una obra de arte literaria»; que un poema «trata del mundo que está más allá del poder (del autor) pretender o controlarlo», «pertenece al público»; que debería entenderse en términos de «orador dramático» del texto, no del autor; y ser juzgado sólo por si «funciona» o no. Desde entonces gran parte del debate crítico se ha desarrollado en torno al lugar de la intención en la crítica y sigue así: la postura de Wimsatt y Beardsley da en el blanco, por ejemplo, con las ideas postestructuralistas de la «muerte del autor» y con la liberación de la deconstrucción del texto de la «presencia» y el «significado». Pero aquí termina el parecido, ya que los nuevos críticos básicamente insisten en que hay un «poema en sí mismo», ontológicamente estable, que es el árbitro último de su propia «afirmación» y que es posible una crítica objetiva. Esto se opone bastante a la idea de la deconstrucción de la «iterabilidad» del texto en sus múltiples relecturas «posicionadas».

Esta diferencia llega a ser mucho más clara en el segundo ensayo, que argumenta que la «falacia afectiva» representa «una confusión entre el poema y sus resultados»: «al intentar derivar el estándar de la crítica de los efectos psicológicos del poema... se termina en el impresionismo y el relativismo». Oponiendo la «objetividad clásica» de la Nueva Crítica a la «psicología del lector romántico», afirma que el desenlace de ambas falacias es que «el propio poema, como un objeto de juicio específicamente crítico, tiende a desaparecer». Y la importancia de un poema en términos de Nueva Crítica clásica es que al «fijar emociones y hacerlas perceptibles de forma más permanente», mediante la «supervivencia» de «sus significados claros y bien interrelacionados, su terminación, equilibrio y tensión» representan «el relato emotivo más preciso sobre las costumbres»: «En pocas palabras, aunque las culturas han cambiado, los poemas permanecen y explican.» Dicho de otro modo, los poemas constituyen nuestra herencia cultural, obras permanentes y valiosas; y en eso reside la diferencia decisiva de las posiciones teóricas más contemporáneas.

Como ya hemos señalado, la Nueva Crítica se centró principalmente en la poesía, pero dos ensayos de Mark Schorer, «Techniques as Discovery» (1948) y «Fiction and the Analogical Matrix» (1949), marcan el intento por extender la práctica de la Nueva Crítica a la ficción en prosa. En el primero de éstos, Schorer señala: «La crítica moderna nos ha demostrado que hablar de contenido como tal no es hablar de arte en absoluto, sino de experiencia; y eso es sólo cuando hablamos del contenido alcanzado, la forma, la obra de arte como obra de arte, que hablamos como críticos. La diferencia entre el contenido, o experiencia, y el contenido alcanzado, o arte, es la técnica.» Y añade que esto se ha llevado a cabo respecto a la novela, cuya propia técnica es el lenguaje y cuyo propio contenido alcanzado —o descubrimiento de lo que está diciendo— sólo puede, como con un poema, ser analizado en términos de esa técnica. En el segundo ensayo, Schorer extiende su análisis del lenguaje de la ficción, revelando los patrones del inconsciente de las imágenes y el simbolismo (más allá de la intención del autor), presente en todas las formas de ficción y no sólo esas que conforman un discurso poético. Muestra cómo el significado del autor, a menudo contradiciendo el sentido superficial, está integrado en la matriz de los análogos lingüísticos que constituyen el texto. En esto podemos atisbar conexiones con la preocupación de las teorías postestructuralistas posteriores de los subtextos, los silencios, las rupturas, los embelesos y el entretenimiento inherentes a todos los textos, por muy estables que parezcan —aunque el propio Schorer, como buen Nuevo Crítico, no deconstruye novelas modernas, aunque reitera la coherencia de su técnica cuando busca capturar «la conciencia moderna en su totalidad... la complejidad del espíritu moderno»—. Quizás ocurre, más bien, que podamos percibir una afinidad entre el nuevo crítico americano, Schorer, y el formalista moral inglés, F. R. Leavis (véase más adelante), algunas de cuyas críticas más famosas de ficción en los años de 1930 y posteriores presentan «la Novela como un Poema dramático».

Finalmente, deberíamos señalar otro movimiento americano de mediados del siglo XX que tuvo especial influencia en el estudio de la ficción: la llamada «Escuela de Chicago» de neoaristotélicos. Teóricamente constituían un reto para los nuevos críticos, pero de hecho a menudo se les considera tan sólo como herederos de la Nueva Crítica en su análisis de la estructura formal y en su opinión, con T. S. Eliot, de que la crítica debería estudiar «la poesía como poesía y no como otra cosa». Los neoaristotelianos se centraron entre finales de los años de 1930 y durante la década de 1940 y 1950 en R. S. Crane de la Universidad de Chicago. Al establecer una base teórica, derivada principalmente de la *Retórica* y de la *Poética* de Aristóteles, Crane y su grupo pretendían emular la lógica, la lucidez y la preocupación escrupulosa con las pruebas que encontraron allí; estaban preocupados por las limitaciones de la práctica de la Nueva Crítica (su rechazo del análisis histórico, su tendencia a presentar juicios subjetivos como si fueran objetivos, su preocupación primera por la poesía); y trataron, por tanto, de desarrollar una crítica más inclusiva y católica que cubriese todos los géneros y aunara sus técnicas, sobre una base «plural e instrumentalista», de cualquier método que resultara adecuado para cada caso en particular. La antología *Critics and Criticism: Ancient and Modern* (1952; edición abreviada con prefacio de Crane, 1957) contiene numerosos ejemplos de sus planteamientos, incluyendo la lectura ejemplar del propio Crane del *Tom Jones* de Fielding, «The Concept of Plot and the Plot of Tom Jones».

En efecto, los neoaristotélicos tuvieron una gran influencia en el estudio de la estructura narrativa de la novela y, sobre todo, mediante la obra de un crítico algo posterior, Wayne C. Booth, quien sin embargo reconoció que él era un aristotélico de Chicago. Su obra *The Rhetoric of Fiction* (1961) ha sido leída ampliamente y muy bien considerada, aunque en los últimos tiempos la teoría crítica contemporánea ha puesto en evidencia sus limitaciones e insuficiencias (para Fredric Jameson, véase más adelante, y en concreto para la teoría orientada al lector, véase el cap. 3). El proyecto de Booth era examinar «el arte de comunicarse con los lectores —los recursos retóricos al alcance del escritor de épica, novela o relatos cortos—, como decidiera, consciente o inconscientemente, imponer su mundo de ficción al lector». Aunque aceptaba en términos de la Nueva Crítica que una novela es un texto autónomo, Booths desarrolla un concepto clave con la noción de que, a pesar de todo, contiene una voz autorial —«el autor implicado» (su «escriba oficial» o «segundo yo»)— que el lector inventa por deducción de las actitudes articuladas en la ficción. Una vez realizada esta distinción entre el autor y la «voz autorial», está abierto el camino para el análisis, en y por ellos mismos, las numerosas y diferentes formas de narración que construyen el texto. Un legado importante de Booth es su división en narradores «fiables» y «no fiables» —el primero, normalmente en la tercera persona, se aproxima a los valores del «autor implicado»; el segundo, a menudo un personaje dentro de la historia, es una desviación de ellos—. Lo que Booth hizo fue a la vez incrementar el equipamiento formal disponible para el análisis de la «retórica de la ficción» y, paradójicamente quizás, para reforzar la idea de que los autores pretenden realmente imponer sus valores al lector y de que la «fiabilidad» es, por tanto, algo positivo. Aquí encontramos una coincidencia con el formalismo moral de Leavis y la razón por la que la narratología del postestructuralismo ha trascendido a Booth.

EL FORMALISMO MORAL: F. R. LEAVIS

A pesar —o más bien a causa del hecho— de que F. R. Leavis y, de forma más general, la «crítica leavisiana» que manaba del periódico *Scrutiny* (1932-1953), se convirtiera en el objetivo principal de la nueva teoría crítica de los años de 1970 y más allá, en el contexto británico al menos, tanto Raymond Williams en *Politics and Letters* (1979) como Terry Eagleton en *Literary Theory: An Introduction* (1983) dan fe de su enorme y ubicua influencia en los estudios ingleses a partir de los años de 1930. A propósito de *The Great Tradition* (1948) de Leavis, Williams comentó que a principios de los años de 1970, en relación con la novela inglesa, Leavis «había ganado completamente. Me refiero a que si hablabas con alguien de él, incluyendo a la gente que era hostil a Leavis, de hecho reproducían su sentido de la forma de la historia». De forma más general, Eagleton escribe: «Cualesquiera que fuese el "fracaso" o el "éxito" de *Scrutiny*... Es un hecho que los estudiantes ingleses en Inglaterra hoy día (1983) son "leavisistas" lo sepan o no, irremediablemente alterados por esa intervención histórica.»

Leavis, profundamente influenciado por Matthew Arnold y T. S. Eliot (la obra de Leavis *New Bearings in English Poetry* [1932] en efecto enseñó por vez primera a los ingleses cómo debían leer *The Waste Land*), fue, como Richards y Empson, uno de los nuevos académicos en Cambridge a finales de los años de 1920 y principio de los de 1930 que alejó los programas de inglés del *belletrismo* de sir Arthur Quiller-Couch y otros y los colocó en el epicentro de la educación en las artes en la universidad. Su obra *Education and the University* (1943) —formada en parte por ensayos publicados anteriormente, incluía los muy influyentes «A Sketch for an "English Shool"» y «Mass Civilization and Minority Culture»— da fe (igual que otras obras posteriores como *English Literature in Our Timeand the University*, 1969, *The Living Principle: English as a Discipline of Thought*, 1975, y *Thought, Words and Creativity*, 1976) al hecho de que Leavis era un educador tanto como un crítico y a la naturaleza práctica, empírica, estratégicamente antiteórica de su obra. En un famoso intercambio con el crítico americano René Wellek, por ejemplo (véase el ensayo de Leavis «Literary Criticism and Philosophy», 1937, en *The Common Pursuit*, 1952), defiende su rechazo a teorizar su obra diciendo que la crítica y la filosofía son actividades bastante independientes y que el objetivo de la crítica es «alcanzar una completitud de respuesta en especial [con el fin de] entrar en posesión de un poema determinado... en su plenitud concreta».

Además de editar *Scrutiny* para enseñar a generaciones de estudiantes —muchos de los cuales a su vez se convirtieron en profesores y escritores— y para ser la presencia informadora detrás, por ejemplo, del evidentemente leavisista *Pelican Guide to English Literature* (1954-1961), ostensiblemente neutral y de amplia venta, editado por Boris Ford en siete volúmenes, Leavis escribió muchas obras de comentarios críticos y culturales: todos los cuales están indeleblemente imbuidos de su «teoría», aunque desde luego no teorizados en términos abstractos —una teoría que ha de extrapolarse, por tanto, de su obra *passim*.

Siguiendo a Richards, Leavis es una especie de «crítico práctico», pero también, en su preocupación por la concreta especificidad del «texto en sí mismo», las «palabras sobre el papel», una especie de nuevo crítico también: [el crítico] está preocupado por la obra que tiene ante sí [*sic*] como algo que debería contener en sí mismo «la razón de ser así y no de otra manera» («The Function of Criticism» en *The Common Pursuit*, 1952 —nótese la referencia oblicua tanto a Arnold como a Eliot en el título del ensayo)—. Pero considerar a Leavis simplemente de esta forma, con su inherente formalismo y ahistoricismo, es un error porque su tratamiento cercano al texto tan sólo sirve para establecer la vitalidad de la «vida sentida», su proximidad a la «experiencia», para demostrar su fuerza moral y para demostrar (por un *escrutinio* minucioso) su excelencia. El pasaje de Eliot que dio a Leavis su título para *The Common Pursuit* habla de la tarea del crítico inmerso en «la búsqueda habitual del juicio verdadero» y *Revaluation* (1936) constituye una selección de Eliot de la Tradición «verdadera» de la poesía inglesa, del mismo modo que la propia obra *The Great-Tradition* (1948) se inicia con la clásica «discriminación» leavisiana de que «los grandes novelistas ingleses son» Jane Austen, George Eliot, Henry James y Joseph Conrad, una lista que inmediatamente puede sugerir lo tendencioso que es siempre el «juicio verdadero» de Leavis, de hecho: ¿James y Conrad ingleses? En otras palabras, un punto importante en la plataforma de Leavis es identificar las «grandes obras» de la literatura, depurar la escoria (por ejemplo, la ficción de masas o popular) y establecer la tradición o el canon arnoldiano y eliotiano. Esto es necesario porque son las obras que deberían enseñarse en una asignatura de inglés de la universidad como parte del proceso de filtración, refinamiento y revitalización culturales que tales asignaturas asumen en nombre de la salud cultural de la nación. En particular, estas obras fomentarán los valores de la «Vida» (el término leavisiano decisivo jamás definido: «los principales novelistas... son importantes en términos de la conciencia humana que fomentan; conciencia de las posibilidades de la vida») contra las fuerzas del materialismo, la barbarie, el industrialismo, etc., en una sociedad «tecnológico-benthamita»: dicho de otro modo, representan una «cultura minoritaria» formada en orden de batalla con una «civilización de masas». (Dos ejemplos del formalismo moral de Leavis que se aprecia en *The Great Tradition* aparecen en *A Practical Reader*, caps. 4 y 6.)

Del mismo modo que el fervor moral de Leavis le distingue del formalismo más abstracto o estético de los nuevos críticos, también lo hace su sentido empáticamente sociológico e histórico. La literatura es un arma en la batalla de la política cultural y gran parte de la «gran» literatura del pasado (en cuanto a Eliot —especialmente, aunque no exclusivamente— desde la pre«disociación de la sensibilidad» del siglo XVII) da fe de la fuerza orgánica de las culturas preindustriales. El pasado y su literatura, en cuanto a Arnold y Eliot de nuevo, actúa como una medida de lo yerma que resulta la época actual —aunque la obra de los «grandes» modernos (Eliot y D. H. Lawrence, por ejemplo), en su necesaria dificultad, complejidad y compromiso con los valores culturales, también se moviliza en nombre de la «Vida» en el mundo hostil del siglo XX—. En cuanto a los nuevos críticos también, las grandes obras de la literatura son buques en los cuales sobreviven los valores humanos; pero para Leavis también tienen que ser desplegados activamente en una política cultural ético-sociológica. Por tanto, paradójicamente, y precisamente a causa de esto, el proyecto de Leavis es a la vez elitista y culturalmente pesimista. Por esta razón, quizás no deba sorprendernos que en el siglo XX llegara a ser tan popular e influyente; en efecto, hasta hace bastante poco llegó a naturalizarse como «estudios literarios». (En este contexto, véase la crítica de Perry Anderson del leavisismo en «Components of the National Culture», 1968, en el cual afirma que la crítica literaria leavisista, en Gran Bretaña a mediados del siglo XX, llenó el vacío dejado por el fracaso de desarrollar un marxismo o sociología británicos.) Ésta es la razón de la ausencia de teoría: no siendo una teoría, sino simplemente un «juicio verdadero» y el sentido común basado en la experiencia vivida

(«Esto —¿verdad?— guarda tal relación con eso; este tipo de cosa —¿no crees?— sienta mejor que eso» [«Literary Criticism and Philosophy»]: véase más atrás), la crítica leavisiana no tenía ninguna necesidad de teoría —de hecho no podía teorizarse. Por paradójico que resulte, durante muchos años ésta fue su baza más poderosa.

BIBLIOGRAFÍA SELECCIONADA

Textos básicos

Arnold, Matthew, *Culture and Anarchy (1869)*, ed. J. Dover Wilson, Cambridge University Press, Cambridge [1932], 1971.
—, *Essays in Criticism*, Second Series, 1888.
Booth, Wayne C., *The Rhetoric of Fiction*, University of Chicago Press, Chicago, 1961.
Brooks, Cleanth, *The Well-Wrought Urn: Studies in the Structure of Poetry* (1947), Methuen, Londres, 1968.
Brooks, Cleanth y Warren, Robert Penn (eds.), *Understanding Poetry: An Anthology for College Students*, Henry Holt, Nueva York, 1938.
—, *Understanding Fiction*, Appleton-Century-Crofts, Nueva York, 1943.
Crane, R. S. (ed.), *Critics and Criticism: Ancient and Modern*, Chicago University Press, Chicago, con Prefacio de Crane, 1957.
Eliot, T. S., *Notes Towards the Definition of Culture*, Faber, Londres, 1948.
—, *Selected Essays* (1932), Faber, Londres, 1965.
Empson, William, *Seven Types of Ambiguity* (1930), Penguin, Harmondsworth, 1961.
—, *Some Versions of Pastoral* (1935), Penguin, Harmondsworth, 1966.
Leavis, F. R., *New Bearings in English Poetry* (1932), Penguin, Harmondsworth, 1963.
—, *Revaluation* (1936), Penguin, Harmondsworth, 1978.
—, *Education and the University* (1943), Cambridge University Press, Cambridge, 1962.
—, *The Common Pursuit* (1952), Penguin, Harmondsworth, 1978.
—, *Lawrence: Novelist* (1955), Penguin, Harmondsworth, 1964.
Ransom, John Crowe, *The New Criticism*, New Directions, Norfolk, CN, 1941.
—, «Criticism, Inc.» (1937), en *The World's Body* (1938), Kennikat Press, Nueva York, 1964.

Richards, I. A., *Practical Criticism* (1929), Ruotledge, Londres, 1964.

—, *Principles of Literary Criticism* (1929), Routledge, Londres, 1970.

Schorer, Mark, «Technique as Discovery», *The Hudson Review*, 1948.

—, «Fiction and the Analogical Matrix», *Kenyon Review*, 1949.

Williams. R., *Politics and Letters*, Verso, Londres, 1979.

Wimsatt, W. K., Jr. y Beardsley, Monroe C., «The Affective Fallacy» (1949), reimpresión en Wimsatt, *The Verbal Icon: Studies in the Meaning of Poetry* (1954), Methuen, Londres, 1970.

—, «The Intentional Fallacy» (1946), reimpresión en Wimsatt, *The Verbal Icon: Studies in the Meaning of Poetry* (1954), Methuen, Londres, 1970.

Lecturas avanzadas

Baldick, Chris, *The Social Mission of English Criticism*, Oxford University Press, Oxford, 1983.

Doyle, Brian, *English and Englishness*, Routledge, Londres, 1989.

Eagleton, Terry, *Literary Theory: An Introduction*, Basil Blackwell, Oxford, 1983.

Fekete, John, *The Critical Twilight: Explorations in the Ideology of Anglo-American Literary Theory from Eliot to McLuhan*, Routledge, Londres, 1977.

Graff, Gerald, *Professing Literature: An Institutional History*, Chicago University Press, 1987.

Lentricchia, Frank, *After the New Criticism* (1980), Methuen, Londres, 1983.

MacCullum, Patricia, *Literature and Method: Towards a Critique of I. A. Richards, T. S. Eliot and F. R. Leavis*, Gill & Macmillan, Dublin, 1983.

Mulhern, Francis, *The Moment of «Scrutiny»*, Verso, Londres, 1979.

Newton, K. M., *Interpreting the Text: A Critical Introduction to the Theory and Practice of Literary Interpretation*, Harvester Wheatsheaf, Hemel Hempstead, 1990.

Norris, Christopher, *William Empson and the Philosophy of Literary Criticism*, Londres, 1978.

Parrinder, Patrick, *Authors and Authority: English and American Criticism 1750-1990*, Macmillan, Basinsstoke, 2.ª ed., 1991.

Rylance, Rick, «The New Criticism», en *Encyclopaedia of Literature and Criticism*, Martin Coyle, Peter Garside, Malcolm Kelsall y John Peck (eds.), Routledge, Londres, 1990.

Samson, Anne, *F. R. Leavis*. Harvester Wheatsheaf, Hemel Hempstead, 1992.

Capítulo 2

EL FORMALISMO RUSO

Los estudiantes de literatura que se han formado en la tradición de la Nueva Crítica angloamericana (con su acento puesto sobre la «crítica práctica» y sobre la unidad orgánica del texto) se sentirán a sus anchas con el formalismo ruso. Ambos tipos de crítica intentan explorar lo específicamente literario de los textos, ambos rechazan la lánguida espiritualidad de la última poética romántica en beneficio de un planteamiento detallado y empírico de la lectura. Una vez dicho esto, hay que admitir que los formalistas rusos estaban mucho más interesados en el «método» y en establecer las bases «científicas» para una teoría de la literatura. La Nueva Crítica combinaba la atención en el orden verbal específico de los textos con el acento en la naturaleza *no conceptual* del significado literario (la complejidad de un poema representaba una sutil respuesta a la vida que no podía ser reducida a unas cuantas paráfrasis o unos cuantos enunciados lógicos): su planteamiento, a pesar de la insistencia en la lectura meticulosa de los textos, seguía siendo fundamentalmente humanista. Por ejemplo, Clean Brooks insistió en que la «Horatian Ode» de Marvell no constituye una declaración política de su postura sobre la guerra civil, sino una dramatización de puntos de vista opuestos, unificados en un todo poético. Brooks concluye su comentario afirmando que, como toda «poesía mayor», el poema expresa «la honestidad, la agudeza y la apertura de espítiru». Por el contrario; los primeros formalistas rusos consideraban que el «contenido» humano (emociones, ideas y «realidad» en general) carecía de significado literario en sí mismo y que se limitaba a proporcionar el contexto para el funcionamiento de los «recursos» literarios. Como veremos, los últimos formalistas modificaron esta clara distinción entre forma y contenido, aunque siguieron rechazando la tendencia de la Nueva Crítica a otorgar un significado moral y cultural a la forma estética: estaban interesados en desarrollar (dentro de un espíritu científico) modelos e hipótesis que permitieran explicar cómo los mecanismos literarios producen efectos estéticos y como lo «literario» se distingue y se relaciona con lo «extraliterario». Mientras la Nueva Crítica concebía la literatura como una forma de entendimiento humano, los formalistas la consideraban como un uso especial del lenguaje.

Peter Steiner se ha manifestado de forma convincente en contra de una perspectiva monolítica del formalismo ruso, distinguiendo entre formalismos a la hora de ilustrar las tres metáforas que actúan como modelos generativos de las tres fases de su historia. El modelo de la «máquina» gobierna la primera fase, que considera la crítica literaria como una especie de mecánica y el texto como un montón de recursos. La segunda es una fase «orgánica» que considera los textos literarios como «organismos» de partes interrelacionadas que funcionan al completo. La tercera fase adopta la metáfora del «sistema» y opta por entender los textos literarios como los productos de todo el sistema literario e incluso del metasistema de sistemas interactivos literarios y no literarios.

The historical dev of form.

SHKLOVSKY, MUKAŘOVSKÝ, JAKOBSON

Los estudios formalistas se habían desarrollado mucho antes de la revolución de 1917, tanto en el Círculo Lingüístico de Moscú, fundado en 1915, como en la Opojaz (Sociedad para el Estudio del Lenguaje Poético), creada en 1916. Las principales figuras del primer grupo eran Roman Jakobson y Petr Bogatyrev, que posteriormente contribuirían a la creación del Círculo de Praga en 1926. Viktor Shklovsky, Yury Tynyanov y Boris Eikhenbaum destacaron en Opojaz. El empuje inicial lo proporcionaron los futuris-

tas, cuyos esfuerzos artísticos anteriores a la Primera Guerra Mundial se dirigieron contra la «decadente» cultura
burguesa y, en especial, contra la angustiosa búsqueda personal de los simbolistas en el terreno de la poesía y las artes visuales. Se burlaron de las posturas místicas de poetas
como Briusov para quien el poeta era una suerte de «guardián del misterio». En lugar de lo «absoluto», Mayakovsky,
el extrovertido poeta futurista, ofrecía como hogar de la poesía el ruidoso materialismo de la era de la máquina. Sin embargo, hay que hacer notar que los futuristas se opusieron
al realismo tanto como lo habían hecho los simbolistas: su
concepto de la «palabra autosuficiente» insistía en la imagen sonora contenida en las palabras como algo diferente
de su capacidad para referirse a las cosas. Apoyaron la Revolución y afirmaron el papel del artista en tanto productor
(proletario) de objetos de arte. Dmitriev declaraba que «el
artista es ahora simplemente un productor y un técnico, un
cabecilla y un capataz». Los constructivistas llevaron estos
argumentos a su lógica extrema y se enrolaron en fábricas
para poner en práctica sus teorías sobre «arte de serie».

A partir de allí, los formalistas emprendieron la elaboración de una teoría de la literatura que tenía relación con
la habilidad *técnica* del escritor y las *artes* del oficio. Evita-
ron la retórica proletaria de los poetas y los artistas, aunque mantuvieron un punto de vista algo mecánico del proceso literario. Shklovsky fue tan vigorosamente materialista
en sus actitudes como Mayakovsky. La famosa definición
del primero de la literatura en tanto «suma total de todos
los recursos estilísticos empleados en ella» resume bastante bien esta primera etapa del formalismo.

En un principio, el trabajo de los formalistas pudo de-
sarrollarse sin ninguna traba entre 1921 y 1925 cuando la
estragada URSS salía de la «guerra del comunismo». Durante este breve período de descanso se permitió el surgimiento de la economía y la literatura no proletarias y
en 1925 el formalismo se había convertido en el método dominante de la erudición literaria. Las sofisticadas críticas
de Trotsky al formalismo contenidas en *Literatura y revolución* (1924) dieron lugar a una nueva etapa defensiva que
culminó en las tesis de Jakobson-Tynyanov (1928). Algunos

consideran los últimos desarrollos como signos de la derrota del formalismo puro y como una capitulación ante las «exigencias sociales» comunistas. Pero antes de que, hacia 1930, la desaprobación oficial acabara con el movimiento, la necesidad de tomar en cuenta la dimensión sociológica dio lugar a algunas de las mejores obras de este período, en especial, a los trabajos de la «escuela de Bakhtin», que combinó la tradición formalista y la marxista abriendo fructíferos caminos que anticipaban desarrollos posteriores. El más estructuralista de los formalismos, iniciado por Jakobson y Tynyanov, fue continuado por el formalismo checo (en particular, por el Círculo Lingüístico de Praga) hasta la irrupción de los nazis. Algunos componentes de este grupo, como René Wellek y Roman Jakobson, emigraron a Estados Unidos, donde ejercieron una gran influencia en el desarrollo de la Nueva Crítica en los años de 1940 y 1950.

El enfoque técnico de los formalistas los llevó a considerar la literatura como un uso especial del lenguaje, cuya peculiaridad se derivaba de su alejamiento y de su distorsión del lenguaje «práctico», es decir, del lenguaje que se utiliza en los actos de comunicación, en contraposición al lenguaje literario, que no tiene ninguna función práctica y únicamente nos hace *ver* las cosas de modo diferente. Todo esto se podría aplicar con facilidad a un escritor como Gerard Manley Hopkins, cuyo lenguaje es «difícil» en un sentido que obliga a concebirlo como «literario». Los primeros formalistas tendían a identificar la «literariedad» con lo poético, pero es fácil demostrar que no existe un lenguaje intrínsecamente literario. Al abrir el *Under the Greenwood Tree* de Hardy al azar, me encuentro con el siguiente diálogo: «¿Cuánto tiempo estarás?» «No mucho. Esperá y háblame.» No hay ninguna razón para considerar «literarias» estas palabras. Las leemos de ese modo en lugar de considerarlas como acto de comunicación porque las encontramos en lo que juzgamos que es una obra literaria. Como veremos, Tynyanov y otros autores desarrollaron una visión más dinámica de la «literariedad» que evita este problema.

Lo que distingue la literatura del lenguaje «práctico» es su cualidad de objeto elaborado. Los formalistas vieron en la poesía la quintaesencia del uso literario del lenguaje: «palabras organizadas en una estructura completamente fónica», cuyo elemento básico es el ritmo. Consideremos un verso de la segunda estrofa de «A Nocturnal upon St Lucies Day» de Donne:

*For I am every dead thing**

Un análisis formalista subrayaría el impulso yámbico subyacente (conservado en el verso equivalente de la primera estrofa: *«The Sunne is spent, and now his flasks»*);** en el verso de la segunda estrofa, la expectativa se ve frustrada por la omisión de una sílaba entre «dead» y «thing»: en la desviación de la norma reside el efecto estético. También podría señalar algunas diferencias más tenues en el ritmo, provocadas por las diferencias sintácticas entre los dos versos (por ejemplo, el primero tiene una cesura acentuada, cosa que no ocurre con el segundo). La poesía ejerce una violencia controlada sobre el lenguaje práctico, deformándolo con el fin de desviar nuestra atención hacia lo elaborado de su naturaleza.

La primera etapa del formalismo estuvo dominada por Viktor Shklovsky, cuyas teorizaciones, con grandes influencias de los futuristas, eran agudas e iconoclastas. Mientras los simbolistas consideraban la poesía como expresión del infinito o de alguna realidad invisible, Shklovsky adoptó un enfoque más prosaico, en un intento de definir las técnicas utilizadas por los escritores para producir efectos específicos.

Shklovsky dio a uno de sus conceptos más atractivos el nombre de «extrañamiento» (*ostranenie*: hacer extraño). Sostenía que nunca podemos conservar la frescura de nuestra percepción de los objetos, ya que las exigencias de una existencia «normal» hacen que se conviertan en su mayoría en «automatizadas» (éste es un concepto posterior). La inocente visión de Wordsworth, según la cual la naturaleza conserva «la gloria y la frescura de un sueño», no corresponde al estado normal de la conciencia humana y es tarea especial del arte el devolvernos la imagen de las cosas que

---

*   Ya que soy todo lo muerto. *(N. del t.)*
** Se puso el sol y ahora su luz. *(N. del t.)*

se han convertido en objetos habituales en nuestra conciencia cotidiana. Debe señalarse que los formalistas, a diferencia de los poetas románticos, no estaban tan interesados en las percepciones en sí mismas como en la naturaleza de los recursos utilizados para conseguir el efecto de «extrañamiento». El propósito de una obra de arte es cambiar nuestro modo de percepción de lo automático y práctico a lo artístico. En «El arte como técnica» (1917), Shklovsky afirma:

> El propósito del arte es comunicar la sensación de las cosas en el modo en que se perciben, no en el modo en que se conocen. La técnica del arte consiste en hacer «extraños» los objetos, crear formas complicadas, incrementar la dificultad y la extensión de la percepción, ya que, en estética, el proceso de percepción es un fin en sí mismo y, por lo tanto, debe prolongarse. *El arte es el modo de experimentar las propiedades artísticas de un objeto. El objeto en sí no tiene importancia.* (La cursiva es de Shklovsky.)

arte por el arte

Los formalistas gustaban de citar a dos escritores ingleses del siglo XVIII: Laurence Sterne y Jonathan Swift. Tomashevsky analizó cómo son utilizados los recursos de extrañamiento en *Los viajes de Gulliver*:

> Con el fin de presentar un retrato satírico del sistema sociopolítico europeo, Gulliver... cuenta a su amo (un caballo) las costumbres de la clase gobernante de la sociedad humana. Obligado a narrar hasta los más pequeños detalles, elimina la coraza de las frases eufemísticas y las tradiciones espurias que se utilizan para justificar cosas como la guerra, los conflictos de clase, las intrigas parlamentarias, etc. Apartados de su justificación verbal y, por lo tanto, desfamiliarizados, esos temas surgen con todo su horror. Así, la crítica del sistema político —un material no literario— se encuentra artísticamente motivada y plenamente imbricada en la narrativa.

En un principio, este resumen parece hacer hincapié en el contenido mismo de la nueva percepción (el «horror» de la «guerra» y los «conflictos de clase»). Pero, en realidad, lo que interesa a Tomashevsky es la transformación artística de un «material no literario». El extrañamiento modifica nuestra respuesta ante el mundo, sometiendo nuestras percepciones habituales a los recursos de la forma literaria.

En su monografía sobre el *Tristram Shandy* de Sterne, Shklovsky destaca los modos en que las acciones familiares se «extrañan», haciéndose cada vez más lentas, estirándose o interrumpiéndose. La técnica de retrasar o prolongar las acciones hace que nos fijemos en ellas, dejando de percibir automáticamente esos espectáculos y movimientos tan familiares. Se podía haber descrito de modo convencional al abrumado señor Shandy cayendo en su cama después de oír la noticia de que su hijo Shandy se había roto la nariz («se desplomó afligido sobre la cama»), pero Sterne prefirió «extrañar» la postura del señor Shandy:

> La palma de su mano derecha, que le sujetó la frente cubriendo gran parte de sus ojos cuando cayó sobre la cama, se deslizó suavemente (al doblársele el codo hacia atrás) hasta tocar con la nariz en la colcha; el brazo izquierdo colgaba inerme a un lado de la cama, los nudillos reposando en el asa del orinal...

El ejemplo es interesante, porque muestra cuán a menudo el extrañamiento afecta no a la percepción, sino simplemente a la presentación de la percepción. Al hacer más lenta la descripción de la posición del señor Shandy, Sterne no nos muestra una nueva visión del dolor ni ninguna nueva percepción de una postura familiar, sólo nos ofrece una presentación verbal aumentada. Y es esta falta de compromiso por parte de Sterne con la percepción en un sentido no literario lo que provoca la admiración de Shklovsky. El subrayar el proceso real de presentación recibe el nombre de «revelar» una técnica. Muchos lectores encuentran irritante la novela de Sterne por las continuas referencias a su propia estructura, pero «revelar» los recursos utilizados es, desde el punto de vista de Shklovsky, lo más *literario* que una novela puede hacer.

Los conceptos de «extrañamiento» y de «revelación de los recursos» influyeron directamente sobre la famosa noción de «distanciamiento» de Bertold Brecht, quien, como los formalistas, atacó frontalmente la idea clásica según la cual el arte debía ocultar sus propios recursos (*ars celare artem*). Para la literatura, el presentarse a sí misma como una unidad de discurso sin fisuras y como una representación

[anotaciones manuscritas en el margen: «Distancia tiene connotaciones políticas»]

[anotación manuscrita inferior: «No interesaba a los formalistas»]

natural de la realidad sería fraudulento y, para Brecht, políticamente reaccionario —ésta es la razón por la que rechazó el realismo y abrazó el modernismo— (para conocer el debate Lukács/Brecht sobre este punto, véase más adelante). Por ejemplo, en una producción brechtiana, un personaje masculino podría ser representado por una actriz con el fin de destruir la naturalidad y la familiaridad del papel; el extrañamiento del rol obligaría al público a fijarse en su masculinidad específica. De todas formas, los formalistas no prestaron atención a los posibles usos políticos del recurso, ya que sus intereses eran puramente técnicos.

La distinción entre «narración» y «trama» ocupa un lugar importante en la teoría de la narrativa de los formalistas rusos.

Los trágicos griegos elaboraron narraciones tradicionales que consistían en una serie de acontecimientos. En la sección sexta de la *Poética*, Aristóteles define «trama» («mythos») como «una combinación de acontecimientos». La «trama» se distingue con claridad de la narración en la que se basa: es la disposición artística de los acontecimientos que conforman la narración. Una tragedia griega suele comenzar con un *flash back*, una recapitulación de los acontecimientos de la historia anteriores a los seleccionados para configurar la trama. Tanto en la *Eneida* de Virgilio como en el *Paraíso perdido* de Milton, el lector es arrojado *in media res* y, a continuación, los acontecimientos de la narración se introducen de modo artístico en los diversos estadios de la trama: Eneas cuenta a Dido, en Cartago, la caída de Troya, y Rafael narra a Adán y Eva, en el Paraíso, la lucha en el Cielo.

Sin embargo, los formalistas rusos afirmaban que sólo la «trama» *(sjužet)* era literaria, mientras que la «narración» *(fabula)* constituía la materia prima que espera la mano organizadora del escritor. De todos modos, tal como revela el ensayo de Shklovsky sobre Sterne, los formalistas tenían un concepto de trama más revolucionario que el de Aristóteles. La trama de *Tristram Shandy* no es únicamente la disposición de los acontecimientos de la narración, sino también todos los «recursos» utilizados para interrumpirla y prolongarla. Las digresiones, los juegos tipográficos, el desorden de las partes del libro (prólogo, dedicatoria, etc.) y las extensas descripciones constituyen otros tantos recursos para que nos fijemos en la forma de la novela. En cierto sentido, la «trama» es en este caso la transgresión de la esperada disposición formal de los acontecimientos. Al frustrar una disposición convencional, Sterne da importancia a la trama misma como objeto literario. Y, en este aspecto, Shklovsky no es en ningún modo aristotélico, porque una «trama» aristotélica bien ordenada presentaría las verdades esenciales y familiares de la vida humana, sería plausible y contendría una dosis de inevitabilidad. Además, los formalistas unieron a menudo la teoría de la trama con el concepto de extrañamiento: la trama concebida como medio para *impedirnos* considerar los acontecimientos de modo típico y familiar. En cambio, se nos recuerda constantemente cómo el arte construye o forja (hace/falsifica) la «realidad» que se nos presenta. En su despliegue de *poiesis* («poeta» = «hacedor») más que *mimesis* («copiar» = realismo), mira anhelante, como hace Sterne, hacia la autorreflexividad del posmodernismo.

Un nuevo concepto en la teoría de la narrativa del formalismo ruso es el de «motivación». Tomashevsky llamó «motivo» a la unidad de trama más pequeña, que puede consistir en un simple enunciado o acción. Realizó la distinción entre motivos «determinados» y motivos «libres». Un motivo «determinado» es exigido por la narración, mientras que el motivo «libre» no es esencial para la misma. Desde el punto de vista literario, sin embargo, son precisamente los motivos «libres» los que constituyen el foco en potencia del arte. El recurso, por ejemplo, de hacer que Rafael narre la lucha en el Cielo es un motivo «libre», puesto que no forma parte de la propia narración, pero formalmente es más importante que la narración de la lucha misma porque permite a Milton insertarla de modo artístico en la trama global.

Este enfoque invierte la tradicional subordinación de los recursos formales al «contenido». Los formalistas, no sin cierto grado de perversión, consideraron las ideas, los temas y las referencias a la «realidad» de un poema como una mera excusa externa del escritor a quien se pide justi-

ficar el uso de recursos formales. A esta dependencia de supuestos externos y no literarios, la llamaron «motivación».
Según Shklovsky, *Tristram Shandy* es notable porque carece por completo de «motivación», la novela está construida mediante recursos formales al «descubierto».

La clase más familiar de «motivación» es lo que generalmente llamamos «realismo». No importa lo elaborada que pueda estar formalmente una obra, se suele esperar que proporcione la ilusión de lo «real», que la literatura sea como «la vida misma», y llegan a irritar los personajes o las descripciones que no satisfacen ciertas expectativas derivadas de las nociones del sentido común sobre cómo es el mundo real. «Un hombre enamorado no se comportaría de ese modo» o «la gente de tal clase no habla así» son el tipo de comentarios que solemos hacer cuando creemos notar algún fallo en la motivación realista. En cambio, tal como señaló Tomashevsky, nos acostumbramos a toda una retahíla de absurdos e inverosimilitudes cuando aprendemos a aceptar una nueva serie de convenciones. Nunca nos damos cuenta de lo inverosímil de la forma en que, en los relatos de aventuras, los héroes son siempre rescatados cuando están a punto de perecer a manos de los malos. Efectivamente, la estrategia central del realismo consiste en disfrazar su artificialidad, fingir que no existe ningún tipo de arte entre él y la realidad que nos muestra; en este sentido, hace exactamente lo contrario de «revelar sus recursos».

El tema de la «motivación» ha llegado a ser importante en una gran parte de la teoría literaria posterior. Jonathan Culler resumió claramente el tema al escribir: «Asimilar o interpretar algo es colocarlo en el interior de las formas de orden que la cultura posibilita y, por lo general, esto se lleva a cabo hablando sobre ello en un discurso que la cultura tiene por natural.» Los seres humanos poseen una inventiva ilimitada a la hora de encontrar un sentido a las expresiones o inscripciones más caóticas y aleatorias. Nos negamos a permitir que un texto se mantenga al margen de nuestros marcos de referencia, insistimos en «naturalizarlo» y en borrar su textualidad. Ante una página llena de imágenes desordenadas, preferimos naturalizarla, atribuyendo esas imágenes a una mente perturbada, o considerarla el reflejo de un mundo desorganizado, antes que aceptar su desorden como algo extraño e inexplicable. Los formalistas se anticiparon al pensamiento de los estructuralistas y de los postestructuralistas al prestar atención a las características de textos que resisten el implacable proceso de naturalización. Shklovsky se negó a reducir el extraño desorden de *Tristram Shandy* a una simple expresión de la caprichosa mente de su protagonista y, en lugar de ello, llamó la atención sobre la insistente literariedad de la novela que resiste la naturalización.

Hemos visto la evolución del concepto de texto desde Shklovsky (un conjunto de recursos) hasta Tynyanov (un sistema de funciones). El punto crítico de esta fase «estructural» fue la serie de declaraciones conocidas con el nombre de tesis de Jakobson-Tynyanov (1928). Dichas tesis rechazan el formalismo mecanicista e intentan superar una estrecha perspectiva literaria mediante la definición de la relación entre las «series» literarias y otras «series históricas». Según estos dos autores, no es posible entender el desarrollo histórico del sistema literario sin entender el modo en que otros sistemas colisionan con él y determinan en parte su evolución. Además, para una correcta comprensión de la correlación de los sistemas, es necesario tener en cuenta las «leyes inmanentes» del sistema literario si queremos entender correctamente la correlación de los sistemas.

El Círculo Lingüístico de Praga, fundado en 1926, continuó y desarrolló el enfoque «estructural». Mukařovský, por ejemplo, desarrolló el concepto formalista de «extrañamiento» en el más sistemático de *foregrounding*, que definió como «la distorsión estéticamente intencional de los componentes lingüísticos». También hizo hincapié en lo descabellado de excluir los factores extraliterarios del análisis crítico. Partiendo de la dinámica concepción de las estructuras estéticas de Tynyanov, dio gran importancia a la tensión dinámica que se establece en el producto artístico entre literatura y sociedad. Su concepto más importante se relaciona con la «función estética», que resulta ser un límite en constante movimiento y no una categoría hermética.

El mismo objeto puede tener varias funciones: una iglesia puede ser un lugar de culto y una obra de arte; una piedra, el tope de una puerta, un proyectil, un material de construcción y un objeto de consideración artística. Las modas son signos especialmente complejos y pueden poseer funciones estéticas, eróticas, políticas y sociales. La misma variedad de funciones puede apreciarse en los productos literarios. Un discurso político, una biografía, una carta, un fragmento de propaganda pueden adquirir o no un valor estético en sociedades y épocas diferentes. La circunferencia de la esfera del «arte» está en perpetuo cambio y en relación dinámica con la estructura de la sociedad.

El concepto de Mukařovský ha sido recientemente retomado por la crítica marxista para establecer los alcances sociales del arte y la literatura. Nunca podremos hablar de «literatura» como si se tratara de un catálogo definitivo de obras, un conjunto específico de recursos o un cuerpo inalterable de formas y géneros. Otorgar a un objeto la dignidad del valor estético es un acto *social,* inseparable, en última instancia, de las ideologías predominantes. Los modernos cambios sociales han dado lugar a que objetos que en un principio tenían funciones básicamente no estéticas sean en la actualidad considerados ante todo como obras de arte. La función religiosa de los iconos, la función doméstica de los vasos griegos y la función militar de los petos se han visto subordinadas en nuestra época a la función estética. Inclusive lo que la gente decide considerar como arte «serio» o cultura «elevada» está sometido a valores cambiantes. El jazz, por ejemplo, una música en un principio propia de bares y burdeles, se ha convertido en un arte serio, a pesar de que sus orígenes sociales «inferiores» todavía den lugar a evaluaciones conflictivas. Desde este punto de vista, arte y literatura no son verdades eternas, sino que se encuentran abiertas a nuevas definiciones —de aquí la creciente presencia, a medida que se deconstruye el canon literario, de los escritos «populares» en los cursos de «Estudios Culturales» (que no de Literatura)—. La clase dominante de cualquier época histórica tiene una importante influencia sobre la definición del arte y, normalmente, intenta incorporar las nuevas tendencias a su universo ideológico.

Con el tiempo se vio claro que los recursos no eran piezas establecidas de antemano que pudieran moverse a voluntad en el juego literario. Este descubrimiento hizo que el
concepto fundamental de «recurso» cediera el paso al de
«función», un cambio que tuvo grandes repercusiones. El
irresuelto rechazo del «contenido» dejó de atormentar a los
formalistas, que fueron capaces de asimilar el principio
central del «extrañamiento»; esto es, en lugar de hablar del
extrañamiento de la realidad realizado por la literatura, pudieron empezar a referirse al extrañamiento de la literatura misma. Los elementos en el seno de una obra podían
convertirse en «automatizados» o tener una función estética positiva. El mismo recurso podía realizar distintas funciones estéticas en obras diferentes o convertirse en «auto-
matizado». Los arcaísmos y las citas latinas, por ejemplo,
pueden tener una función «culta» en un poema épico, una
función irónica en una sátira o convertirse en automatizados en la dicción poética. En este último caso, el recurso no
es «percibido» por el lector como un elemento funcional y
desaparece del mismo modo que las percepciones ordina-
rias, que se convierten en automatizadas y se dan por sen-
tadas. Las obras literarias pasaron a considerarse como *sistemas dinámicos* en los cuales los elementos se estruc-
turaban según relaciones de fondo y primer plano. Si un
elemento particular se «borra» (el estilo arcaico, quizás),
otros elementos pasarán a ocupar el lugar dominante (quizás, la trama o el ritmo) en el sistema de la obra. En 1935,
Jakobson estimó que «el dominante» era un importante
concepto del formalismo tardío y lo definió como: «el componente central de una obra de arte que rige, determina y
transforma todos los demás», subrayando correctamente el
aspecto no mecánico de esta visión de la estructura artística. El dominante proporciona a la obra un centro de cris-
talización y facilita su unidad o *gestalt* (orden total). La misma noción de extrañamiento implicaba *cambio* y desarrollo
histórico. En lugar de buscar verdades eternas que reducen
toda la gran literatura a un mismo patrón, los formalistas
se inclinaron a considerar la historia de la literatura como
una revolución permanente en la que cada nuevo desarrollo era un intento de rechazar la mano muerta de la fami-

liaridad y la respuesta habitual. El dinámico concepto de
dominante también proporcionó a los formalistas un útil
camino para explorar la historia literaria. Las formas poéticas no cambian y se desarrollan al azar, sino como resultado de un «deslizamiento del dominante»: existe un continuo deslizamiento en las relaciones mutuas entre los diversos elementos de un sistema poético. Jakobson añadió la
interesante idea según la cual la poesía de períodos concretos podía regirse por un «dominante» derivado de un sistema no literario. Así, el dominante de la poesía del Renacimiento derivaba de las artes visuales; la poesía romántica
se orientó hacia la música; y el dominante del realismo es
el arte verbal. Pero, sea el que sea, el dominante organiza
todos los demás elementos en la obra individual, relegando
al fondo de la atención estética elementos que en obras de
períodos anteriores pudieron ser dominantes y estar en primer plano. Lo que cambia no son tanto los elementos del
sistema (sintaxis, ritmo, trama, estilo, etc.) como la *función*
de los elementos particulares o de los grupos de elementos.
Cuando Pope escribió los siguientes versos satirizando a los
arcaizantes, pudo apoyarse en la dominancia de los valores
de claridad de la prosa para lograr su objetivo:

> *But who is he, in closet close y-pent*
> *Of sober face, with learned dust besprent?*
> *Right well mine eyes arede the myster wight,*
> *On parchment scraps y-fed, and Wormius hight.**

El lector identifica inmediatamente el estilo chauceria-
no y la arcaica ordenación de las palabras como una cómi-
ca pedantería. En una época anterior, sin embargo, Spenser
fue capaz de volver a utilizar el estilo de Chaucer sin producir un efecto satírico. El deslizamiento del dominante no
sólo opera en textos concretos sino también en períodos literarios.

---

* ¿Mas quién es él, en pequeño recinto agazapado, con sobria faz y
huellas de saber almacenado? / Bien podrán mis ojos juzgar el misterio de
tal ser / entre ajados pergaminos, básico alimento, y de Wormius el saber.
(N. del t.)

La escuela de Bakhtin

En la última etapa del formalismo, la llamada escuela de Bakhtin llevó a cabo una fructífera combinación de formalismo y marxismo. La autoría de varias palabras clave del grupo permanece discutida y por ello me referiré a los nombres que aparecen en los títulos originales: Mikhail Bakhtin, Pavel Medvedev y Valentin Voloshinov. Estas obras han sido interpretadas y utilizadas de forma diferente por la crítica liberal y de izquierdas. Medvedev inició su carrera como un marxista ortodoxo cuyos primeros ensayos eran antiformalistas y su obra *The Formal Method in Literary Scholarship: A Critical Introduction to Social Poetics* (1929) fue una crítica sistemática del formalismo, aunque lo consideraba un oponente válido. Sin embargo, la escuela puede considerarse formalista en lo que respecta a la estructura lingüística de las obras literarias, aunque algunas obras de Voloshinov, en particular, sufrieron una poderosa influencia del marxismo en lo referente a la imposibilidad de separar lenguaje e ideología. Esta conexión íntima entre ambos, expuesta en *Marxism and the Philosophy of Language* (1973), de Voloshinov, atrajo de inmediato a la literatura hacia la esfera económica y social, la patria de la ideología. Dicho enfoque partía de los clásicos supuestos marxistas sobre la ideología: rechazaba considerarla como fenómeno puramente mental, contemplándola como el reflejo de una estructura socioeconómica material (real). La ideología no puede separarse de su medio, el lenguaje. Como afirmó Voloshinov, «la conciencia sólo puede surgir y existir en una materialización de signos». El lenguaje, en tanto sistema material socialmente elaborado, es él mismo una realidad material.

La escuela de Bakhtin no se interesaba por la lingüística abstracta, del tipo de la que más tarde estaría en la base del estructuralismo, sino más bien por el lenguaje o el discurso como fenómeno social. El núcleo del pensamiento de Voloshinov era que las «palabras» eran signos sociales, dinámicos y activos, capaces de adquirir significados y connotaciones distintos para las diversas clases sociales, en situaciones sociales e históricas diferentes. Atacó a aquellos lingüistas (incluyendo a Saussure) que consideraban el lenguaje como un objeto de investigación estático, neutral e inanimado, y rechazó por completo la noción de «expresión monológica aislada y acabada, separada de su contexto verbal real, y abierta, no a cualquier clase de respuesta activa, sino a la comprensión pasiva». La palabra rusa *slovo* puede traducirse por «palabra», pero la escuela de Bakhtin la utilizó en un fuerte sentido social (cercano a «expresión» o «discurso»). Los signos verbales son el escenario de una continua lucha de clases: la clase gobernante intentará siempre reducir el significado de las palabras y convertir los signos sociales en «uniacentuales», pero en épocas de tensión social, cuando los intereses de las clases chocan y se cruzan, se pone de manifiesto en el terreno del lenguaje la vitalidad y la «multiacentualidad» básica de los signos lingüísticos. «Heteroglosia» es un concepto fundamental definido claramente por Bakhtin en su «Discourse in the Novel» (escrito en 1934-1935). El término se refiere a la condición básica que gobierna la producción del significado en el discurso. Afirma la manera en la que el *contexto* define el significado de las palabras pronunciadas, que son heteroglotas en la medida que ponen en juego una multiplicidad de voces sociales y sus expresiones individuales. Una voz individual puede dar la impresión de unidad y cohesión, pero la palabra pronunciada produce constantemente (y en cierta medida inconscientemente) una plenitud de significados, que derivan de la interacción social (diálogo). El «monólogo» es, de hecho, una imposición forzosa sobre el lenguaje y, por tanto, una distorsión del mismo.

Mikhail Bakhtin desarrolló esta dinámica visión del lenguaje en el campo de la crítica literaria. Sin embargo, como se hubiera podido esperar, no trató la literatura en tanto reflejo directo de las fuerzas sociales, sino que conservó un compromiso formalista en relación con la estructura literaria, mostrando cómo la activa y dinámica naturaleza del lenguaje cobra cuerpo en ciertas tradiciones literarias. No hizo hincapié en el modo en que los textos reflejan los intereses sociales o de clase, sino en el modo en que el lenguaje desorganiza la autoridad y libera voces alternativas. Un lenguaje libertario es totalmente apropiado para describir su enfoque, que constituye una verdadera celebración de aquellos escritores cuyas obras permiten el más libre juego de sistemas de valores diferentes y cuya autoridad no se impone por encima de las alternativas: Bakhtin fue profundamente antiestalinista. En su obra clásica *Problemas de la poética de Dostoyevski* (1929) estableció un marcado contraste entre las novelas de Tolstoi y las de Dostoyevski. En el primero, las diferentes voces se subordinan de modo estricto al propósito controlador del autor: sólo hay una verdad, la suya. Sin embargo, Dostoyevski, en contraste con este tipo «monológico» de novela, desarrolla una nueva forma «polifónica» (o dialógica) en la que no se intenta orquestar o unificar los diversos puntos de vista expresados por los personajes. La conciencia de éstos no se funde con la del autor ni se subordina a su punto de vista, sino que conserva su integridad e independencia: «no son sólo objetos del universo del autor, sino sujetos de su propio mundo insignificante». En este libro, y en el posterior sobre Rabelais, Bakhtin exploró el uso liberador y a menudo subversivo de varias formas de diálogo en la cultura clásica, medieval y renacentista.

Su teorización sobre el «carnaval» tiene importantes aplicaciones, tanto en textos concretos como en la historia de los géneros literarios. Las fiestas asociadas con el carnaval son populares y colectivas; en ellas, las jerarquías se invierten (los locos se convierten en sabios, los reyes en mendigos), los opuestos se mezclan (fantasía y realidad, cielo e infierno) y lo sagrado se profana: se proclama una «festiva relatividad» de todas las cosas. Cuanto es autoritario, rígido o serio se subvierte, relaja o ridiculiza. Este fenómeno, popular y libertario en su esencia, ha tenido una influencia formativa en la literatura de varios períodos, pero durante el Renacimiento se convirtió en especialmente dominante. «Carnavalización» es el término utilizado por Bakhtin para describir el efecto modelador del carnaval en los géneros literarios. Las formas carnavalizadas más tempranas son el diálogo socrático y las sátiras menipeas. El primero se encuentra muy cercano en sus orígenes a la inmediatez del diálogo oral, en el cual el descubrimiento de la verdad se concibe como un intercambio de puntos de vista más que como un monólogo autoritario. Los diálogos socráticos nos han llegado en las elaboradas formas literarias utilizadas por Platón. Según Bakhtin, algo de la «festiva relatividad» del carnaval persiste en las obras escritas, pero lo cierto es que en ellas se produce una disolución de esa característica colectiva de búsqueda en la cual diferentes puntos de vista se confrontan sin una estricta jerarquía de voces establecida por el «autor». En los últimos diálogos platónicos, añade Bakhtin, emerge una nueva imagen de Sócrates como «maestro» que reemplaza la imagen carnavalística del grotesco calzonazos provocador del debate, comadrona de la verdad antes que su artífice.

En la sátira menipea, los tres niveles —Paraíso (Olimpo), Infierno y Tierra— se tratan con la lógica del carnaval. Por ejemplo, en el Infierno, las desigualdades terrenales se disuelven, los emperadores pierden sus coronas y se convierten en mendigos. Dostoyevski une las diversas tradiciones de la literatura carnavalizada. El cuento fantástico *Bobok* (1873) es casi una sátira menipea. Un encuentro en el cementerio culmina con una extraña relación de la corta «vida fuera de la vida» de los muertos una vez enterrados. Antes de perder por completo la conciencia terrenal, los muertos disfrutan de un período de unos cuantos meses, durante los cuales se encuentran exentos de todas las leyes y obligaciones de la existencia normal, pudiendo gozar de una libertad ilimitada. El barón Klinevich, «rey» de los muertos, declara: «Quiero que todo el mundo diga la verdad... En la Tierra es imposible vivir sin mentir, porque vida y mentira son sinónimos, pero ahora diremos la verdad sólo para divertirnos.» He aquí la semilla de la novela «polifónica», en la que las voces están en libertad para hablar de modo subversivo o chocante sin que el autor se interponga entre el personaje y el lector. (Para una lectura bakhtiniana de la novela polifónica de Toni Morrison *Beloved*, véase el ensayo de Lynne Pearce en el cap. 9 de *A Practical Reader*.)

Bakhtin plantea cierto número de temas que serán desarrollados por teóricos posteriores. Tanto los románticos como los formalistas consideraban los textos como unidades orgánicas, es decir, como estructuras integradas en las que no existe ningún tipo de relajación y que el lector reúne en la unidad estética. Bakhtin subraya que el carnaval rompe este organicismo incuestionado y apoya la idea según la cual las grandes obras de la literatura pueden poseer diferentes niveles y resistirse a la unificación: un punto de vista que deja al autor en una posición mucho menos dominante en relación a sus escritos. En él, la noción de identidad personal permanece problemática: el personaje es escurridizo, insustancial y caprichoso. Ello anticipa un importante tema de la reciente crítica psicoanalítica, aunque no hay que exagerar sobre este punto, ni olvidar que Bakhtin aún conserva un firme sentido del escritor que controla lo que hace: su obra no implica la radical puesta en cuestión del papel del autor que surgirá de los trabajos de Roland Barthes y otros estructuralistas. Sin embargo, Bakhtin se parece a Barthes en ese «privilegiar» la novela polifónica, ambos prefieren la libertad y el placer a la autoridad y el decoro. Existe una tendencia entre los críticos actuales a tratar los textos polifónicos o de otros tipos de «pluralidad» como normativos, en lugar de excéntricos; es decir, a considerarlos más auténticamente literarios que otros textos más unívocos (monológicos). Esto puede ser del gusto de los lectores modernos, educados en Joyce y Beckett, pero debemos reconocer también que tanto Bakhtin como Barthes indican *preferencias* que emanan de sus predisposiciones sociales e ideológicas. Con todo, lo cierto es que, al sostener la apertura y la inestabilidad de los textos literarios, Bakhtin inició una fructífera tendencia.

Las teorías de Bakhtin, las tesis de Jakobson-Tynyanov y la obra de Mukařovský superan el formalismo «puro» de Tomashevsky y Eichenbaum, y constituyen un excelente prólogo al capítulo sobre crítica marxista que, en cualquier caso, influyó sobre sus intereses más sociológicos. El aislamiento formalista del sistema literario se encuentra en abierta contradicción con la subordinación marxista de la literatura a la sociedad, pero, como descubriremos, no todos los críticos marxistas siguieron la rígida línea antiformalista de la tradición soviética.

No obstante, antes examinaremos otra escuela de teoría crítica que asigna primordialmente la naturaleza diferencial de la «función estética» al «receptor» o «lector» de los textos literarios (véase el diagrama de Jakobson en la Introducción).

BIBLIOGRAFÍA SELECCIONADA

Textos básicos

Bakhtin, Mikhail, *The Dialogic Imagination: Four Essays*, ed. Michael Holquist, trad. C. Emerson y M. Holquist, University of Texas Press, Austin, 1981.
—, *Problems of Dostoevsky's Poetics*, trad. y ed. Caryl Emerson, intro. Wayne C. Booth, Manchester University Press, Manchester, 1984.
—, *Rabelais and His World*, trad. Helene Iswolsky, Indiana University Press, Bloomington, 1984.
Bakhtin, Mikhail, y Medvedev, P. N., *The Formal Method in Literary Scholarship: A Critical Introduction to Sociological Poetics*, trad. A. J. Wehrle, Harvard University Press, Cambridge, MA, 1985.
Garvin, Paul L. (trad.), *A Prague School Reader*, Georgetown University Press, Washington DC, 1964.
Lemon, Lee y Reis, Marion J. (eds.), *Russian Formalist Criticism: Four Essays*, Nebraska University Press, Lincoln, 1965. Incluye el ensayo de Shlovsky sobre Sterne.
Mukařovský, Jan, *Aesthetic Function, Norm and Value as Social Facts*, trad. M. E. Suino, Michigan University Press, Ann Arbor, 1979.
Voloshinov, Valentin, *Marxism and the Philosophy of Language*, trad. L. Matejka e I. R. Titunik, Seminar Press, Nueva York, 1973; reimpresión Harvard University Press, Cambridge, MA, 1986.

Lecturas avanzadas

Benett, Tony, *Formalism and Marxism*, Methuen, Londres, 1979.
Clark, Katerina y Holquist, Michael, *Mikhail Bakhtin*, Harvard University Press, Cambridge, MA y Londres, 1984.
Dentith, Simon, *Bakhtinian Thought: An Introductory Reader*, Routledge, Londres, 1995.
Erlich, Victor, *Russian Formalism: History Doctrine*, Yale University Press, New Haven y Londres, 3.ª ed., 1981.

Gardiner, Michael, *The Dialogics of Critique: M. M. Bakhtin and the Theory of Ideology*, Routledge, Londres, 1992.

Hirschkop, Ken y Sheperd, David (eds.), *Bakhtin and Cultural Theory*, Manchester University Press, Manchester, 1991.

Holquist, Michael, *Dialogism: Bakhtin and His World*, Routledge, Londres, 1990.

Jameson, Fredric, *The Prison-House of Language: a Critical Account of Structuralism and Russian Formalism*, Princeton University Press, Princeton, NJ y Londres, 1972.

Jefferson, Ann, «Russian Formalism» en *Modern Literary Theory: A Comparative Introduction*, Ann Jefferson y David Robey (eds.), Batsford, Londres, 2.ª ed., 1986.

Lodge, David, *After Bakhtin: Essays on Fiction and Criticism*, Routledge, Londres, 1990.

Morson, Gary Saul y Emerson, Caryl, *Mikhail Bakhtin: Creation of a Prosaics*, Stanford University Press, Stanford, 1990.

Pearce, Lynne, *Reading Dialogics*, Arnold, Londres, 1994.

Pike, Christopher (ed.), *The Futurists, the Formalists, and the Marxist Critique*, Ink Links, Londres, 1979. Una antología.

Selden, Raman, *Criticism and Objectivity*, Allen & Unwin, Londres, Boston, Sydney, 1984; cap. 4, «Russian Formalism, Marxism and "Relative Autonomy"».

Thompson, E. M., *Russian Formalism and Anglo-American New Criticism: A Comparative Study*, Mouton, La Haya, 1971.

Trotsky, L., *Literature and Revolution*, Michigan University Press, Ann Arbor, 1960.

Young, Robert, «Back to Bakhtin», *Cultural Critique*, vol. 2 (1985-6), pp. 71-92.

Capítulo 3

TEORÍA DE LA RECEPCIÓN

El siglo XX ha llevado a cabo un importante asalto a las certezas objetivas de la ciencia decimonónica. La teoría de la relatividad de Einstein desplegó la duda sobre la creencia de que el conocimiento objetivo no era más que una progresiva y continuada acumulación de hechos. El filósofo T. S. Kuhn ha demostrado que, en ciencia, la aparición de un «hecho» depende del marco de referencia en el que se mueve el observador científico. La filosofía de la Gestalt sostiene que la mente humana no percibe los objetos del mundo como trozos y fragmentos sin relación entre sí, sino como *configuraciones* de elementos, temas o todos organizados y llenos de sentido. Los mismos objetos parecen distintos en contextos diferentes y, aun dentro de un mismo campo de visión, son interpretados de distinto modo según formen parte de la «figura» o del «fondo». Estos y otros enfoques han insistido en que el observador interviene activamente en el acto de la percepción. En el caso del famoso problema del conejo-pato, sólo el lector puede decidir en qué sentido debe orientar la configuración de líneas. Hacia la izquierda, es un pato, y hacia la derecha, un conejo.

¿Cómo afecta a la teoría literaria esta insistencia moderna en el papel activo del observador?

Veamos de nuevo el modelo lingüístico de la comunicación elaborado por Jakobson:

CÓDIGO

EMISOR ——▶ MENSAJE ——▶ RECEPTOR

CONTACTO

CONTEXTO

Jakobson creía que el discurso literario era diferente de las otras clases de discurso porque estaba «orientado hacia el mensaje»: un poema trata de él mismo (de su forma, sus imágenes y su sentido literario) antes que el poeta, el lector o el mundo. Pero si rechazamos el formalismo y adoptamos el punto de vista del lector o del público, toda la orientación del esquema de Jakobson cambia: podemos decir que un poema no tiene existencia real hasta que es leído, y que su sentido sólo puede ser discutido por sus lectores. Si diferimos en nuestras interpretaciones, se debe a que nuestras maneras de leer también son diferentes. Es el lector quien asigna el código en el cual el mensaje está escrito y, así, *realiza* lo que de otro modo sólo tendría sentido en potencia. Consideremos los ejemplos más simples de interpretación y veremos que el receptor se halla a menudo implicado de forma activa en la elaboración del sentido. Veamos, por ejemplo, el sistema utilizado para representar los números en las pantallas electrónicas. La configuración básica se compone de siete segmentos: 8, una figura que podría considerarse un cuadrado imperfecto (⊡) coronado con tres lados de otro cuadrado similar (⊓), o viceversa. El ojo del observador es invitado a interpretar esta forma como un elemento del conocido sistema numérico y no tiene ninguna dificultad en «reconocerlo» como «ocho». Puede, además, construir sin dificultad todos los números a partir de las variaciones de esta configuración básica de segmentos, a pesar de que, en ocasiones, dichas formas sólo constituyan pobres aproximaciones: ⊇ es 2, ⊑ es 5 (no una «S») y ⊔ es 4 (no una «H» mal hecha). El éxito de este fragmento de comunicación depende tanto del conocimiento del sistema numérico por parte del observador como de su habilidad para completar lo incompleto, o seleccionar lo que es significante y despreciar lo que no lo es. Desde esta perspectiva, el receptor no es el destinatario pasivo de un sentido enteramente formulado, sino un agente activo que participa en su elaboración. De todos modos, en este caso, su tarea era muy sencilla porque el mensaje estaba formulado en el interior de un sistema cerrado.

Analicemos el siguiente poema de Wordsworth:

> Un sopor se apoderó de mi espíritu;
> No tuve miedos humanos;
> Ella parecía algo que no pudiera sentir
> El paso de los años terrenales.
>
> Yace ahora sin fuerza ni movimiento;
> Ni siquiera oye ni ve;
> Envuelta en el curso diurno de la tierra,
> como las rocas, las piedras y los árboles.

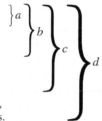

Dejando de lado los diversos pasos preliminares, a menudo inconscientes, que el lector debe realizar para reconocer que está leyendo un poema lírico y aceptar que quien habla es la auténtica voz del poeta, no un personaje dramático, podemos decir que hay dos «afirmaciones», una en cada estrofa: *a)* pensé que ella era inmortal y *b)* está muerta. En tanto lectores, nos preguntamos qué *relación* podemos establecer entre ellas. La interpretación de cada frase dependerá de la respuesta a esta pregunta. ¿Cómo debemos considerar la actitud del hablante hacia sus primeros pensamientos sobre la mujer (niña, muchacha o adulta)? ¿Es bueno y sensato no tener «miedos humanos», o por el contrario es ingenuo e insensato? ¿Es el «sopor» que se apoderó de su espíritu el sueño de una ilusión o un ensueño inspirado? ¿Sugiere el «ella parecía» que tenía todo el aspecto de un ser inmortal, o se equivoca quizás el poeta? ¿Indica la segunda estrofa que «ella» no tiene existencia espiritual en la muerte y que está reducida a pura materia inanimada? Los primeros versos de la estrofa invitan a este punto de vista, pero los dos últimos abren la posibilidad de otra interpretación: que se haya convertido en parte del mundo natural y comparta en cierto sentido una existencia mayor que la ingenua espiritualidad de la primera estrofa: su «movimiento» y su «fuerza» individuales se encuentran ahora incluidos en el movimiento y en la fuerza de la naturaleza.

Desde la óptica de la teoría de la recepción, las respuestas a estas preguntas no pueden derivarse únicamente del texto: el lector debe actuar sobre el material textual para producir el sentido. Wolfgang Iser sostiene que los textos literarios siempre contienen «huecos» que sólo el lector puede llenar. El «hueco» entre las dos estrofas del poema de Wordsworth surge porque la relación entre ellas no está fijada. El acto de la interpretación es necesario para rellenar este vacío. Un problema para esta teoría deriva del hecho de si es el propio texto el que provoca el acto de interpretación por parte del lector o si son las estrategias interpretativas de los lectores las que imponen soluciones a los problemas planteados por el texto. Antes incluso del reciente desarrollo de la teoría de la recepción, los semióticos elaboraron algunas respuestas sofisticadas. Umberto Eco, en *The Role of the Reader* (1979; artículos que datan de 1959), afirma que algunos textos son «abiertos» (*Finnegans Wake* o la música atonal) e invitan a la colaboración del lector en la producción del sentido, mientras que otros son «cerrados» (los tebeos o las novelas de detectives) y condicionan la respuesta del lector. También especula sobre el modo en que los códigos disponibles para el lector determinan lo que el texto significa cuando es leído.

Pero antes de examinar las diversas teorizaciones sobre el papel del lector en la elaboración del sentido, debemos enfrentarnos a una cuestión: ¿quién es «el lector»? El narratario Gerald Prince plantea la siguiente pregunta: ¿por qué cuando leemos novelas nos tomamos tanto trabajo en distinguir entre las distintas clases de narrador (omnisciente, poco fiable, autor implícito, etc.), pero nunca nos preguntamos por las diferentes clases de personas a quienes el narrador dirige su discurso? Prince llama a esta persona el narratario, término que no hay que confundir con el de «lector». El narrador puede especificar un narratario en términos de sexo («Querida señora...»), clase social («clase alta»), lugar (el «lector» en su butaca), raza («blanca») o edad («madura»). Es evidente que los lectores reales pueden coincidir o no con la persona a la que se dirige el autor. Un lector real puede ser un joven minero negro leyendo en su cama. El narratario se distingue también del «lector virtual» (el tipo de lector que el autor tiene en mente a la hora de escribir la narración) y del «lector ideal» (el lector completamente perspicaz que entiende cada paso del escritor).

¿Cómo aprendemos a identificar los narratarios? Cuando el novelista Anthony Trollope escribe: «Nuestro arcediano era mundano, ¿quién de nosotros no lo es?», entendemos que aquí los narratarios son gentes, que, como el narrador, reconocen la falibilidad de los seres humanos, inclusive de los más piadosos. Hay muchas «señales», directas e indirectas, que contribuyen a nuestro conocimiento del narratario. Las presuposiciones sobre él pueden ser atacadas, apoyadas, puestas en duda, o pedidas por el narrador que, con ello, subrayará sus características. Cuando el narrador se disculpa por alguna insuficiencia del discurso («no puedo expresar esta experiencia con palabras»), nos está diciendo de modo indirecto algo sobre las susceptibilidades y los valores del narratario. Incluso en una novela que no contenga referencias directas a ninguno, encontraremos débiles señales en la más simple de las figuras literarias. El segundo término de una comparación, por ejemplo, indica con frecuencia el tipo de mundo que es familiar al narratario («La canción era sincera como un anuncio de televisión»). A veces, el narratario es un personaje importante: en *Las mil y una noches,* la supervivencia de la narradora, Scherezade, depende de la continua atención del narratario, el califa, y si éste llegara a perder interés en la narración ella moriría. El resultado de la elaborada teoría de Prince es iluminar una dimensión de la narración, comprendida de modo intuitivo por los lectores, pero que ha permanecido entre sombras e indefiniciones. Contribuye a la teoría de la recepción al resaltar los modos en que las narraciones producen sus propios «lectores» u «oyentes», que pueden coincidir o no con los lectores reales. Muchos de los escritores examinados en las páginas siguientes hacen caso omiso de esta distinción entre lector y narratario.

FENOMENOLOGÍA: HUSSERL, HEIDEGGER, GADAMER

La fenomenología es una corriente filosófica moderna que hace especial hincapié en el papel central del receptor a la hora de determinar el sentido. Según Edmund Husserl, la meta de la investigación filosófica es el contenido de nuestra conciencia, no los objetos del mundo. La conciencia lo es siempre de algo, y ese «algo» que se nos aparece es lo verdaderamente real para nosotros. Además, añade Husserl, en las cosas que se presentan a la conciencia (fenómenos, en griego: «cosas que aparecen») descubrimos cualidades universales o esenciales. La fenomenología pretende mostrarnos la naturaleza escondida tanto en la conciencia humana como en los «fenómenos». Constituye un intento de resucitar la idea (abandonada desde los románticos) de que la mente humana es el centro y origen de todo sentido. En lo referente a la teoría literaria, este planteamiento no promueve únicamente un interés subjetivo por la estructura mental del crítico, sino un tipo de crítica que intenta penetrar en el mundo de las obras del escritor y llegar a una comprensión de la naturaleza oculta o esencia de los escritos, tal como se aparecen a la conciencia del crítico. Las primeras obras del crítico americano J. Hillis Miller, más tarde deconstruccionista, estaban señaladas por la influencia de las teorías fenomenológicas de la llamada escuela de Ginebra, que incluía a críticos como Georges Poulet y Jean Starobinski. Por ejemplo, el primer estudio de Miller sobre Thomas Hardy, *Thomas Hardy: Distance and Desire* (1970; posteriormente escribió más estudios «deconstructivos») descubre las estructuras mentales omnipresentes en sus novelas, principalmente la «distancia» y el «deseo». El acto de interpretación es posible porque los textos permiten al lector acceder a la conciencia del autor, que, como dice Poulet, «se abre a mí, me da la bienvenida, me deja mirar en su interior y... me permite... pensar lo que piensa y sentir lo que siente». Derrida (véase cap. 7) consideraría esta clase de pensamiento «logocéntrica», por suponer que un sentido está centrado en su «sujeto trascendental» (el autor) y puede volver a centrarse en otro (el lector).

El deslizamiento hacia la teoría de la recepción se encontraba prefigurado en el rechazo del punto de vista «objetivo» de Husserl por parte de su discípulo Martin Heidegger. Éste afirmaba que lo distintivo de la existencia humana era su *Dasein* («existencia»): nuestra conciencia *proyecta* las cosas del mundo y, al mismo tiempo, se encuentra *subordinada* al mundo debido a la propia naturaleza de su existencia en él. Nos encontramos «sueltos» en el mundo, en un tiempo y un lugar que no hemos escogido, y que al mismo tiempo es nuestro mundo en la medida en que nuestra conciencia lo proyecta. Nunca podremos adoptar una postura de contemplación objetiva y mirar el mundo como si lo hiciéramos desde la cumbre de una montaña, puesto que estamos irremediablemente inmersos en el objeto mismo de nuestra conciencia. Nuestro pensamiento siempre se halla en algún lugar y, por lo tanto, siempre es *histórico,* aunque esta historia no sea exterior y social, sino personal e interior. Hans-Georg Gadamer, en *Truth and Method* (1975), aplicó el enfoque situacional de Heidegger a la teoría literaria. Gadamer sostiene que una obra literaria no aparece en el mundo como un conjunto de sentido acabado y claramente parcelado. El sentido depende de la situación histórica del intérprete. Gadamer influyó sobre la «estética de la recepción» (véase Jauss, más adelante).

Hans Robert Jauss y Wolfgang Iser

Jauss es un importante exponente de la estética de la recepción *(Rezeptionästhetik),* que ha dado una dimensión histórica a la crítica de la recepción esforzándose por conseguir un compromiso entre el formalismo ruso (que no tiene en cuenta la historia) y las teorías sociales (que hacen lo mismo con el texto). Durante el período de agitación social de finales de los años de 1960, Jauss y otros quisieron cuestionar el viejo modelo de la literatura alemana y demostrar que el empeño era perfectamente razonable. La vieja concepción crítica había dejado de tener sentido del mismo modo que la física newtoniana dejó de parecer adecuada a principios del siglo xx. Jauss toma del filósofo de la ciencia T. S. Kuhn la noción de «paradigma», es decir, el marco conceptual y las suposiciones vigentes en un período concreto. La «ciencia normal» funciona en el interior del mundo mental de un paradigma específico hasta que un nuevo paradigma desplaza al viejo, planteando nuevos problemas y estableciendo nuevos presupuestos. Jauss utiliza la expresión «horizonte y expectativas» para describir los criterios utilizados por los lectores para juzgar textos literarios en cualquier período dado. Dichos criterios ayudan al lector a valorar desde un poema hasta, por ejemplo, una epopeya, una tragedia o una obra bucólica, y lo orientan, asimismo, respecto de lo que debe considerarse poético o literario, en oposición a los usos no poéticos o no literarios del lenguaje. La escritura y la lectura normales funcionan en el interior de algo parecido a un horizonte. Si consideramos, por ejemplo, el período neoclásico inglés, podemos afirmar que la poesía de Pope se juzgaba a partir de criterios basados en los valores de claridad, naturalidad y corrección estilística (las palabras debían ajustarse a la dignidad del tema). Ello, sin embargo, no establece de una vez para siempre el valor de la poesía de Pope; durante la segunda mitad del siglo xviii, los comentaristas empezaron a preguntarse si había sido realmente un poeta y propusieron la posibilidad de que sólo hubiese sido un versificador inteligente, capaz de escribir prosa con forma de pareados, pero sin la fuerza imaginativa necesaria para la verdadera poesía. Haciendo caso omiso de los siglos venideros, podemos decir que las lecturas modernas de Pope operan en el interior de un horizonte de expectativas diferente: ahora valoramos sus poemas por su agudeza, su complejidad, su perspicacia moral y su renovación de la tradición literaria.

El horizonte de expectativas original sólo nos dice cómo fue valorada e interpretada la obra en el momento de su aparición, pero no establece definitivamente su sentido. Según Jauss, sería tan erróneo decir que una obra es universal, como afirmar que su significado está fijado para siempre y que se encuentra abierto a los lectores de cualquier época: «Una obra literaria no es un objeto que se mantenga por sí solo y que ofrezca siempre la misma cosa a todos los lectores de todas las épocas. No es un monumento que revele con un monólogo su esencia eterna.» Esto significa, por supuesto, que nunca seremos capaces de examinar los sucesivos horizontes desde el momento de la aparición de una obra hasta nuestros días, para luego, con total despego y objetividad, llegar a su sentido o valor definitivos: sería no tener en cuenta nuestra propia situación histórica. ¿Qué autoridad debemos aceptar? ¿La de los primeros lectores? ¿La resultante de todos los lectores de todos los tiempos? ¿O acaso el juicio estético del presente? Los primeros lectores pueden haber sido incapaces de percibir el significado revolucionario de un escritor (el caso de William Blake, por ejemplo), y la misma objeción puede aplicarse a los juicios de los lectores posteriores —incluidos los nuestros.

Las respuestas que Jauss da a estas cuestiones provienen de la «hermenéutica» filosófica de Hans-Georg Gadamer, un discípulo de Heidegger (véase p. 71). Gadamer sostiene que todas las interpretaciones de la literatura del pasado surgen del diálogo entre pasado y presente. Nuestros intentos de comprender una obra dependerán de las preguntas que nuestro contexto cultural nos permita plantear; y, al mismo tiempo, tratamos de descubrir aquellas a las que la obra ha intentado responder en su propio diálogo con la historia. Nuestra perspectiva presente siempre implica una relación con el pasado, que sólo puede ser percibido desde esa limitada posición. Concebida en tales términos, la tarea de establecer un *conocimiento* del pasado parece un esfuerzo inútil. Pero la noción hermenéutica de «comprensión» no separa al observador del objeto como lo hacía la ciencia empírica, sino que lo considera como una «fusión» del pasado y del presente: es imposible emprender un viaje por el pasado sin llevar el presente. La palabra «hermenéutica» se aplicaba a la interpretación de textos sagrados, y su equivalente moderno conserva la misma actitud seria y reverencial hacia los textos a los que intenta acceder.

Jauss reconoce que un autor puede enfrentarse directamente con las expectativas predominantes de su tiempo. De hecho, la estética de la recepción se desarrolló en Alemania durante los años de 1960, en un clima de cambio literario: escritores como Rolf Hochhuth, Hans Magnus Enzensberger y Peter Handke desafiaban el formalismo literario aceptado, aumentando el compromiso directo del lector o del público. Jauss analiza el caso de Baudelaire, cuya obra *Les fleurs du mal* produjo un gran revuelo que tuvo repercusiones legales. Ofendió las normas de la moralidad burguesa y los cánones de la poesía romántica. Con todo, dichos poemas abrieron inmediatamente un nuevo horizonte de expectativas estéticas: la vanguardia literaria consideró el libro como una obra pionera. A finales del siglo XIX, los poemas fueron consagrados como expresión del culto estético del nihilismo. Jauss pasa revista a interpretaciones psicológicas, lingüísticas y sociológicas de los poemas de Baudelaire, pero a menudo las desecha. Se experimenta cierta insatisfacción ante un método que reconoce sus propias limitaciones históricas, pero que se siente con la fuerza suficiente para considerar que otras interpretaciones «presentan cuestiones mal planteadas o ilógicas». La «fusión de los horizontes» no es, según parece, la unión total de todos los puntos de vista que puedan haber surgido, sino sólo la de aquellos que para el sentido hermenéutico del crítico aparecen como parte de la gradualmente emergente totalidad de sentidos que conforma la verdadera unidad del texto.

Un exponente puntero de la teoría de la recepción alemana y miembro de la llamada «Escuela de Constance» es Wolfgang Iser, quien examina en profundidad al esteta fenomenológico Roman Ingarden y la obra de Gadamer (véase más atrás). A diferencia de Jauss, Iser descontextualiza y deshistoriza texto y lector. Una obra clave es *The Act of Reading: A Theory of Aesthetic Response* (1978), en la cual, como siempre, presenta el texto como una estructura potencial que es «concretada» por el lector en relación a sus normas, valores y experiencia extraliterarios. Se establece una especie de oscilación entre el poder del texto para controlar la forma en que es leído y la «concreción» que hace el lector en términos de su propia experiencia —una experiencia que se modificará a su vez durante el acto de la lectura—. En esta teoría, el «significado» reside en los ajustes y revisiones a las expectativas que se crean en la mente del lector en el proceso de que su relación dialéctica con el texto cobre sentido. El propio Iser no resuelve por completo el peso relativo de la determinación del texto y de la experiencia del lector en esta relación, aunque da la sensación que hace más énfasis en esta última.

Según Iser, la tarea del crítico no es explicar el texto en tanto objeto, sino examinar sus efectos sobre el lector. En la misma naturaleza del texto está el permitir todo un aspecto de posibles lecturas. El término «lector» puede subdividirse en «lector implícito» y «lector real». El primero es aquel que el texto crea para sí mismo y equivale a «un sistema de estructuras que invitan a una respuesta» que nos predispone a leer de ciertos modos. El «lector real» recibe imágenes mentales durante el proceso de la lectura, imágenes que ineludiblemente se hallarán matizadas por su «cantidad existente de experiencia». Si somos ateos, reaccionaremos de modo diferente ante el poema de Wordsworth que si somos cristianos. La experiencia de la lectura variará según las experiencias vividas.

Las palabras que leemos no representan objetos reales, son un enunciado humano bajo una apariencia de ficción. El lenguaje de la ficción nos ayuda a construir en nuestra mente objetos *imaginarios*. Iser pone un ejemplo de *Tom Jones*, donde Fielding presenta dos personajes, Allworthy (el hombre perfecto) y el capitán Blifil (el hipócrita). El objeto del lector imaginario, «el hombre perfecto», se halla sujeto a modificación: cuando Allworthy es engañado por la fingida piedad de Blifil, ajustamos el objeto imaginario de acuerdo con el error de criterio del hombre perfecto. El viaje del lector por el libro es un proceso continuo de ajustes como ése. Creamos en nuestras mentes ciertas expectativas basadas en nuestro recuerdo de los personajes y los acontecimientos, pero, continuamente, a medida que avanzamos en el texto, los recuerdos se transforman y las expectativas tienen que modificarse. Lo que captamos al leer es sólo una serie de puntos de vista cambiantes, no algo fijado y lleno de sentido en cada momento.

Una obra literaria no representa objetos, se refiere al mundo extraliterario seleccionando ciertas normas, sistemas de valores o «concepciones del mundo». Dichas normas son conceptos de realidad que ayudan a los seres humanos a extraer algún sentido del caos de su experiencia. El texto adopta un «repertorio» de tales normas y suspende su validez dentro de su mundo ficticio. En *Tom Jones*, diversos personajes representan diferentes normas: Allworthy (benevolencia), el señor Western (la pasión del mando), Square (la eterna conveniencia de las cosas), Thwackum (la mente humana como pozo de iniquidad) y Sofía (la idealidad de las inclinaciones naturales). Cada norma afirma ciertos valores a expensas de los demás, y cada una tiende a reducir la imagen de la naturaleza humana a un único principio o perspectiva. El lector se encuentra por lo tanto obligado por la naturaleza incompleta del texto a relacionar los valores del héroe con los acontecimientos concretos. *Sólo el lector* puede establecer el grado de rechazo o de puesta en duda de las normas particulares, *sólo el lector* puede hacer complejos juicios morales sobre Tom y descubrir que el que su «buen natural» altera las normas restrictivas de los otros personajes, se debe en parte a que Tom carece de «prudencia» y de «circunspección». Fielding no nos lo dice pero, en tanto lectores, lo incluimos en la interpretación con el fin de rellenar la «laguna» del texto. En la vida real podemos encontrar personas que representan ciertas concepciones del mundo («cinismo», «humanismo», etc.) pero somos nosotros quienes les asignamos tales descripciones en función de las ideas recibidas. En ella encontramos sistemas de valores al azar: ningún autor los elige ni los predetermina, ni tampoco aparece ningún héroe para probar su validez. Por ello, aunque en el texto existan lagunas que rellenar, se encuentra mucho más estructurado que la vida real.

Si aplicamos el método de Iser al poema de Wordsworth, comprobaremos que la actividad del lector consiste, en primer lugar, en ajustar su punto de vista [(a), (b), (c) y (d)] y, en segundo, en rellenar el «hueco» entre las dos estrofas (entre la trascendente espiritualidad y la inmanencia panteísta). Esta aplicación quizás parezca un poco torpe, porque un poema corto no requiere que el lector realice la larga secuencia de ajustes necesaria a la hora de leer una novela. De todas maneras, el concepto de «lagunas» sigue siendo válido.

No queda claro si Iser desea garantizar el poder del lector para rellenar los huecos del texto o si considera a este último como árbitro final de las realizaciones del lector. ¿La laguna entre «el hombre perfecto» y la «falta de juicio del hombre perfecto» es rellenada por el libre criterio del lector o por un lector *guiado* por las instrucciones del texto? En el fondo, el núcleo del enfoque de Iser es fenomenológico: la experiencia de lectura del lector se encuentra en el centro del proceso literario. Al resolver las contradicciones entre los diversos puntos de vista que surgen del texto, o al rellenar las lagunas entre puntos de vista, los lectores incorporan el texto a su conciencia y lo convierten en su propia *experiencia*. Al parecer, aunque el texto establezca los términos en que el lector realiza los sentidos, su propia «cantidad de experiencia» también tiene su parte en el proceso. La conciencia existente del lector deberá realizar ciertos ajustes internos para recibir y analizar los puntos de vista extraños que el texto presenta. Esta situación permite la posibilidad de que la misma «concepción del mundo» del lector resulte modificada como efecto de la interiorización, gestión y realización de los elementos parcialmente indeterminados del texto. Siempre podremos aprender algo leyendo. Para utilizar las palabras de Iser, la lectura «nos da la oportunidad de formular lo informulado».

FISH, RIFFATERRE, BLEICH

Otras inflexiones (diferentes) de la teoría de la recepción están representadas por los tres críticos que examinamos a continuación (véase también Jonathan Culler en el cap. 4, más adelante). Stanley Fish, el crítico norteamericano especializado en literatura inglesa del siglo XVII, ha desarrollado una concepción teórica orientada a la recepción, llamada «estilística afectiva». Como Iser, se concentra en los ajustes de expectativas que los lectores deben realizar a medida que recorren el texto, pero los considera en el nivel local inmediato de la frase. Con mucha timidez, distancia su visión de todos los tipos de formalismo (incluida la Nueva Crítica norteamericana) negando al lenguaje literario cualquier posición especial, es decir, afirmando que utilizamos las mismas estrategias para interpretar las frases literarias y las no literarias. Su atención se dirige a las respuestas que desarrolla el lector en relación con las palabras de las frases tal como se suceden unas a otras en el tiempo. Al describir el estado de conciencia de los ángeles caídos después de haberse precipitado del cielo al infierno, Milton escribió: «Ni tampoco dejaban de percibir la apurada situación del mal», frase que no puede ser considerada equivalente a «percibían la apurada situación del mal». Debemos prestar atención, sostiene Fish, a la secuencia de palabras que crea un estado de suspensión en el lector, quien oscila entre dos visiones de la conciencia de los ángeles caídos. Esta opinión se ve debilitada, aunque no refutada, por el hecho de que Milton estaba imitando la doble negación del estilo de la épica clásica. La siguiente frase de Walter Pater es analizada por Fish de modo especialmente delicado: «En esto, como mínimo, a las llamas nuestras vidas se parecen: no son sino la concurrencia, renovada a cada instante, de fuerzas que inician más tarde o más temprano su camino.» Señala que al interrumpir «concurrencia de fuerzas» con «renovada a cada instante», Pater impide que el lector establezca una imagen mental definida y estable, y le obliga en cada etapa de la frase a realizar un ajuste en la expectativa y en la interpretación. La idea de «la concurrencia» está alterada por «inician», pero, en seguida, «más tarde o más temprano», deja el «inician» en una incertidumbre temporal. De este modo, la expectativa de sentido del espectador se ve sometida a un ajuste continuo: el sentido es el movimiento total de la lectura.

Jonathan Culler ha dado un apoyo general a los propósitos de Fish, pero lo ha criticado por no haber logrado proporcionar una formulación teórica apropiada. Fish cree que sus lecturas de las frases siguen sencillamente la práctica natural de los lectores informados. Desde su punto de vista, el lector es alguien que posee una «competencia lingüística», que ha interiorizado el conocimiento sintáctico y semántico necesario para la lectura. Y, de modo similar, el «lector informado» de textos literarios tiene una «competencia literaria» específica (conocimiento de las convenciones literarias). Culler hace dos críticas demoledoras a la postura de Fish: en primer lugar, lo acusa de no teorizar sobre las convenciones de la lectura, es decir, de no contestar a la pregunta: «¿Qué convenciones siguen los lectores cuando leen?»; y, en segundo lugar, ataca su exigencia de leer las frases palabra por palabra porque es engañosa, ya que no hay ninguna razón para creer que los lectores asimilen las frases de ese modo gradual. ¿Por qué razón, por ejemplo, da por supuesto que el lector del «Ni tampoco dejaban de percibir» miltoniano deberá experimentar la sensación de estar suspendido entre dos puntos de vista? Hay algo artificial en su continua voluntad de ser sorprendido por la siguiente palabra de la frase. Además, tal como admite el propio Fish, su enfoque tiende a privilegiar aquellos textos que se socavan a sí mismos (*Self Consuming Artifacts* [1972] es el título de uno de sus libros). Elisabeth Freund señala que a fin de sostener su orientación al lector Fish tiene que suprimir el hecho de que la experiencia real de leer no es lo mismo que un relato verbal de esa experiencia. Al tratar su propia experiencia lectora como un acto de interpretación en sí mismo Fish ignora el vacío entre la experiencia y la comprensión de una experiencia. Por lo tanto, lo que Fish nos ofrece no es una explicación definitiva de la naturaleza de la lectura, sino lo que Fish entiende por su propia experiencia de lectura.

En *Is There a Text in This Class?* (1980), Fish reconoce que sus primeros libros consideraban como normativa su propia experiencia de lector, aunque prosigue la justificación de sus posiciones iniciales introduciendo la idea de · «comunidades interpretativas». Fish intenta persuadir a los lectores para que adopten «una comunidad de supuestos, de modo que, cuando lean, hagan lo mismo que yo hago». Por supuesto, existirían diferentes grupos de lectores, adoptando tipos concretos de estrategias de lectura (las del propio Fish, por ejemplo). En esta última etapa, las estrategias de una comunidad interpretativa concreta determinan todo el proceso de lectura: tanto la realidad estilística de los textos como la experiencia de leerlos. Si aceptamos la noción de comunidades interpretativas, ya no será necesario elegir entre hacer preguntas sobre el texto o sobre el lector: el problema del objeto y el sujeto habrá desaparecido. Sin embargo, el precio que se paga por esta solución es elevado: al reducir todo el proceso de producción de significado a las convenciones ya existentes de la comunidad interpretativa, Fish parece abandonar toda posibilidad de desviar interpretaciones o resistencias a las normas que gobiernan los actos de la interpretación. Tal y como señala Elisabeth Freund: «La llamada al imperialismo del acuerdo puede hacer estremecer a los lectores cuya experiencia de comunidad sea menos benigna de lo que Fish supone.»

El semiótico francés Michael Riffaterre coincide con los formalistas rusos al considerar la poesía como un uso especial del lenguaje. El lenguaje normal es práctico y se utiliza para referirse a cierto tipo de «realidad», mientras que el lenguaje poético se centra en el mensaje como un fin en sí mismo. Toma esta visión formalista de Jakobson, aunque en un famoso ensayo ataca la interpretación que éste y Lévi-Strauss hacen del soneto «Les chats» de Baudelaire. Riffaterre demuestra que las propiedades lingüísticas que ven en el poema no pueden ser percibidas ni siquiera por un lector informado. El enfoque estructuralista pone de manifiesto todos los tipos de modelos gramáticos y fonéticos, pero no todas estas propiedades pueden formar parte de la estructura poética para el lector. En un revelador ejemplo, objeta una afirmación de estos autores según la cual al acabar el verso con la palabra *volupté* (en lugar de *plaisir,* por ejemplo), Baudelaire está utilizando un nombre femenino *(la volupté)* para una rima «masculina», creando con ello una ambigüedad sexual en el poema. Riffaterre señala con acierto que un lector razonablemente experimentado puede muy bien no haber oído nunca hablar de los conceptos técnicos de rima «masculina» o «femenina». Sin embargo, Riffaterre tiene alguna dificultad a la hora de explicar por qué algo percibido por Jakobson no cuenta como prueba de lo que los lectores perciben en el texto.

Riffaterre desarrolla su teoría en *Semiotics of Poetry* (1978), donde sostiene que los lectores competentes van más allá del sentido superficial. Si consideramos un poema como una sucesión de enunciados, estamos limitando nuestra atención a su «sentido», que es simplemente lo que se puede decir representado en unidades de información. Al prestar atención únicamente al «sentido» del poema, lo reducimos (con toda seguridad de modo absurdo) a una cadena de fragmentos sin relacionar. Una respuesta válida parte de la constatación de que los elementos (signos) de un poema se apartan con frecuencia de la gramática o de la representación normales; el poema parece establecer una significación sólo de modo *indirecto* y con ello «amenaza la representación literaria de la realidad». Para comprender su «sentido», sólo se necesita la competencia lingüística normal; pero para hacer frente a las frecuentes «agramaticalidades» que se encuentran en la lectura de un poema, el lector deberá poseer una «competencia literaria» (para ampliar la información sobre este término, véase Culler, más adelante). Enfrentado al escollo de la agramaticalidad durante el proceso de la lectura, el lector se ve obligado a descubrir un segundo (y más elevado) nivel de significación que explique los aspectos agramaticales del texto. Y lo que al final quedará al descubierto será una «matriz» estructural que puede reducirse a una simple frase o, incluso, a una simple palabra. Dicha matriz sólo se puede deducir de modo indirecto y no se halla realmente presente como palabra o enunciado en el poema, con el que se relaciona mediante versiones reales de la matriz en forma de enunciados familiares, tópicos, citas o asociaciones convencionales. Tales versiones reciben el nombre de «hipogramas». La matriz proporciona en última instancia la unidad del poema. El proceso de lectura puede resumirse así:

1. Intentar leer el «sentido» normal.
2. Destacar los elementos que parecen agramaticales y que obstaculizan una interpretación mimética normal.
3. Descubrir los «hipogramas» (o lugares comunes) que tienen una expresión ampliada o poco familiar en el texto.
4. Deducir la «matriz» de los «hipogramas»; esto es, hallar un simple enunciado o palabra capaz de generar los «hipogramas» y el texto.

Si aplicamos esta teoría al poema de Wordsworth «Un sopor selló mi espíritu» (véase p. 67), llegaríamos finalmente a la matriz «espíritu y materia». Los «hipogramas» reelaborados en el texto son: 1) la muerte es el fin de la vida, 2) el espíritu humano no puede morir, y 3) en la muerte volvemos a la tierra de la que vinimos. El poema consigue su unidad reelaborando estos lugares comunes de un modo inesperado a partir de una matriz básica. No cabe duda de que la teoría de Riffaterre parecería más poderosa si hubiera expuesto aquí sus propios ejemplos de Baudelaire o Gautier. Su enfoque parece mucho más apropiado como método para leer poesía difícil, a contracorriente de la gramática o semántica «normales». Como teoría general de la lectura, presenta muchas dificultades, entre las cuales no es la menor su rechazo de varios tipos de lectura que podríamos considerar perfectamente correctos (por ejemplo, leer un poema por su mensaje político).

Un crítico americano que ha derivado planteamientos de la teoría de la recepción de la psicología es David Bleich. Su obra *Subjective Criticism* (1978) constituye un sofisticado razonamiento en favor del cambio de un paradigma objetivo por uno subjetivo en teoría crítica. Sostiene que los filósofos de la ciencia modernos (en especial T. S. Kuhn) han negado con toda razón la existencia de un mundo objetivo de hechos. Incluso en ciencia, las estructuras mentales de quien percibe deciden lo que cuenta como hecho objetivo: «La gente hace el conocimiento, no lo encuentra, porque el objeto de observación se modifica en el acto de observación.» Insiste además en que los progresos del «conocimiento» se encuentran determinados por las *necesidades de la comunidad*. Cuando decimos que la «ciencia» ha sustituido a la «superstición», no estamos describiendo el paso de las tinieblas a la luz, sino simplemente un cambio de paradigma que tiene lugar cuando algunas necesidades urgentes de la comunidad entran en conflicto con las viejas creencias y piden otras nuevas.

La «crítica subjetiva» se basa en el supuesto de que «la motivación más urgente de cada persona es comprenderse a sí misma». A partir de experiencias realizadas en clase, Bleich distinguió entre la «respuesta» espontánea del lector ante el texto y el «sentido» que aquél le atribuía. Esto último es presentado normalmente como una interpretación «objetiva» (algo que se plantea para discutir en una situación pedagógica), aunque se deriva necesariamente de la *respuesta subjetiva* del lector. Cualquiera que sea el sistema de pensamiento empleado (moral, marxista, estructuralista, psicoanalítico, etc.), las interpretaciones de los textos particulares reflejarán la individualidad subjetiva de una «respuesta» personal. Sin una base de «respuesta», la aplicación de sistemas de pensamientos se verá rebajada a simple fórmula vacía derivada de dogmas recibidos. Las interpretaciones particulares cobran mayor sentido cuando los críticos se toman la molestia de explicar el origen y desarrollo de sus concepciones.

La teoría de la recepción no tiene un punto de partida filosófico único o predominante. Los autores a los que hemos pasado revista pertenecen a diferentes tendencias. Los alemanes Iser y Jauss parten de la fenomenología y de la hermenéutica en sus intentos de describir el proceso de lectura en términos de conciencia del lector. Riffaterre presupone un lector con una competencia *literaria* específica, mientras Stanley Fish cree que los lectores responden a la serie de palabras de las frases, sean o no literarias. Bleich considera la lectura como un proceso que depende de la psicología subjetiva del lector. Y en el capítulo 7 veremos cómo Roland Barthes anuncia el fin del reinado del estructuralismo, al admitir el poder del lector para crear «sentidos» mediante la «apertura» del texto al interminable juego de los «códigos». Cualquiera que sea nuestro juicio hacia estas teorías orientadas a la recepción, no cabe duda de que constituyen un reto importante para la hegemonía de las teorías orientadas al texto de la Nueva Crítica y del formalismo. A partir de ahora, no se podrá hablar del sentido de un texto sin considerar la contribución del lector.

Bibliografía seleccionada

Textos básicos

Bleich, David, *Subjective Criticism*, John Hopkins University Press, Baltimore y Londres, 1978.

Eco, Umberto, *The Role of the Reader: Explorations in the Semiotics of Texts*, Indiana University Press, Bloomington, 1979.

Fish, Stanley, *Self-Consuming Artifacts: The Experience of Seventeenth-Century Literature*, California University Press, Bloomington, 1979.

—, *Is There a Text in This Class? The Authority of Interpretive Communities*, Harvard University Press, Cambridge, MA, 1980.

—, *Doing What Comes Naturally: Changes, Rhetoric, and the Practice of Theory in Lirterary and Legal Studies*, Clarendon Press, Oxford, 1990.

Ingarden, Roman, *The Literary Work of Art*, trad. George G. Grabowicz, Northwestern University Press, Evanston II, 1973.

Iser, Wolfgang, *The Implied Reader*, John Hopkins University Press, Baltimore, 1974.

—, *The Act of Reading: A Theory of Aesthetic Response*, John Hopkins University Press, Baltimore, 1978.

—, *Prospecting. From Reader Response to Literary Anthropology*, John Hopkins University, Baltimore, 1989.

Jauss, Hans R., *Toward an Aesthetic of Reception*, trad. T. Bahti, Harvester Wheatsheaf, Hemel Hampstead, 1982.

Miller, J. Hillis, *Thomas Hardy: Distance and Desire*, Oxford University Press, Oxford, 1970.

—, *Theory Now and Then*, Harvester Wheatsheaf, Hemel Hampstead, 1991.

Prince, Gerald, «Introduction to the study of the narratee» en Thompkins (más adelante).

Riffaterre, Michael, «Describing Poetical Structures: *Two Approaches to Baudelaire's Les Chats*», en *Structuralism*, J. Ehrmann (ed.), Doubleday, Garden City, Nueva York, 1970.

—, *Semiotics of Poetry*, Indiana University Press, Bloomington; Methuen, Londres, 1978.

—, *Text Production*, Columbia University Press, Nueva York, 1983.

Suleiman, Susan y Crosman, Inge (eds.), *The Reader in the Text: Essays on Audience and Interpretation*, Princeton University Press, Princeton, NJ, 1980.

Tompkins, Jane P. (ed.), *Reader-Response Criticism: FromFormalism to Post-Structuralism*, John Hopkins University Press, Baltimore y Londres, 1980.

Lecturas avanzadas

Cf. «Introductions» a Suleiman y Crosman, *The Reader in the Text* y Tompkins, *Reader-Response Criticism* (más atrás).

Eagleton, Terry, *Literary Theory: An Introduction*, BasilBlackwell, Oxford, 1983, cap. 2.

Freund, Elizabeth, *The Return of the Reader: Reader-Response Criticism*, Methuen, Londres y Nueva York, 1987.

Holub, Robert C., *Reception Theory: Acritical Introduction*, Methuen, Londres y Nueva York, 1984.

McGregor, Graham y White, R. S. (eds.), *Reception and Response: Hearer Creativity and the Analysis of Spoken and Written Texts*, Routledge, Londres, 1990.

Sutherland, John, «Production and Reception of the Literary Book», en *Encyclopaedia of Literature and Criticism*, Martin Coyle, Peter Garside, Malcom Kelsall y John Peck (eds.), Routledge, Londres, 1990.

CAPÍTULO 4

TEORÍAS ESTRUCTURALISTAS

La aparición de ideas nuevas suele provocar reacciones antiintelectuales y filisteas. Ello ha sido especialmente cierto en el caso de la acogida otorgada a las teorías que han recibido el nombre de «estructuralistas». La visión que el estructuralismo tenía de la literatura desafiaba una de las creencias más queridas del lector corriente. Durante mucho tiempo pensamos que la obra literaria era el producto de la vida creativa de un autor y que expresaba su yo esencial, que el texto era el lugar en el que entrábamos en comunión espiritual o humanística con sus ideas y sentimientos. También estaba extendida la opinión según la cual un buen libro decía la verdad acerca de la vida humana: que las novelas y las obras de teatro intentaban mostrarnos las cosas tal como eran. Los estructuralistas han intentado demostrar que el autor ha «muerto» y que el discurso literario no tiene una función de verdad. En la reseña de un libro de Jonathan Culler, John Bayley hablaba en nombre de los antiestructuralistas al decir que «el pecado de los semióticos es su pretensión de destruir nuestro sentido de la verdad en la ficción... En una buena narración, la verdad precede a la ficción y permanece separada de ella». En un ensayo de 1968, Roland Barthes exponía con vigor el punto de vista estructuralista y afirmaba que los escritores sólo tienen el poder de mezclar textos ya existentes, de volverlos a juntar y a desplegar, y que los escritores no pueden usar sus textos para «expresarse», sino sólo inspirarse en ese inmenso diccionario del lenguaje y la cultura que «ya está escrito» (para utilizar una expresión favorita de Barthes). No sería equivocado utilizar el término «antihumanista» para describir el espíritu del estructuralismo. De hecho, los mismos estructuralistas han utilizado este adjetivo para poner de relieve su oposición a todas las formas de crítica literaria en las que el sujeto humano sea la fuente y el origen de significado literario.

EL TRASFONDO LINGÜÍSTICO

La obra del lingüista suizo Ferdinand de Saussure, recopilada y publicada tras su muerte en un único volumen, *Curso de Lingüística General* (1915), ha tenido una profunda influencia en la formación de la teoría literaria contemporánea. Los dos conceptos básicos de Saussure responden a las preguntas: «¿Cuál es el objeto de la investigación lingüística?» y «¿Cuál es la relación entre las palabras y las cosas?» Saussure hace una distinción fundamental entre *lengua* y *habla*, entre el lenguaje como *sistema*, con elementos reales preexistentes, y los enunciados individuales. La *lengua* es el aspecto social del lenguaje: el sistema común al que (de modo inconsciente) recurrimos en tanto hablantes. El *habla* es la realización individual del sistema en los casos reales de lenguaje. Esta distinción es esencial en todas las teorías estructuralistas posteriores. El verdadero objeto de la lingüística es el sistema que subyace a toda práctica humana con significado, no los enunciados individuales. Así, si examinamos poemas concretos, mitos o prácticas económicas, lo que haremos será intentar descubrir el sistema de reglas —la gramática— utilizado. Después de todo, los seres humanos utilizan las palabras de modo muy diferente a los loros: a diferencia de ellos, poseen un dominio de las reglas del sistema que les permite producir un número infinito de frases correctamente construidas.

Saussure rechazaba la idea del lenguaje como una acumulación creciente de palabras con la función básica de referirse a las cosas del mundo. Según él, las palabras no son símbolos que se corresponden a referentes, sino «signos» formados por dos lados (como las dos caras de una hoja de papel): una marca, escrita u oral, llamada «significante» y un concepto (aquello en que se piensa cuando se produce la marca) llamado «significado». El modelo que podría representarse del modo siguiente:

$$\text{SÍMBOLO} = \text{COSA}$$

Y su propio modelo:

$$\text{SIGNO} = \frac{\text{significante}}{\text{significado}}$$

Las «cosas» no tienen lugar en este modelo, los elementos del lenguaje no adquieren sentido como resultado de alguna conexión entre las palabras y las cosas, sino en tanto partes de un sistema de relaciones. Pensemos en el sistema de signos de los semáforos:

$$\text{rojo - ámbar - verde}$$

$$\frac{\text{significante («rojo»)}}{\text{significado («parar»)}}$$

El signo únicamente tiene significado en el interior del sistema «rojo = parar/verde = continuar/ámbar = cambio al rojo o al verde». La relación entre significante y significado es arbitraria: no existe ningún lazo natural entre rojo y parar, independientemente de lo natural que pueda parecernos. A partir de su unión al Mercado Común, los ingleses tuvieron que adoptar para el código de los cables eléctricos nuevos colores que debieron parecerles antinaturales (marrón, en lugar de rojo, para activo; azul, en lugar de negro, para neutro). En el sistema de las luces de tráfico, cada color toma un sentido, no afirmando un significado positivo e unívoco, sino marcando una *diferencia,* una distinción en el interior de un sistema de oposiciones y contrastes: la luz «roja» equivale a la «no verde» y la «verde» a la «no roja».

El lenguaje es uno más entre los sistemas de signos (algunos creen que es el fundamental). La ciencia que los estudia se llama «semiótica» o «semiología». Aunque normalmente se considera que el estructuralismo y la semiótica pertenecen al mismo universo teórico, debe aclararse que el primero se interesa a menudo por sistemas que no utilizan «signos» propiamente dichos (las relaciones de parentesco, por ejemplo, indicando de esta manera sus orígenes en la antropología, igualmente importantes —véanse las referencias a Lévi-Strauss más adelante—), pero que se pueden tratar de la misma forma como sistemas de signos. El filósofo norteamericano C. S. Pierce ha realizado una útil distinción entre tres tipos de signos: el «icónico» (cuando el signo se *parece* a su referente: el dibujo de un barco o la señal de tráfico para señalar desprendimientos), el «indicador» (cuando el signo está *asociado*, posiblemente de modo causal, con su referente: el humo como indicio de fuego o las nubes como indicio de lluvia) y el «simbólico» (cuando tiene una relación *arbitraria* con su referente: el lenguaje).

El semiótico moderno más destacado es Yury Lotman de la antigua URSS. Desarrolló los tipos de estructuralismo saussuriano y checo en obras tales como *The Analysis of the Poetic Text* (1976). Una de las principales diferencias entre Lotman y los estructuralistas franceses es su retención de la evaluación en sus análisis. Piensa que las obras literarias tienen más valor porque tienen una «mayor carga informativa» que los no literarios. Su planteamiento comporta el rigor de la lingüística estructuralista y las técnicas de la lectura minuciosa de la Nueva Crítica. Maria Corti, Caesare Segre, Umberto Eco (para un breve debate sobre su figura como novelista posmoderno, véase más adelante) en Italia y Michael Riffaterre (véase cap. 3) en Francia son los principales exponentes europeos de la semiótica literaria.

Los primeros desarrollos importantes en el campo del estructuralismo se relacionaron con el estudio de los fonemas, la unidad más pequeña del sistema de la lengua. El fonema es un sonido dotado de sentido que puede ser reconocido o percibido por el hablante. Nosotros no reconocemos los sonidos como si fueran trozos de ruido con sentido, sino que los clasificamos como diferentes en ciertos aspectos a otros sonidos. Barthes insistió sobre este principio en el título de su libro más famoso *S/Z*, que reúne las dos sibilantes del título de la obra de Balzac *Sarrasi-*

ne (/saRazin/), que se diferencian fonémicamente al ser la primera sorda /s/ y la segunda sonora /z/. Por otro lado, existen diferencias de sonido en el nivel fonético (no fonémico) que no se reconocen en inglés: el sonido /p/ de *pin* es evidentemente diferente del sonido /p/ de *spin;* sin embargo, los hablantes ingleses no percibirán la diferencia porque ésta no «distribuye» sentido en las palabras de la lengua. Si articulamos *sbin,* un inglés oirá probablemente *spin.* Lo esencial de esta cuestión es que bajo nuestro uso del lenguaje existe un *sistema,* un modelo de pares opuestos: de *oposiciones binarias.* En el nivel de los fonemas, incluye: nasal-no nasal, vocálico-no vocálico, sonora-sorda, tensa-floja. En cierto modo, los hablantes parecen haber interiorizado un conjunto de reglas que se manifiesta en evidente *competencia* a la hora de utilizar el lenguaje.

Esta clase de «estructuralismo» se halla presente en la obra de la antropóloga Mary Douglas (el ejemplo es de Jonathan Culler). Dicha autora pasa revista a las abominaciones del Levítico, según las cuales, siguiendo un principio aparentemente aleatorio, algunas criaturas son puras y otras impuras, y resuelve el problema construyendo el equivalente de un análisis fonémico en el que intervienen dos reglas:

1. «Los animales rumiantes y de pezuña hendida son el modelo apropiado de comida para los pastores», los animales que sólo cumplen una de las condiciones (cerdo, liebre, etc.) se consideran impuros.

2. Una segunda regla se aplica si la primera no es pertinente: toda criatura debe estar en el elemento al que se ha adaptado biológicamente: así, el pescado sin aletas es impuro.

En un nivel más complejo, la antropología de Lévi-Strauss lleva a cabo un análisis «fonémico» de mitos, ritos y estructuras de parentesco. En lugar de preguntarse por los orígenes y las causas de las prohibiciones, los mitos o los ritos, el investigador estructuralista busca el sistema de diferencias que se oculta bajo una práctica humana concreta.

Como muestran estos ejemplos tomados de la antropología, los estructuralistas intentan descubrir la «gramática», la «sintaxis» o los esquemas «fonémicos» de sistemas de significado humanos concretos, ya sean relaciones de parentesco, vestidos, alta cocina, discursos narrativos, mitos o tótems. Los ejemplos más claros de tales análisis se encuentran en los primeros escritos de Roland Barthes, especialmente, en *Mythologies* (1957) y en *Systéme de la mode* (1967). La teoría en la que se basan dichos análisis está expuesta en *Elementos de semiología* (1967).

El principio según el cual los actos humanos presuponen un sistema recibido de relaciones diferenciales es aplicado por Barthes a todas las prácticas sociales, que interpreta como sistemas de signos que operan como el modelo del lenguaje. Cualquier «habla» *(parole)* presupone un sistema *(langue)*. Barthes reconoce que el sistema de la lengua puede cambiar, y que los cambios se inician en el «habla»; no obstante, en cualquier momento dado existe un sistema en funcionamiento, un conjunto de reglas de las cuales se derivan todas las «hablas». Cuando Barthes examina, por ejemplo, la cuestión del vestido, no concibe la elección como una cuestión de expresión personal o de estilo individual, sino como un «sistema del vestir» que funciona como un lenguaje que divide en «sistema» y «habla» («sintagma»).

Sistema	*Sintagma*
«Conjunto de elementos, partes o detalles que no pueden llevarse al mismo tiempo en la misma parte del cuerpo y cuya variación corresponde a un cambio en el significado del vestir: toca-sombrero-capucha, etcétera.»	«Yuxtaposición en el mismo tipo de vestido de diferentes elementos: falda-blusa-chaqueta.»

Para que una prenda «hable», elegimos un conjunto (sintagma) particular de elementos, cada uno de los cuales podría ser reemplazado por otros. Un conjunto (chaqueta de *sport*/pantalones de franela grises/camisa blanca) es el equivalente de una frase específica pronunciada por un individuo para un propósito concreto: los elementos encajan entre sí para constituir un tipo de enunciado y para evocar un significado o estilo. En realidad, nadie puede actuar el sistema mismo, pero la selección que cada uno hace de elementos de los conjuntos de prendas que lo conforman, expresa su *competencia* en la utilización del sistema. Barthes también ofrece un ejemplo culinario:

Sistema	*Sintagma*
«Conjunto de alimentos con afinidades o diferencias en el interior del cual se elige un plato con vistas a cierto significado: tipos de entradas, asados o dulces.»	«Secuencia real de los elegidos durante una comida: menú.»

(El menú de un restaurante a la carta posee ambos niveles: entrada y ejemplos.)

NARRATOLOGÍA ESTRUCTURALISTA

Aplicar el modelo lingüístico a la literatura puede parecer algo semejante a vendimiar y llevarse uvas de postre. Después de todo, si la literatura ya es lingüística ¿qué sentido tiene entonces examinarla a la luz de un modelo lingüístico? Por un lado sería un error identificar «literatura» y «lenguaje»: es cierto que la literatura utiliza el lenguaje como medio, pero eso no significa que la estructura de la literatura sea idéntica a la estructura del lenguaje: las unidades de la estructura literaria no coinciden con las del lenguaje. Así, cuando el narratologista búlgaro Tzvetan Todorov abogaba por una nueva poética que estableciera una «gramática» general de la literatura, hablaba de las reglas implícitas que rigen la práctica literaria. Y, por otro lado, los estructuralistas están de acuerdo en que la literatura tiene una relación especial con el lenguaje: llama la atención sobre su naturaleza misma y sobre sus propiedades específicas. En este sentido, la poética estructuralista se encuentra muy cerca del formalismo.

La teoría narrativa estructuralista se desarrolla a partir de ciertas analogías lingüísticas. La sintaxis (las reglas de construcción de frases) constituye el modelo básico de las reglas narrativas. Todorov y otros autores hablan de «sintaxis narrativa». La división sintáctica más elemental es la que se hace entre sujeto y predicado: «El caballero (sujeto) mató al dragón con la espada (predicado).» Esta frase podría ser el núcleo de un episodio o de todo un cuento: aunque pongamos un nombre (Lancelot o Gawain) en lugar de «caballero» y cambiemos «espada» por «hacha», la estructura esencial será la misma. Desarrollando esta analogía entre narración y estructura de la frase, Vladimir Propp elaboró su teoría de los cuentos folclóricos rusos.

El planteamiento de Propp puede entenderse si comparamos el «sujeto» de una frase con los personajes típicos (héroe, villano, etc.) y el «predicado» con los acontecimientos típicos de tales narraciones. Aunque exista una enorme profusión de detalles, todos los cuentos están construidos sobre el mismo conjunto de treinta y una «funciones». Una función es la unidad básica del lenguaje narrativo y hace referencia a las acciones significantes que forman la narración. Siguen una secuencia lógica y, aunque ningún cuento las incluye todas, en todos los cuentos las funciones conservan su orden. El último grupo de funciones es el siguiente:

25. El héroe debe enfrentarse a una empresa difícil.
26. La empresa se lleva a cabo.
27. El héroe es reconocido.
28. El falso héroe o el villano quedan en evidencia.
29. El falso héroe recibe una nueva apariencia.
30. El villano es castigado.
31. El héroe se casa y sube al trono.

No es difícil darse cuenta de que estas funciones no sólo se presentan en los cuentos folclóricos rusos y en los cuentos folclóricos no rusos, sino también en comedias, mitos, epopeyas, libros de caballerías y narraciones en general. De todos modos, las funciones de Propp poseen cierta simplicidad arquetípica que hace necesaria cierta elaboración a la hora de aplicarlas a textos más complejos. En el mito de Edipo, por ejemplo, Edipo se enfrenta al problema de resolver el enigma de la esfinge, el problema se resuelve, el héroe es reconocido, se casa y sube al trono. Sin embargo, Edipo es al mismo tiempo el falso héroe y el villano, queda en evidencia (mató a su padre en el camino a Tebas y se casó con su madre, la reina) y se castiga a sí mismo. Propp añadió siete «ámbitos de acción» o roles a las treinta y una funciones: villano, donante (proveedor), colaborador, princesa (persona buscada) y su padre, ejecutor, héroe (buscador o víctima) y falso héroe. El mito de Edipo requiere la sustitución de «princesa y su padre» por «madre/reina y marido». Un personaje puede representar varios roles o varios personajes pueden representar el mismo. Edipo es a la vez héroe, proveedor (libera Tebas de la plaga al solucionar el enigma), falso héroe, e, inclusive, villano.

Claude Lévi-Strauss, el antropólogo estructuralista, ha analizado el mito de Edipo de un modo verdaderamente estructuralista en su utilización del modelo lingüístico. Llama «mitemas» a las unidades del mito (compárese con morfemas de la lingüística), que se organizan en oposiciones binarias (véase p. 91), como las unidades lingüísticas básicas. La oposición general que subyace en el mito de Edipo se produce entre dos concepciones sobre el origen de los seres humanos: (a) que nacen de la tierra y (b) que nacen del coito. Los diferentes mitemas se agrupan a un lado o a otro de la antítesis entre (a) la sobrevaloración de los lazos de parentesco (Edipo se casa con su madre, Antígona entierra a su hermano de modo ilegal) y (b) la subvaloración de estos lazos (Edipo mata a su padre, Eteocles mata a su hermano). Lévi-Strauss no se interesa por la *secuencia* narrativa, sino por el *esquema* estructural que da sentido al mito: busca su estructura «fonémica». Cree que el modelo lingüístico que utiliza sirve para desenmascarar la estructura básica de la mente humana, la estructura que rige el modo en que los seres humanos modelan sus instituciones, creaciones y formas de saber.

A. J. Greimas, en su *Sémantique Structurale* (1966), ofrece una elegante versión actualizada de la teoría de Propp. Mientras Propp se limitó a un género, Greimas intenta alcanzar la «gramática» universal de la narrativa mediante la aplicación del análisis semántico de la estructura de la frase. En lugar de los siete «ámbitos de acción», propone tres pares de oposiciones binarias que incluyen los seis roles *(actantes)* que necesita:

Sujeto/Objeto
Remitente/Destinatario
Colaborador/Oponente

Estos pares describen los tres esquemas básicos a los que quizás recurra toda narración:

1. Deseo, búsqueda o propósito (sujeto/objeto).
2. Comunicación (remitente/destinatario).
3. Ayuda auxiliar u obstaculización (colaborador/oponente).

Si los aplicamos al *Edipo rey* de Sófocles, obtenemos un análisis más penetrante que el que resulta de la utilización de las categorías de Propp:

1. Edipo busca al asesino de Layo. Irónicamente se busca a sí mismo (es a la vez sujeto y objeto).
2. El oráculo de Apolo predice los pecados de Edipo. Tiresias, Yocasta, el mensajero y el pastor, de modo consciente o inconsciente, confirman su veracidad. La obra trata de la errónea interpretación del mensaje por parte de Edipo.
3. Tiresias y Yocasta tratan de evitar que Edipo descubra el asesino. De modo involuntario, el mensajero y el pastor lo ayudan en la búsqueda. El propio Edipo obstaculiza la correcta interpretación del mensaje.

Como se puede observar, la reelaboración que hace Greimas de Propp se sitúa en la misma dirección del esquema «fonémico» de Lévi-Strauss. Aunque en este sentido, el primero es más auténticamente «estructuralista» que el formalista ruso ya que piensa en términos de *relaciones* entre entidades más que en el carácter de las entidades mismas. Al repasar las diferentes secuencias narrativas, reduce las treinta y una funciones de Propp a veinte y las reúne en tres estructuras (sintagmas): «contractual», «ejecutiva» y «disyuntiva». La primera (y más interesante) se refiere al establecimiento o ruptura de contratos y reglas. Las narraciones pueden utilizar cualquiera de las estructuras siguientes:

contrato (o prohibición) ➤ transgresión ➤ castigo

falta de contrato(desorden) ➤ establecimiento del contrato (orden)

La narración de Edipo posee la primera estructura: transgrede la prohibición contra el parricidio y el incesto, y se castiga por ello.

La obra de Tzvetan Todorov es una recapitulación de la de Propp, Greimas y otros. En ella, todas las reglas sintácticas del lenguaje se vuelven a plantear en versión narrativa: reglas de mediación, predicación, funciones verbales y adjetivales, modos y aspectos, etc. La unidad narrativa mínima es la «proposición», que puede ser un «agente» (una persona, por ejemplo) o un «predicado» (una acción). La estructura proposicional de una narración puede describirse del modo más abstracto y universal. Utilizando el método de Todorov, obtendríamos las siguientes proposiciones:

X es rey   X se casa con Y
Y es la madre de X X mata a Z
Z es el padre de X

Éstas son algunas de las proposiciones que constituyen el mito de Edipo: X es Edipo, Y, Yocasta y Z, Layo. Las tres primeras denominan agentes, la primera y las dos últimas contienen predicados (ser rey, casarse, matar). Los predicados pueden funcionar como adjetivos y hacer referencia a estados estáticos (ser rey), o pueden operar de modo dinámico como verbos para indicar transgresiones de la ley y son, por lo tanto, los tipos más dinámicos de proposición. Después de establecer la unidad más pequeña (proposición), Todorov describe dos niveles más elevados de organización: la *secuencia* y el *texto.* Un grupo de proposiciones forma una secuencia. La secuencia básica se compone de cinco proposiciones que describen un estado que se ve alterado y es restablecido, aunque de modo diferente. Estas cinco proposiciones pueden designarse así:

Equilibrio[1] (paz, por ejemplo)
Fuerza[1] (invasión enemiga)
Desequilibrio (guerra)
Fuerza[2] (derrota del enemigo)
Equilibrio[2] (paz sobre nuevos términos)

Finalmente, la sucesión de secuencias forma el texto. Las secuencias pueden organizarse de muchos modos: por imbricación (una historia dentro de una historia, una disgresión, etc.), por enlazamiento (una cadena de secuencias), por alternancia (entrelazamiento de secuencias) o por una combinación de estas posibilidades. Todorov ofrece vívidos ejemplos en el análisis del *Decamerón* de Boccaccio *(Gramática del Decamerón,* 1969; véase también su posterior [1978] análisis de *El corazón de las tinieblas* de Conrad, en *A Practical Reader,* cap. 6). Su intento de establecer una sintaxis universal de la narrativa tiene todo el aspecto de una teoría científica. Como veremos, contra esta postura pretendidamente objetiva reaccionarán los postestructuralistas.

Gérard Genette desarrolló su compleja y poderosa teoría del discurso en el marco de un estudio de *En busca del tiempo perdido* de Proust. Depuró la distinción de los formalistas rusos entre «trama» y «narración» (véase cap. 2), dividiendo el texto en tres niveles: historia *(histoire),* discurso *(récit)* y *narración.* Por ejemplo, en *Eneida,* II, Eneas es el narrador que se dirige a un público *(narración):* presenta un *discurso* y este discurso representa acontecimientos en los que él aparece como personaje *(historia).* Estas dimensiones de la narración se relacionan en tres aspectos, que Genette deriva de las tres propiedades del verbo: *tiempo, modo* y *voz.* Para poner sólo un ejemplo, su distinción entre «modo» y «voz» clarifica los problemas que pueden surgir del familiar concepto de «punto de vista». A menudo no distinguimos entre la voz del narrador y la perspectiva (modo) de un personaje. En *Grandes esperanzas,* Pip presenta la perspectiva de su yo más joven a través de la voz narrativa de su yo mayor.

El ensayo de Genette «Frontiers of narrative» (1966) ofrece un resumen general de los problemas de la narración que no ha sido superado. Examina el problema de la teoría de la narración recurriendo a tres oposiciones binarias. La primera, «diégesis y mímesis» (narración y representación), se presenta en la *Poética* de Aristóteles y presupone la distinción entre la simple narración (lo que el autor dice con su propia voz) y la imitación literal (cuando el autor habla por boca de un personaje). Genette demuestra que la distinción no puede mantenerse, ya que, si se *pudiera* conseguir una imitación literal, la pura representación de lo que alguien ha dicho realmente, ésta sería como una pintura con objetos reales contenidos en el lienzo. Concluye: «La representación literaria, la *mímesis* de los antiguos no es, por lo tanto, narración más conversaciones: es narración y sólo narración.» La segunda oposición, «narración y descripción», presupone la distinción entre un aspecto activo de la narración y otro contemplativo. El primero se relaciona con las acciones y los acontecimientos, el segundo, con objetos y personajes. La «narración» aparece en un principio como esencial ya que los acontecimientos y las acciones son el corazón del contenido temporal y dramático de la narración, mientras la «descripción» aparece como secundaria y ornamental. «El hombre fue hacia la mesa y cogió un cuchillo» es un ejemplo dinámico y profundamente narrativo. Sin embargo, una vez establecida esta distinción, Genette la disuelve, señalando que los verbos y los nombres de la frase también son descriptivos. En efecto, si sustituimos «hombre» por «niño», «mesa» por «escritorio» o «cogió» por «empuñó» la descripción queda alterada. Por último, la oposición «narración y discurso» distingue entre un simple relato en el que «nadie habla» y un relato en el que somos conscientes de la persona que está hablando. Y, de nuevo, Genette elimina la oposición demostrando que no puede existir una narración pura desprovista de coloración «subjetiva». Por muy transparente y poco mediatizada que se presente una narración, rara vez se hallan ausentes los rastros de una mente juzgante. Casi todas las narraciones son impuras en este sentido; el elemento del «discurso» penetra por vía de la voz del narrador (Fielding, Cervantes), de un personaje-narrador (Sterne) o de un discurso epistolar (Richardson). Genette cree que la narrativa alcanzó su grado más alto de pureza con Hemingway y Hammett, y que con el *nouveau roman* empezó a ser devorada por el discurso del propio narrador. Más adelante, en el capítulo sobre el postestructuralismo, veremos cómo la concepción teórica de Genette, con su establecimiento y disolución de oposiciones, abre la puerta a la filosofía «deconstructivista» de Jacques Derrida.

Quizás el lector que haya llegado hasta aquí objete que la poética estructuralista parece tener poco que ofrecer a la práctica crítica. No deja de ser significativo que se citen tan a menudo cuentos de hadas, mitos e historias de detectives como ejemplos. Lo cierto es que estos análisis pretenden definir los *principios generales* de la estructura literaria, no proporcionar interpretaciones de textos concretos. Y es obvio que un cuento de hadas ofrece ejemplos más claros de la gramática narrativa básica que el *Rey Lear* o el *Ulises*. El lúcido escrito de Tzvetan Todorov «The Typology of Detective Fiction» (1966) distingue las estructuras narrativas de las historias de detectives en tres tipos que se desarrollan cronológicamente: el «*whodunit*» («quién-lo-hizo»), el «*thriller*» y la «novela de suspense». Considera una virtud el hecho de que las estructuras narrativas de la literatura popular pueden ser estudiadas de forma mucho más sistemática que las de la «gran» literatura porque se ajustan fácilmente a las reglas de los géneros populares.

METÁFORA Y METONIMIA

En ocasiones, una teoría estructuralista proporciona al crítico un terreno fértil para llevar a cabo aplicaciones interpretativas. Es el caso del estudio de la afasia llevado a cabo por Roman Jakobson y sus implicaciones en poética. Parte de la distinción fundamental entre las dimensiones vertical y horizontal del lenguaje, una distinción relacionada con la de *langue* y *parole*. Si tomamos el sistema de las prendas de vestir de Barthes, observaremos en la dimensión vertical el inventario de los elementos que pueden sustituirse mutuamente: toca-sombrero-capucha; y, en la dimensión horizontal, la lista de las piezas que forman una secuencia real (falda-blusa-chaqueta). De modo similar, una frase puede ser analizada vertical u horizontalmente:

1. Cada elemento se *elige* de un conjunto de posibles elementos por los que podría ser sustituido.
2. Los elementos se *combinan* en una secuencia que constituye un acto de habla.

Esta distinción se aplica a todos los niveles: fonema, morfema, palabra o frase. Jakobson descubrió que los niños afásicos parecían perder la capacidad de operar en una u otra de dichas dimensiones. Un tipo de afasia mostraba un «desorden de contigüidad», una incapacidad para combinar los elementos de modo secuencial; otro, un «desorden de similitud», una incapacidad para sustituir un elemento por otro. En un test de asociación de palabras, al decir la palabra «choza», el primer tipo producía una serie de sinónimos, antónimos y otros *sustitutos*: «cabaña», «casucha», «palacio», «guarida», «madriguera», etc. Y el segundo ofrecía elementos que combinan con «choza» formando secuencias potenciales: «calcinada», «es una casa pequeña y pobre», etc. Jakobson va más adelante y señala que estos dos desórdenes corresponden a dos figuras retóricas: la metáfora y la metonimia. Tal como muestra el ejemplo anterior, el «desorden de contigüidad» es resultado de la sustitución en la dimensión vertical, como en la metáfora («guarida» por «choza»), mientras el «desorden de similitud» proviene de la producción de partes de secuencias en lugar de todos, como en la metonimia («calcinada» por «choza»). Jakobson sugiere que el comportamiento normal del habla tiende también hacia uno u otro extremo, y que el estilo literario se expresa como una tendencia hacia lo metafórico o hacia lo metonímico. En *The Modes of Modern Writing*, David Lodge (1977) aplicó esta teoría a la literatura moderna, añadiendo más etapas a un proceso cíclico: el modernismo y el simbolismo son esencialmente metafóricos, mientras el antimodernismo es realista y metonímico.

Así, en un sentido amplio, la metonimia atañe al desplazamiento de un elemento de la secuencia hacia otro o de un elemento de un contexto a otro: nos referimos a una *copa* de algo (queriendo decir su *contenido*), al *turf* (por *el hipódromo*) o a una flota de cien *velas* (por *barcos*). La metonimia necesita de modo básico un *contexto* para su operación; de ahí que Jakobson relacione con ella el realismo. El realismo habla de su objeto ofreciendo al lector aspectos, partes y detalles contextuales con el fin de evocar el todo. En un pasaje del principio de *Grandes esperanzas* de Dickens,* Pip empieza por presentarse como una identidad en un paisaje. Al referir su condición de huérfano, nos cuenta que sólo puede describir a sus padres a partir de unos únicos restos visuales: sus tumbas. «Como nunca vi a mi padre o a mi madre... mis primeras impresiones en relación con su aspecto se derivaron *de modo irracional* (la cursiva es mía) de sus lápidas. La forma de las letras de la de mi padre me dio la extraña idea de que se trataba de un hombre honrado y corpulento...» Este acto inicial de identificación es metonímico, ya que Pip une dos partes de un contexto: el padre y su lápida. De todos modos, no se trata de una metonimia «realista», sino de una derivación «no realista», una «extraña idea», aunque convenientemente infantil (y, en este sentido, psicológicamente realista). Al proceder a la descripción del escenario inmediato en el anochecer de la aparición del convicto, el momento de la verdad en la vida de Pip, da la siguiente descripción:

> La nuestra era una región pantanosa, río abajo, a menos de veinte millas del mar en las que el río se deslizaba sin fuerzas. Creo que mi primera impresión vívida y honda de la *identidad de las cosas* (la cursiva es mía) me llegó en un memorable atardecer frío y húmedo. En aquel momento descubrí que, más allá de toda duda, aquel terreno desolado plagado de ortigas era un cementerio; y que Philip Pirrip, antiguo feligrés de esta parroquia, y también su esposa Georgina estaban muertos y enterrados; y que... la oscura y llana soledad al otro lado del cementerio, cruzada por diques, terraplenes y puentes, con reses diseminadas que pastaban, formaba el pantano; y que la baja línea

---

* Para mayor información sobre la metáfora y la metonimia ejemplificadas en esta novela, véase *PTRL*, pp. 67-68 y 70-72.

plomiza que se veía más allá era el río; y que la salvaje y lejana guarida desde la cual el viento se lanzaba sobre nosotros era el mar; y que el pequeño manojo de nervios asustado de todo y a punto de llorar era Pip.

El modo de percibir la «identidad de las cosas» de Pip sigue siendo metonímico y no metafórico: cementerios, tumbas, pantanos, río, mar y Pip son evocados, para decirlo de algún modo, a partir de sus características contexuales. El todo (la persona o el escenario) se nos presenta por medio de aspectos seleccionados. Es evidente que Pip es algo más que un «pequeño manojo de nervios» (también lo es de carne y huesos, de pensamientos y sentimientos o de fuerzas históricas y sociales), pero aquí su identidad es afirmada por medio de la metonimia —un detalle significante se ofrece como el todo.

En una útil elaboración de la teoría de Jakobson, David Lodge señala con acierto que «el contexto es básico». Muestra cómo el cambio de contexto puede cambiar los personajes.

He aquí un divertido ejemplo:

> Esas típicas metáforas fílmicas —los fuegos artificiales o las olas estrellándose contra la playa— utilizadas para aludir a una relación sexual en películas de épocas poco permisivas podrían disfrazarse de fondo metonímico si el acto tuviera lugar en una playa el día de la Independencia, pero se perciben como claramente metafóricas si éste tiene lugar en Nochebuena y en una buhardilla de la ciudad.

Este ejemplo nos previene contra un uso demasiado inflexible de la teoría de Jakobson.

POÉTICA ESTRUCTURALISTA

Jonathan Culler realizó el primer intento de asimilar el estructuralismo francés a la perspectiva de la crítica angloamericana en *Structuralist Poetics* (1975). Aunque acepta que la lingüística proporciona el mejor modelo de conocimiento para las ciencias humanas y sociales, prefiere la distinción de Chomsky entre «actuación» y «competencia» a la de Saussure entre «lengua» y «habla». El concepto de «competencia» tiene la ventaja de estar estrechamente relacionado con el *hablante* de una lengua. Chomsky demostró que el punto de partida para la comprensión de una lengua era la habilidad del hablante nativo para producir y comprender frases bien construidas a partir de un conocimiento, asimilado de forma inconsciente, del sistema de la lengua. Culler destaca la importancia de esta perspectiva para la teoría literaria: «El objeto real de la poética no es el texto mismo, sino su inteligibilidad. La cuestión es explicar cómo estos textos llegan a entenderse; deben formularse el conocimiento implícito, las convenciones que permiten que los lectores extraigan su sentido...» Su meta máxima es trasladar el centro de atención del texto al lector (véase cap. 3). Culler está convencido de que es posible determinar las reglas que rigen la producción de textos. Si aceptamos una gama de interpretaciones aceptables para los lectores cualificados, entonces será posible establecer qué normas y procedimientos han llevado hasta ellas. En otras palabras, los lectores entendidos, enfrentados a un texto, saben cómo extraer el sentido: es decir, decidir qué interpretación es posible y cuál no lo es. Parece como si existieran reglas que rigen la clase de significado que se puede obtener del texto literario aparentemente más extraño. Culler descubre la estructura no en el sistema implícito en el texto, sino en el que subyace al acto de interpretación del lector. Para poner un ejemplo estrafalario, he aquí un poema de tres versos:

> *En general, suelo andar por la noche:*
> *Era la mejor hora, era la peor hora:*
> *En lo que se refiere al año, no hace falta ser precisos.*

Cuando pedí a cierto número de colegas que lo leyeran, me ofrecieron una gran variedad de interpretaciones. Uno encontró en él un eslabón *temático* («noche», «hora», «año»); otro intentó descubrir una *situación* (psicológica o externa); otro interpretó el poema en términos de esquemas formales (un tiempo verbal pasado rodeado por dos presentes); otro vio tres actitudes diferentes respecto del momento: específica, contradictoria y no específica. Un colega descubrió que el segundo verso provenía del principio de *Historia de dos ciudades* de Dickens, pero creyó que era una «cita» con una función dentro del poema. Al final, tuve que reconocer que los otros dos versos también provenían de principios de novelas de Dickens (*El almacén de antigüedades* y *El amigo común*). Lo significativo, desde punto de vista culleriano, no es el que los lectores no identificaran los versos, sino que siguieron procesos reconocibles para hallarles un sentido.

Todos sabemos que distintos lectores producen diferentes interpretaciones, pero aunque esto ha llevado a algunos teóricos a desistir de desarrollar una teoría de la lectura, Culler argumenta posteriormente en *The Pursuit of Signs* (1981), que es esta variedad de interpretaciones lo que tiene que explicar la teoría. Aunque los lectores difieran acerca del significado, pueden muy bien seguir el mismo conjunto de convenciones interpretativas, como ya hemos visto. Uno de estos ejemplos es la suposición básica de la Nueva Crítica —la de la unidad; diferentes lectores pueden descubrir la unidad de diferentes formas en un poema determinado, pero las formas básicas de significado que buscan (formas de unidad) pueden ser las mismas. Aunque quizás no sentimos ningún impulso de percibir la unidad de nuestras experiencias en el mundo real, en el caso de los poemas a menudo esperamos encontrarlo. Sin embargo, pueden suscitarse una gran variedad de interpretaciones porque hay varios modelos de unidad que se pueden admitir y, dentro de un modelo particular hay varias maneras de aplicarlo a un poema. Desde luego el planteamiento de Culler puede reivindicar que admite una perspectiva genuina de la ventaja teórica; por otra parte, se puede objetar a su rechazo a examinar el *contenido* de movimientos interpretativos determinados. Por ejemplo, examina dos lecturas políticas del «London» de Blakey y concluye: «Las explicaciones que los diferentes lectores ofrecen sobre lo que no funciona en el sistema social diferirán, naturalmente, pero las operaciones interpretativas formales que les dan una estructura para rellenar parecen muy similares.» Hay algo

que limita en una teoría que trata los movimientos interpretativos como sustanciales y el contenido de los movimientos como inmaterial. Después de todo, puede haber
una base histórica para considerar una forma de aplicar un
modelo interpretativo como más válido o plausible que
otro, mientras que la lectura de los diferentes grados de
plausibilidad puede muy bien compartir las mismas convenciones interpretativas.

Como ya hemos señalado, Culler sostiene que no es posible una teoría de la estructura de los textos o géneros porque no hay ninguna forma subyacente de «competencia» que
las produzca: tan sólo podemos hablar de la competencia
de los lectores para que lo que leen tenga sentido. Los poetas y novelistas escriben sobre la base de su competencia:
escriben lo que se puede leer. Para leer los textos como literatura tenemos que poseer una «competencia literaria»,
del mismo modo que necesitamos una «competencia lingüística» más general para encontrar sentido a las expresiones lingüísticas que encontramos. Esta «gramática» de la
literatura la adquirimos en las instituciones educativas.
Culler reconoció que las convenciones que se aplican a un
género no se aplicarán a otro y que las convenciones de la
interpretación diferirán de un período a otro, pero como estructuralista creía que la teoría está relacionada con la es-
tadística, los sistemas sincrónicos de significado y no con
los históricos diacrónicos.

La principal dificultad del planteamiento de Culler proviene de lo sistemático que se puede ser a la hora de analizar las reglas interpretativas utilizadas por los lectores. Reconoce que los procedimientos utilizados por los lectores
cualificados varían según el género y la época, pero no tiene en cuenta las profundas diferencias ideológicas entre lectores, que pueden alterar las presiones institucionales ten-
dentes al conformismo en la práctica de la lectura. Resulta
difícil concebir una matriz de reglas y convenciones que llegue a explicar la diversidad de interpretaciones derivadas de
los textos individuales de un período concreto. En cualquier
caso, no podemos asumir sin más la existencia de una entidad llamada lector cualificado, definida como el producto
de las instituciones que llamamos «crítica literaria». Sin

embargo, en su última obra —*On Deconstruction: Theory and Criticism after Structuralism* (1983) y sobre todo *Framing the Sign* (1988)— Culler se ha alejado de este estructuralismo purista en dirección a un cuestionamiento más radical de las bases ideológicas e institucionales de la competencia literaria. En la última obra, por ejemplo, explora y desafía la poderosa tendencia en la crítica angloamericana de posguerra, sostenida por su institucionalización en la academia, para promover las doctrinas y los valores criptoreligiosos por medio de la autoridad de «textos especiales» en la tradición literaria.

El estructuralismo ha atraído a algunos críticos literarios porque prometía introducir cierto rigor y objetividad en el delicado terreno de la literatura. Pero este rigor ha tenido un precio: al subordinar el *habla* a la *lengua*, el estructuralismo ha descuidado la especificidad de los textos reales y los ha tratado como si fueran líneas de limaduras de hierro provocadas por alguna fuerza invisible. De este modo, el estructuralismo, con el fin de aislar el verdadero objeto del análisis, el sistema, no sólo elimina el texto y el autor, sino que también pone entre paréntesis la obra real y la persona que la escribió. En el pensamiento romántico tradicional, el autor era el ser pensante y sufriente que precedía la obra y cuya experiencia la alimentaba, el autor era el origen del texto, su creador y su antepasado. Según los estructuralistas, la escritura no tiene origen, cada enunciado individual viene precedido por el lenguaje: en este sentido, todo texto está elaborado con lo «ya escrito».

Al aislar el sistema, los estructuralistas anulan también la historia, puesto que las estructuras que descubren son o bien universales (las estructuras universales de la mente humana) y, por lo tanto, eternas, o bien segmentos arbitrarios de un proceso evolutivo. Las cuestiones históricas giran de modo característico en torno del *cambio* y de la *innovación*, por ello el estructuralismo, en su pretensión de aislar un sistema, está obligado a negarles toda consideración. Así, esta corriente no está interesada en el desarrollo de la novela o en la transición de las formas literarias feudales a las renacentistas, sino en la estructura de la narración como tal y en el sistema estético vigente en un período dado. Es un enfoque necesariamente estático y ahistórico. No está interesado ni en el momento de la producción del texto (el contexto histórico, los lazos formales con escritos anteriores, etcétera) ni en el momento de su recepción (las interpretaciones que genera con posterioridad a su producción).

No hay duda de que el estructuralismo ha representado un importante reto para la dominante Nueva Crítica, los partidarios de Leavis y, en general, los críticos humanistas. Todos presuponían que el lenguaje era algo capaz de *atrapar* la realidad, un reflejo de la mente del escritor o del mundo visto por él. En cierto sentido, el lenguaje de un escritor difícilmente se puede separar de su personalidad, expresa su mismo ser. Sin embargo, como hemos visto, la perspectiva saussuriana resalta la preexistencia del lenguaje: en el principio era la palabra, y la palabra creó el texto. En lugar de decir que el lenguaje de un autor refleja la realidad, los estructuralistas sostienen que la estructura del lenguaje produce la «realidad». Esto tiene como resultado la «desmitificación» total de la literatura: la fuente de conocimiento ya no es la *experiencia* del escritor o del lector, sino las operaciones y las oposiciones que regulan el lenguaje. El sentido ya no viene determinado por el individuo, sino por el sistema que gobierna al individuo.

En el corazón de esta corriente se encuentra una ambición *científica*: descubrir los códigos, las reglas, los sistemas implícitos en todas las prácticas humanas sociales y culturales. La arqueología y la geología se citan a menudo como ejemplos de lo que es la disciplina estructuralista. Lo que vemos en la superficie son las huellas de una historia más profunda y sólo excavando la capa superficial podremos descubrir los estratos geológicos o las plantas de las edificaciones que nos proporcionarán las pistas para hallar explicaciones verdaderas de lo que vemos arriba. Se podría objetar que, en este sentido, toda disciplina es estructuralista: vemos el sol cruzar el cielo, pero la ciencia descubre el verdadero movimiento de los cuerpos celestes.

Los lectores que ya posean algunos conocimientos se habrán dado cuenta de que, por razones tácticas, sólo he presentado en este capítulo el estructuralismo clásico. Sus defensores sostienen que un conjunto definido de relaciones (oposiciones, secuencias de funciones o proposiciones, reglas sintácticas, etc.) se oculta bajo las prácticas concretas y que los actos individuales se derivan de estructuras de la misma manera que la forma del paisaje se deriva de los estratos geológicos sobre los que éste se extiende. Una estructura es como un centro o un punto de origen y sustituye a otros centros (el individuo o la historia). Sin embargo, mi exposición de Genette ha mostrado que la misma definición de una oposición en el interior del discurso narrativo da lugar a un *juego* de significados que resisten una estructuración fijada o establecida. La oposición entre «descripción» y «oposición», por ejemplo, tiende a «privilegiar» el segundo término (la «descripción» es secundaria respecto de la «narración»; los narradores describen de modo incidental, a medida que narran). Pero, si nos preguntamos sobre la jerarquización de esta pareja de conceptos, podríamos invertirla con facilidad y demostrar que, después de todo, la «descripción» es dominante porque toda narración implica descripción —y, de este modo, no hacemos otra cosa que empezar a demoler la estructura que hemos centrado en la «narración»—. Este proceso de «deconstrucción» que se puede poner en funcionamiento en el corazón mismo del estructuralismo constituye una de las principales tendencias de lo que llamamos postestructuralismo (véase cap. 7).

BIBLIOGRAFÍA SELECCIONADA

Textos básicos

Barthes, Roland, *Elements of Semiology* (1967), trad. A. Lavers y C. Smith, Jonathan Cape, Londres, 1967.
—, *Writing Degree Zero*, trad. A. Lavers y C. Smith, Jonathan Cape, Londres, 1967.
—, *Critical Essays*, trad. R. Howard, Northwestern University Press, Evanston II, 1972.
—, *Selected Writings*, introd. Susan Sontag, Fontana, Londres, 1983.
Blonsky, Marshall (ed.), *On Signs: A Semiotic Reader*, Basil Blackwell, Oxford, 1985.
Culler, Jonathan, *Structuralist Poetics: Structuralism, Linguistics and the Study of Literature*, Routledge & Kegan Paul, Londres, 1975.

—, *The Pursuit of Signs: Semiotics, Literature, Deconstruction*, Routledge & Kegan Paul, Londres y Henley, 1981.

—, *On Deconstruction: Theory and Criticism After Structuralism*, Routledge, Londres, 1983.

—, *Framing the Sign*, Basil Blackwell, Oxford, 1988.

De Saussure, Ferdinand, *Course in General Linguistics* (1915), trad. W. Baskin, Fontana/Collins, Londres, 1974.

Genette, Gérard, *Narrative Discourse*, Basil Blackwell, Oxford, 1980.

—, *Figures of Literary Discourse*, trad. A. Sheridan, Basil Blackwell, Oxford, 1982.

Greimas, A. J., *Sémantique Structurale* (1966), trad. D. McDowell, R. Schleifer y A. Velie, University of Nebraska Press, Lincoln, 1983.

Innes, Robert E. (ed.), *Semiotics: An Introductory Reader*, Hutchinson, Londres, 1986.

Jakobson, Roman, «Linguistics and Poetics», en *Style in Language*, T. Sebeok (ed.), MIT Press, Cambridge, MA, 1960, pp. 350-377.

Jakobson, Roman (con M. Halle), *Fundamentals of Language*, Mouton, La Haya y París, 1975.

Lane, Michael (ed.), *Structuralism: A Reader*, Jonathan Cape, Londres, 1970.

Lévi-Strauss, Claude, *Structural Anthropology*, trad. C. Jacobson y B. G. Schoepf, Allen Lane, Londres, 1968.

Lodge, David, *The Modes of Modern Writing: Metaphor, Metonomy, and the Typology of Modern Literature*, Arnold, Londres, 1968.

Lotman, Yury, *The Analysis of the Poetic Text*, ed. y trad., D. Barton Johnson, Ardis Ann Arbor, 1976.

Propp, Vladimir, *The Morphology of the Folktale*, Texas University Press, Austin y Londres, 1968.

Todorov, Tzvetan, *The Fantastic: A Structural Approach to a Literary Genre*, trad. R. Howard, Cornell University Press, Ithaca, 1975.

—, *The Poetics of Prose*, trad. R. Howard, Cornell University Press, Ithaca, 1977. Incluye «The Typology of Detective Fiction».

Lecturas avanzadas

Connor, Steven, «Structuralism and Post-structuralism: From the Centre to the Margin», en *Encyclopaedia of Literature and Criticism*, Martin Coyle, Peter Garside, Malcom Kelsall y John Peck (eds.), Routledge, Londres, 1990.

Culler, Jonathan, *Saussure*, Fontana, Londres, 1976.

Harland, R., *Superstructuralism: The Philosophy of Structuralism and Poststructuralism*, Routledge, Londres, 1987.

Hawkes, Terence, *Structuralism and Semiotics*, Methuen, Londres, 1977.

Jackson, Leonard, *The Poverty of Structuralism: Literature and Structuralist Theory*, Longman, Londres, 1991.

Jameson, Fredric, *The Prison-House of Language: A Critical Account of Structuralism and Russian Formalism*, Princeton University Press, Princeton NJ y Londres, 1972.

Lodge, David, *Working with Structuralism*, Routledge, Londres, 1986.

Rimmon-Kenan, Shlomith, *Narrative Fiction: Contemporary Poetics*, Methuen, Londres y Nueva York, 1983.

Scholes, Robert, *Structuralism in Literature: An Introduction*, Yale University Press, New Haven y Londres, 1974.

Sturrock, Johm, *Structuralism*, Paladin, Londres, 1986.

Capítulo 5

TEORÍAS MARXISTAS

De todas las teorías críticas tratadas en este manual, la crítica marxista es la que tiene una historia más larga. Aunque el propio Marx expresó sus opiniones generales sobre cultura y sociedad en la década de 1840-1850, la crítica marxista constituye un fenómeno del siglo xx.

Los principios básicos del marxismo no son más fáciles de resumir que las doctrinas esenciales del cristianismo. Con todo, estas dos célebres frases de Marx pueden constituir un buen punto de partida:

> No es la conciencia de los hombres lo que determina su comportamiento, sino el comportamiento social lo que determina su conciencia.

> Los filósofos no han hecho más que *interpretar* el mundo de diversas maneras; de lo que se trata ahora es de *cambiarlo*.

Ambas declaraciones son intencionadamente radicales. Al contradecir de modo rotundo las doctrinas aceptadas, Marx intenta dotar a la gente de otra perspectiva. En primer lugar, la filosofía no ha sido más que una mera contemplación etérea, es tiempo de que se comprometa con el mundo real. En segundo lugar, Hegel y sus seguidores aseguraron que el pensamiento rige el mundo, que el proceso histórico consiste en el desarrollo gradual y dialéctico de las leyes de la Razón y que la existencia material es la expresión de una esencia espiritual inmaterial. La gente creía que las ideas, la vida cultural, los sistemas legales y las religiones eran los productos de la razón humana y divina, que debían considerarse como guías incuestionados de la vida humana. Marx invierte esta formulación y sostiene que todos los sistemas mentales (ideológicos) son productos de la existencia económica y social. Los intereses materiales de la clase social dominante determinan el modo en que la gente concibe su existencia individual y colectiva. Los sistemas legales, por ejemplo, no son puras manifestaciones de la razón humana o divina, sino que, en el fondo, reflejan los intereses de la clase dominante en cada período histórico concreto.

En un pasaje de su obra, Marx describe esta concepción en términos de metáfora arquitectónica: la «superestructura» (ideología, política, etc.) descansa sobre la «base» (relaciones socioeconómicas) —aunque decir «descansa sobre» no es lo mismo que decir «es producto de»—. Marx afirmaba que lo que llamamos «cultura» no es una realidad independiente, sino que es inseparable de las condiciones históricas en las que los seres humanos desarrollan su vida material; las relaciones de dominio y subordinación (explotación) que rigen el orden económico y social en cada etapa concreta de la historia humana son las que en cierto sentido «determinan» (no «causan») toda la vida cultural de la sociedad.

Es evidente que, en sus manifestaciones más toscas, esta teoría cae en el mecanicismo. En *La ideología alemana* (1846), por ejemplo, Marx y Engels hablan de la filosofía, la religión y la moral como «fantasmas formados en las mentes de los hombres» que constituyen «reflejos y ecos» de los «procesos de la vida real». Por otro lado, en una famosa serie de cartas escrita en los años de 1990, Engels insiste en que Marx y él siempre consideraron el aspecto económico de la sociedad como el determinante *último* de los demás aspectos, y que reconocían que el arte, la filosofía y las otras formas de conciencia son «relativamente autónomas» y que poseen una capacidad independiente para modificar la existencia de los hombres. Después de todo, ¿cómo, si no a través del discurso político, esperan los marxistas modificar la conciencia de la gente? Al examinar las novelas del siglo XVIII o la filosofía del siglo XVII europeos desde un punto de vista marxista, descubrimos que tales escritos surgieron en fases concretas del desarrollo inicial de la sociedad capitalista. El conflicto de las clases sociales establece la base sobre la que surgen los conflictos ideológicos, pero, aunque el arte y la literatura pertenecen a la esfera ideológica, tienen con ella una relación menos directa que los sistemas filosóficos, legales y religiosos.

Marx admite la categoría especial de la literatura en un conocido pasaje de los *Grundisse* en el que discute el problema de la aparente discrepancia entre el desarrollo económico y el artístico. Se considera que la tragedia griega constituye una de las cumbres en la evolución literaria y, sin embargo, coincide con un sistema social y una forma de ideología (los mitos griegos) que la sociedad moderna ya no reconoce. El problema de Marx era explicar cómo el arte y la literatura producidos por una organización social caduca pueden seguir proporcionándonos placer estético y ser considerados «un modelo y un ideal inalcanzable». Parecía mostrarse remiso a aceptar cierta «eternidad» y «universalidad» en la literatura y el arte, puesto que eso hubiera significado una importante concesión a las premisas de la ideología burguesa. No obstante, ahora es posible ver que Marx recurría a opiniones heredadas (de Hegel) acerca de la literatura y el arte. En nuestro comentario sobre Mukařovský, en el capítulo 2, quedó establecido lo que puede considerarse como un punto de vista marxista: los cánones de la gran literatura se generan socialmente. La «grandeza» de la tragedia griega no es un hecho universal e invariable, es un *valor* que debe ser reproducido de generación en generación.

Aun cuando rechacemos una posición privilegiada para la literatura, sigue en el aire la cuestión de hasta qué punto el desarrollo histórico de la literatura es independiente del desarrollo histórico general. En su ataque al formalismo ruso, contenido en *Literatura y revolución*, Trotsky aceptó la idea de que la literatura tuviera sus propias reglas y principios. La creación artística, escribió, es «un cambio y una transformación de la realidad de acuerdo con las peculiares leyes del arte». Insiste en el hecho de que el factor básico es la «realidad» y no los juegos formales a los que se entregan los escritores; sin embargo, sus observaciones apuntan hacia una continuación del debate dentro de la crítica marxista sobre la importancia relativa de la forma y el contenido ideológico en las obras literarias.

EL REALISMO SOCIALISTA SOVIÉTICO

Así como la crítica marxista escrita en Occidente ha sido a menudo audaz y estimulante, el realismo socialista, en tanto «método artístico» comunista oficial, resulta a los escritores occidentales monótono y estrecho de miras. Las doctrinas expuestas por la Unión de Escritores Soviéticos (1932-1934) no eran más que una codificación de la reinterpretación efectuada en los años de 1920 de las ideas prerrevolucionarias de Lenin, que planteaban cierto número de cuestiones importantes sobre la evolución de la literatura, su reflejo de las relaciones de clase y su función en la sociedad.

Como hemos visto, cuando la revolución de 1917 animó a los formalistas a proseguir el desarrollo de una teoría revolucionaria del arte, surgió al mismo tiempo una visión comunista ortodoxa que frunció el ceño ante el formalismo y dirigió su vista hacia la tradición decimonónica de realismo ruso a la que consideraron el único cimiento sobre el que edificar la estética de la nueva sociedad comunista. Los críticos soviéticos consideraron como productos decadentes de la sociedad capitalista avanzada las revoluciones que se produjeron alrededor de 1910 en el arte, la música y la literatura europeos (Picasso, Stravinsky, Schoenberg, T. S. Eliot, etc.). Así, tras el rechazo moderno del realismo tradicional, el realismo socialista se convirtió en principal guardián de la estética burguesa. En *Travesties*, de Stoppard, el poeta dadaísta Tzara se queja de que «lo curioso de la revolución es que cuanto más radical se es políticamente, más burgués se prefiere el arte». Esta combinación de estética decimonónica y política revolucionaria ha seguido siendo el núcleo esencial de la teoría soviética.

El principio de la *partinost* (el compromiso con la causa obrera del Partido) se deriva de modo casi exclusivo del artículo de Lenin «Organización del Partido y literatura del Partido» (1905). Por mi parte, tengo algunas dudas acerca de las intenciones de Lenin al argumentar que, si bien los escritores eran libres de escribir lo que quisieran, no podían esperar publicar en los periódicos del Partido a menos que se comprometieran con su línea política. Esto, en las precarias condiciones de 1905, constituía una petición razonable, pero tomó un cariz autocrático después de la Revolución, cuando el Partido pasó a controlar las publicaciones.

La categoría de *narodnost* («popularidad») es una característica central, tanto en estética como en política. Una obra de arte de cualquier período conquista su calidad expresando un alto nivel de conciencia social, revelando un sentido de las condiciones y sentimientos sociales verdaderos de una época concreta. Asimismo, poseerá una perspectiva «progresista» si vislumbra el desarrollo futuro a partir de las peculiaridades del presente y muestra las posibilidades ideales de desarrollo social desde el punto de vista de las masas trabajadoras. En los *Manuscritos económico-filosóficos* de 1844, Marx afirma que la división capitalista del trabajo destruyó una temprana fase de la historia humana en la que la vida artística y espiritual era inseparable de los procesos de existencia material, y el artesanado aún trabajaba con un sentido de la belleza. La separación entre trabajo manual y trabajo intelectual disolvió la unidad orgánica de las actividades espirituales y materiales, dando lugar a que las masas se vieran obligadas a producir mercancías sin disfrutar de compromiso creativo con su trabajo. Sólo el arte folclórico sobrevivió como arte popular. Dominada por la economía de mercado; la valoración del gran arte se profesionalizó y se limitó a un privilegiado sector de la clase gobernante. El arte verdaderamente «popular» de las sociedades socialistas, declaran los críticos soviéticos, tiene que ser accesible a las masas y restaurar la integridad perdida de su ser.

La teoría de la naturaleza de clase del arte es bastante compleja. En los escritos de Marx, Engels y los autores de la tradición soviética se pone el acento sobre dos cuestiones: por un lado, el compromiso del escritor con los intereses de clase y, por otro, el realismo social de su obra, aunque sólo las formas más descarnadas de realismo socialista tratan el carácter clasista del arte como una simple cuestión de vasallaje explícito del escritor a una clase. En una carta a Margaret Harkness a propósito de su novela *City Girl*, Engels (1888) le pide que no escriba una novela explícitamente socialista. Balzac, afirma, un reaccionario partidario de la dinastía de los Borbones, realiza un análisis económico de la sociedad francesa más penetrante que el de «los más reputados historiadores, economistas y estadistas del período juntos». Su visión de la caída de la nobleza y el auge de la burguesía le obligó a «ir en contra de sus simpatías de clase y sus prejuicios políticos». El realismo supera las simpatías de clase: este argumento tendría una poderosa influencia no sólo en la teoría del realismo socialista, sino también en la crítica marxista posterior.

Se considera que el realismo socialista es la continuación y el desarrollo en un nivel más elevado del realismo burgués. Los escritores burgueses se juzgan, no según sus orígenes de clase, ni por su compromiso político explícito, sino por la medida en que sus obras penetran en los desarrollos sociales de su época —y es en este contexto en el que hay que entender la hostilidad soviética hacia las novelas modernas—. La ponencia de Karl Radek en el Congreso de Escritores Soviéticos celebrado en 1934 planteaba la alternativa: «¿James Joyce o realismo socialista?» Durante el debate, Radek dirigió un vitriólico ataque contra Herzfelde, otro delegado comunista, que sostenía que Joyce era un gran escritor. Radek metió en el mismo saco la técnica experimental de Joyce y el contenido «pequeño burgués» de su obra: la preocupación por la sórdida vida interior de un individuo banal revelaba un profundo desconocimiento de las grandes fuerzas históricas en acción en los tiempos modernos; el mundo de Joyce, afirmó, estaba comprendido entre «un armario de libros medievales, un burdel y un orinal». Y concluye: «Si fuera a escribir novelas, aprendería a hacerlo a partir de Tolstoi y Balzac, no de Joyce.»

Esta admiración por el realismo decimonónico era comprensible: Balzac, Dickens, George Eliot, Stendhal, entre otros, desarrollaron hasta sus límites una forma literaria que explora la implicación del individuo con toda la red de relaciones sociales. Los escritores modernos abandonaron este proyecto y se dedicaron a reflejar una imagen más fragmentada del mundo, a menudo pesimista e introvertida: nada más alejado del «romanticismo revolucionario» de la escuela soviética, deseosa de proyectar una imagen heroica. Andrei Zhdanov, que pronunció el discurso inaugural en el citado congreso, recordó a los escritores que Stalin los había llamado «ingenieros del alma humana». Así, las presiones políticas sobre los escritores se manifestaron con una cruda insistencia. Zhdanov dejó de lado todas las dudas de Engels acerca del valor de una obra abiertamente comprometida: «En efecto, la literatura soviética es tendenciosa, ya que en épocas de lucha de clases no hay ni puede haber una literatura que no sea clasista, tendenciosa y exenta de compromiso político.»

Lukács y Brecht

A continuación vamos a considerar a Georg Lukács, el primero de los grandes críticos marxistas, ya que su obra es inseparable de la ortodoxia del realismo socialista y después las opiniones de su «oponente» en el debate sobre el realismo, el dramaturgo/teórico, Bertolt Brecht. Se puede sostener que Lukács anticipó algunas de las doctrinas soviéticas pero, en todo caso, desarrolló el enfoque realista con gran sutileza. Al considerar las obras literarias como reflejos de un sistema en evolución, se inclinó hacia la vertiente hegeliana del pensamiento marxista. Según él, una obra realista debe revelar las contradicciones subyacentes del orden social. Su punto de vista es marxista por la insistencia en la naturaleza material e histórica de la estructura social.

El uso que hace del concepto de «reflejo» es característico del conjunto de su obra; rechaza el «naturalismo» vulgar de la novelística europea contemporánea y vuelve al antiguo punto de vista realista, según el cual la novela refleja la realidad, no reproduciendo su mera apariencia superficial, sino presentando «un reflejo más dinámico, vívido, completo y verdadero de la realidad». «Reflejar» significa «expresar una estructura mental» mediante palabras. Por lo general, la gente posee una conciencia, un reflejo de la realidad que tiene relación no únicamente con los objetos, sino también con la naturaleza humana y las relaciones sociales. Para Lukács, un reflejo puede ser más o menos concreto. Una novela puede conducir al lector «a una visión más concreta de la realidad», que trasciende la simple comprensión de las cosas producto del sentido común. Una obra literaria no refleja fenómenos individuales aislados, sino más bien «una forma especial de reflejar la realidad».

Por lo tanto, según Lukács, un reflejo «correcto» de la realidad es algo más que la presentación de las simples apariencias externas. Esta concepción es interesante, ya que se opone al mismo tiempo al naturalismo y a la modernidad: no hay nada falso en afirmar que una secuencia de imágenes presentadas al azar puede ser interpretada como un reflejo *objetivo* e imparcial de la realidad (como Zola y otros exponentes del «naturalismo» demostraron) o como una impresión puramente *subjetiva* (como Joyce y Virginia Woolf parecen mostrar). La aleatoriedad puede ser contemplada en tanto propiedad de la realidad o en tanto percepción. En cualquier caso, Lukács rechazó este tipo de representación puramente «fotográfico»; en su lugar, describe la verdadera obra realista, que nos transmite la sensación de «necesidad artística» de las imágenes que presenta, unas imágenes que poseen la «intensa totalidad» que corresponde a la «extensa totalidad» del mundo mismo. La realidad no es sólo un flujo o un choque mecánico de fragmentos; también tiene un «orden» que el novelista expresa en una forma «intensiva». El escritor no impone un orden abstracto al mundo, lo que hace es presentar al lector una imagen de la riqueza y la complejidad de la vida, de donde emerge la sensación de un orden en el interior de la complejidad y la sutileza de la experiencia vivida. Y ello se consigue si todas las contradicciones y tensiones de la existencia social se realizan en un todo formal.

El principio del orden y la estructura subyacentes, sobre el que insiste Lukács, está tomado por la tradición marxista de la concepción «dialéctica» de la historia de Hegel. La evolución histórica no se produce al azar ni de modo caótico, ni es una progresión clara y lineal. Se trata, más bien, de un desarrollo dialéctico. En cada organización social, el modo de producción hegemónico da lugar a contradicciones internas que se expresan en la lucha de clases. El modo de producción capitalista acabó con el feudal (artesanal) y lo sustituyó por un modo de producción no individual, «socializante», que posibilitó una mayor productividad (producción de mercancías). Sin embargo, a medida que el modo de producción se socializaba, la propiedad de los medios de producción se privatizaba. Trabajadores que habían sido dueños de sus propios telares y herramientas, no tuvieron finalmente otra cosa que vender que su fuerza de trabajo. La contradicción inherente se expresa en el conflicto de intereses entre capitalistas y obreros. No obstante, la acumulación privada de capital fue el fundamento del trabajo en las fábricas, de modo que la contradicción (privatización/socialización) es una unidad necesaria, que es el corazón mismo del modo de producción capitalista. La resolución «dialéctica» de la contradicción siempre está implícita en la contradicción misma: si los trabajadores retoman el control sobre su fuerza de trabajo, la propiedad de los medios de producción debe socializarse. Este breve resumen intenta demostrar cómo la concepción del realismo de Lukács está marcada por la influencia del marxismo del siglo xix.

En una brillante serie de trabajos, en especial en *La novela histórica* (1937) y *Estudios sobre el realismo europeo* (1950), Lukács refina y prolonga las ortodoxas teorías del realismo socialista. Sin embargo, en *El significado del realismo contemporáneo* (1957), lleva el ataque comunista a las tendencias modernas. No le niega a Joyce la categoría de verdadero artista, pero pide que se rechace su visión de la historia y, en especial, el modo en que su visión «estática» de los acontecimientos se refleja en una estructura épica esencialmente estática en sí misma. Esta incapacidad para percibir la existencia humana como una parte de un contexto histórico dinámico contamina toda la modernidad contemporánea y se refleja en las obras de escritores como Kafka, Beckett y Faulkner. Estos escritores, afirma Lukács, se interesan por la experimentación formal: el montaje, los diálogos interiores, la técnica de la «corriente de conciencia», la utilización de reportajes, diarios, etc. Todo este virtuosismo formal no es más que el resultado de una estrecha preocupación por las impresiones subjetivas, una preocupación resultante del exacerbado individualismo del capitalismo avanzado. En lugar de un realismo objetivo, nos hallamos ante una visión del mundo llena de angustia. La riqueza de la historia y de sus procesos sociales se reduce a la triste historia interior de unas existencias absurdas. Esta «atenuación de la realidad» contrasta con la visión de la sociedad dinámica y evolutiva que se encuentra en los precursores decimonónicos del realismo socialista, que alcanzan lo que Lukács llama «realismo crítico».

Al separar lo individual del mundo exterior de la realidad objetiva, el escritor moderno se ve obligado a contemplar la vida interior de los personajes como «una corriente siniestra e inexplicable» que, en el fondo, también adopta las características de un estatismo eterno. Lukács parece incapaz de aceptar que, al presentar la existencia empobrecida y alienada de las obras modernas, algunos escritores acceden a algún tipo de realismo o desarrollan hasta cierto punto nuevas técnicas y formas literarias que se corresponden con la realidad moderna. Al insistir en la naturaleza reaccionaria de la *ideología* moderna, se negó a reconocer las posibilidades literarias de las obras modernas. Al considerar reaccionario su *contenido,* tachó de inaceptable la *forma* moderna. Durante su corta estancia en Berlín, en los años de 1930 atacó el uso de las técnicas modernas del montaje y la utilización del reportaje en las obras de autores radicales, entre los que se contaba el brillante dramaturgo Bertold Brecht. Para conocer el comentario de Lukács sobre Brecht —de su última obra, *The Meaning of Contemporary Realism*—, véase el capítulo 8 sobre Brecht en *A Practical Reader.*

Erich Auerbach, un exiliado de la Alemania de Hitler que más tarde llegaría a ser profesor de Lenguas Románicas en la Universidad de Yale, también promovió la concepción lukacsiana del realismo en su influyente obra de variada temática, *Mímesis: la representación de la realidad en la literatura occidental* (1946). Como Lukács, Auerbach está interesado en cómo las fuerzas históricas modelan el comportamiento y cómo el artista establece fuertes vínculos entre la actividad individual y su contexto histórico y social particular. La capacidad de la obra de arte para comprender y representar una perspectiva «totalizadora» así le da importancia y, por lo tanto, para Auerbach, como para Lukács, el realismo moderno debería constituir a la vez una especie de depósito de historia cultural y una intervención en la vida moral y política de los seres humanos.

Las primeras obras de Brecht eran radicales, anarquizantes y antiburguesas, pero no anticapitalistas. Después de leer a Marx, alrededor de 1926, su iconoclastia juvenil se convirtió en compromiso político consciente, aunque siempre siguió siendo un inconformista y jamás fue hombre de Partido. Hacia 1930, empezó a escribir las *Lehrstücke*, piezas didácticas destinadas a un público obrero, pero se vio obligado a abandonar Alemania en 1933, cuando los nazis llegaron al poder. Escribió sus principales obras en el exilio, principalmente en los países escandinavos. Más tarde, en Estados Unidos, tuvo que declarar ante el Comité de Actividades Antinorteamericanas de McCarthy y acabó por establecerse en Alemania oriental en 1949. También tuvo problemas con las autoridades estalinistas, quienes le consideraban una fuente de prestigio a la vez que inconveniente.

Su oposición al realismo socialista ofendía a las autoridades germano-orientales. Su recurso teatral más conocido, el distanciamiento, proviene en parte del concepto de «extrañamiento» de los formalistas rusos. El realismo socialista favorecía la ilusión realista, la unidad formal y los héroes «positivos». Él calificó su propia teoría del realismo de «antiaristotélica», lo cual era un modo de atacar a sus adversarios. Aristóteles había hecho hincapié en la universalidad y unidad de la acción trágica y en una identificación del público con el héroe que llevaba a la «catarsis». Brecht rechaza toda la tradición teatral aristotélica: para él, el dramaturgo debe evitar una trama pulida e interconectada y cualquier sensación de inevitabilidad o universalidad. Los casos de injusticia social deben presentarse como si fueran chocantes, no naturales y completamente sorprendentes. «Es demasiado fácil contemplar el precio del pan, la falta de trabajo y la declaración de guerra como si fueran fenómenos naturales, como terremotos o inundaciones», en lugar de como el resultado de la explotación humana.

Para evitar que el público caiga en un estado de aceptación pasiva, es preciso hacer añicos la realidad utilizando el
distanciamiento. Los actores no deben perderse en sus pa-
peles o intentar buscar una simple identificación empática
con el público, deben presentar un rol al mismo tiempo reconocible y poco familiar, de modo que se ponga en acción
un proceso de valoración crítica. La situación, las emociones y las alternativas de los personajes deben entenderse
desde fuera y plantearse como extrañas y problemáticas.
Esto no implica que los actores deban evitar el uso de las
emociones, sólo el de la empatía. Ello se consigue con la
«revelación de los recursos», para utilizar un término formalista. El empleo de los gestos es un medio importante de
exteriorizar las emociones de un personaje. Gesto o acción
se estudian y se ensayan como recurso para expresar de
modo sorprendente el significado social específico del papel. Es grande el contraste con el método de Stanislavsky,
partidario de la identificación total entre el actor y su papel
y que, para lograr una sensación de «espontaneidad» e individualidad, da prioridad a la improvisación sobre el cálcu-
lo. Este poner en primer plano la vida interior del personaje hace que su significado social se evapore. Los gestos de
Marlon Brando o James Dean son idiosincráticos, mientras
el actor brechtiano (Peter Lorre o Charles Laughton) actúa
como si fuera un payaso o un mimo, utilizando gestos dia-
gramáticos que *indican* antes que revelan. En cualquier
caso, las obras de Brecht, cuyos «héroes» son tan a menudo vulgares, duros y sin escrúpulos, no favorecen el culto a
la personalidad. Madre Coraje, Asdak y Schweyk destacan
con fuerza sobre un lienzo «épico»: son seres sociales con
un notable dinamismo, pero carecen de vida interior.

Brecht rechazó la clase de unidad formal admirada por
Lukács. En primer lugar, el teatro «épico» de Brecht, al contrario del teatro trágico de Aristóteles, se compone de episodios escasamente ligados, como los que se podrían encontrar en las obras históricas de Shakespeare o en las
novelas picarescas del siglo XVIII. No se dan imperativos ar-
tificiales de tiempo y lugar, ni tramas «bien construidas».
La inspiración contemporánea proviene del cine (Charlie
Chaplin, Buster Keaton, Eisenstein, etc.) y de la ficción mo-

derna (Joyce y Dos Passos). En segundo lugar, Brecht no cree que un modelo de forma permanezca vigente de modo indefinido; no existen «leyes estéticas eternas». Para capturar la fuerza viva de la realidad, el escritor debe avenirse a utilizar cualquier recurso formal concebible, sea viejo o nuevo. Su actitud ante el realismo socialista es rotunda: «Debemos tener cuidado en no adscribir el realismo a una forma histórica particular de novela, perteneciente a un período histórico concreto, el de Tolstoi o el de Balzac, por ejemplo, para establecer criterios de realismo puramente formales y literarios.» Consideró que la pretensión de Lukács de conservar de modo religioso una forma literaria determinada como único modelo de realismo constituía una peligrosa clase de formalismo.[*] De convertirse su «distanciamiento» en la fórmula de todo realismo, Brecht habría sido el primero en admitir que había dejado de ser efectiva. Si se copian otros métodos realistas, se deja de ser realista: «Los métodos se gastan, los estímulos fallan, aparecen nuevos problemas que exigen nuevas técnicas. La realidad cambia y, para representarla, también deben cambiar los medios de representación.» Estas observaciones expresan con toda claridad la concepción poco dogmática y experimental que Brecht tenía de la teoría. Sin embargo, este rechazo de la ortodoxia no tiene nada de «liberal»: su ininterrumpida búsqueda de nuevos modos de sacudir al público, sacándolo de la pasividad complaciente, y de conseguir un compromiso activo estaba motivada por un profundo propósito político de desenmascarar todo nuevo disfraz utilizado por el siempre sinuoso sistema capitalista.

LA ESCUELA DE FRANKFURT: ADORNO Y BENJAMIN

Mientras Brecht y Lukács discutían sobre sus concepciones del realismo, la escuela marxista de Frankfurt rechazaba el realismo en su conjunto. El Instituto de Investiga-

---

[*] Para mayor información sobre su «debate» acerca del realismo, con ejemplos de sus implicaciones para la lectura del *Ulises* de Joyce, véase *PTRL*, pp. 158-163.

ciones Sociales de Frankfurt practicaba lo que se ha llamado «teoría crítica»: una forma de análisis social de gran amplitud, basada en el marxismo hegeliano y que contenía también elementos freudianos. Las principales figuras en filosofía y estética eran Max Horkheimer, Theodor Adorno y Herbert Marcuse. En 1933, el Instituto tuvo que exiliarse y se instaló en Nueva York, pero finalmente volvió a Frankfurt en 1950 bajo la dirección de Adorno y Horkheimer. Al igual que Hegel consideraban el sistema social como una totalidad en la cual todos los aspectos reflejan la misma esencia. Su análisis de la cultura moderna está influido por la experiencia del fascismo, que, en Alemania, llegó a tener una completa hegemonía en todos los niveles de la existencia social. En Estados Unidos, se encontraron con una «unidimensionalidad» similar en la cultura de masas y en la penetración de las relaciones mercantiles en todos los aspectos de la vida.

El arte y la literatura ocuparon un lugar privilegiado en el pensamiento de Frankfurt. En una iniciativa temprana de la Teoría Crítica, Marcuse propuso el concepto de «cultura afirmativa» con la cual buscaba registrar la naturaleza dialéctica de la cultura como conformista (en su cultivo quietista de satisfacción interior), pero también crítica (en la medida en que soportaba en su propia forma la imagen de una existencia indemne). Aunque Marcuse siempre insistió en el poder negativo y trascendente de la «dimensión estética», adaptó el compromiso revolucionario de su juventud a las cambiantes circunstancias sociales y culturales. (Véase su última lectura de Brecht, *A Practical Reader*, cap. 8.) Para el principal exponente de la Teoría Crítica, Adorno, el arte —junto con la filosofía— era el único teatro de resistencia al «universo administrado» del siglo XX. Adorno criticó la concepción de realismo de Lukács, argumentando que la literatura, a diferencia de la mente, no tiene un contacto directo con la realidad. Según Adorno, el arte está separado de la realidad y esta separación es la que le otorga su significado y poder especiales. Las obras modernas se encuentran bastante distanciadas de la realidad a la que aluden y este distanciamiento les otorga poder para criticarla. En tanto las formas populares de arte están obligadas a la connivencia con el sistema económico que las modela, las obras de vanguardia tienen el poder de «negar» la realidad a la que hacen referencia. Lukács atacó los textos modernos porque, al reflejar la alienada vida interior de los individuos, constituían expresiones «decadentes» de la sociedad capitalista avanzada y probaban la incapacidad de los escritores para trascender los mundos atomizados y fragmentados en los que estaban obligados a vivir. Adorno proclama que el arte no puede limitarse a reflejar simplemente el sistema social, sino que debe actuar en el interior de esa realidad como un irritante que produce una especie de conocimiento indirecto: «El arte es el conocimiento negativo del mundo real.» Y ello se puede conseguir escribiendo textos experimentales «difíciles» y no obras críticas o claramente polémicas. Las masas, añade Horkheimer, rechazan lo vanguardista porque perturba la aquiescencia automática e irreflexiva producida por la manipulación de que son objeto por parte del sistema social: «Al hacer conscientes de su desesperación a los seres humanos oprimidos, la obra de arte anuncia una libertad que los enfurece.»

La forma literaria no es simplemente un reflejo unificado y comprimido de la forma social como pensaba Lukács, sino un medio especial para distanciarse de la realidad y prevenir la fácil asimilación de nuevas ideas en envoltorios familiares y consumibles. Los escritores modernos intentan interrumpir y fragmentar el cuadro de la vida moderna en lugar de dominar sus mecanismos deshumanizadores. Lukács sólo encontraba signos de decadencia en esta clase de arte y fue incapaz de reconocer su poder de *revelación*. El uso por Proust del *monologue intérieur* no sólo refleja un individualismo alienado, sino que también aferra una «verdad» acerca de la sociedad moderna (la alienación del individuo) y permite, al mismo tiempo, percibir que la alienación forma parte de una realidad social objetiva. En un complejo ensayo sobre el *Final de partida* de Beckett, Adorno reflexiona sobre los modos en que el autor utiliza la forma para evocar la vacuidad de la cultura moderna. A pesar de las catástrofes y las degradaciones de la historia del siglo xx, insistimos en comportarnos como si nada hubiera cambiado, persistimos en nuestra insensata creencia en las viejas verdades de la unidad y la realidad del individuo o de la significatividad del lenguaje. La obra presenta personajes que sólo tienen las cáscaras vacías de la individualidad y los tópicos fragmentarios de un lenguaje. Las absurdas discontinuidades del discurso, la escasa caracterización y la ausencia de trama contribuyen al efecto estético de distanciarse de la realidad a la que la obra alude y, de ese modo, nos presenta un conocimiento «negativo» de la existencia moderna.

Marx creía haber extraído el «núcleo racional» de la «concha mística» de la dialéctica de Hegel. Lo que subsiste es el método dialéctico de comprensión de los procesos reales de la historia humana. La obra de la escuela de Frankfurt conserva mucho de la sutileza del auténtico pensamiento dialéctico hegeliano. El significado de la dialéctica en la tradición hegeliana se puede resumir como «el desarrollo que surge de la resolución de las contradicciones internas en un aspecto concreto de la realidad». En el libro *Philosophy of Modern Music*, Adorno expone una visión dialéctica de la obra del compositor Schoenberg. La revolución «atonal» nace en un contexto histórico en el que la extrema comercialización de la cultura destruye la capacidad del oyente para apreciar la unidad formal de la obra clásica. La explotación comercial de las técnicas artísticas en el cine, la publicidad, la música popular, etc., ha obligado al compositor a responder con una música rota y fragmentada en la que se niega la gramática del lenguaje musical (tonalidad) y donde cada nota individual está aislada y no puede interpretarse recurriendo a su contexto. Adorno describe el contenido de esta música «atonal» utilizando el lenguaje del psicoanálisis:

> las lastimosas notas aisladas expresan claros impulsos del inconsciente. La nueva forma se relaciona con la pérdida individual de control consciente en la sociedad moderna. Al permitir la expresión de violentos impulsos inconscientes, la música de Schoenberg escapa al censor y a la razón. La dialéctica culmina cuando este nuevo sistema se relaciona con la nueva organización totalitaria del capitalismo imperialista, en la que la autonomía del individuo se diluye en un sistema de mercado monolítico y de masas. Es decir, que la música es al mismo tiempo síntoma de una ineludible pérdida de libertad y revuelta contra la sociedad unidimensional.

Walter Benjamin —amigo de Adorno, pero también de Brecht (con quien Adorno era antipático por temperamento y puntos de vista) y de Gershom Sholem (el gran estudioso del misticismo judaico, que recela de la conversión de su viejo compañero al pensamiento materialista)— fue el pensador marxista más idiosincrático de su generación. Su primera crítica «académica», dedicada a Goethe y al teatro barroco alemán, es legendariamente oscura y gran parte de su periodismo cultural es poco más que eso. Trabajó durante años en su «Proyecto Arcades», una fascinante exploración de la cultura comercial surgida en París, la «capital del siglo XIX». Se cuenta entre los primeros y mejores intérpretes del teatro de Brecht y un teórico materialista audaz e intransigente de los nuevos medios de producción artística (para Benjamin sobre Brecht, véase *A Practical Reader*, cap. 8), aunque su último ensayo, las «Theses on the Philosophy of History», ofreció su visión marxista en el idioma de la teología mesiánica. El ensayo más conocido de Benjamin, «La obra de arte en la era de la reproducción mecánica», contradice la visión de Adorno de la cultura moderna. Las innovadoras técnicas modernas (cine, radio, teléfono, gramófono, etc.), afirma Benjamin, han alterado profundamente la posición de la «obra de arte». En otro tiempo, cuando las obras artísticas tenían el «aura» derivada de su unicidad, eran terreno particular de una privilegiada elite burguesa. Ello era especialmente cierto en lo que respecta a las artes visuales, pero también en el caso de la literatura esta «aura» existía. Los nuevos medios de comunicación han roto este sentimiento cuasi religioso y han alterado profundamente la actitud del artista ante la producción. En una medida cada vez mayor, la *reproducción* de objetos artísticos (mediante fotografía o radiotransmisión) significa que están diseñados en realidad para la reproductibilidad; y en el surgimiento del cine descubrimos «copias» sin «original». Benjamin afirmaba que en este punto se encuentra la base técnica de un nuevo genio de producción artística y de consumo, en la cual admiración y deferencia darán paso a una postura analítica y a una experiencia relajada, en la cual el arte, que ya no está impregnado de «ritual», se abriría a la política. De hecho, predice muchas de las características de las formas y actitudes culturales «posmodernas». El componente ilusionante en las tesis de Benjamin fue señalado por Adorno en su momento, aunque el ensayo continúa siendo ejemplar por su atención al rol histórico específico de las tecnologías artísticas. Benjamin hizo el mismo hincapié en un ensayo paralelo sobre la política de la práctica artística, «The Author as a Producer».

A pesar de que las nuevas tecnologías (cine, prensa, etc.) podían tener un efecto revolucionario, Benjamin era consciente de que no había ninguna garantía de ello. Con el fin de liberarlas de las manos de la burguesía, era necesario que los escritores y artistas socialistas se convirtieran en *productores* en su propio ámbito. Las opiniones de Benjamin sobre la naturaleza del arte estaban cercanas a las de Brecht y, de hecho, las más claras exposiciones de su pensamiento las hizo teniendo en mente las obras de éste. Benjamin rechaza la idea de que se logra arte revolucionario tratando el tema correcto. (En este sentido, sus puntos de vista están en contra de la ortodoxia realista del momento.) En lugar de interesarse por la posición de la obra de arte en las relaciones económicas y sociales de su tiempo, se plantea la pregunta: ¿cuál es «la función de una obra en el interior de las relaciones literarias de producción de su tiempo»? El artista necesita revolucionar las fuerzas *artísticas* de producción de su época. Y ello es cuestión de *técnica*. Sin embargo, la técnica correcta surgirá en respuesta a una compleja combinación histórica de cambios sociales y técnicos. París, la populosa y anónima ciudad del Segundo Imperio, inspiró a Baudelaire y a Poe; sus innovaciones técnicas fueron una respuesta directa a las asociales y fragmentadas condiciones de existencia urbana: «El contenido social originario de la historia de detectives fue la desaparición de las huellas individuales en la muchedumbre de la gran ciudad.» Sobre un poema de Baudelaire, Benjamin escribió: «La forma interior de estos versos se revela por el hecho de que en ellos el propio amor se reconoce como estigmatizado por la gran ciudad.»

MARXISMO «ESTRUCTURALISTA»: GOLDMANN, ALTHUSSER, MACHEREY

Durante los años de 1960, la vida intelectual europea se vio dominada por el estructuralismo. La crítica marxista no podía permanecer al margen del entorno intelectual. Ambas tradiciones consideran que los individuos no pueden ser entendidos fuera de su existencia social. Los marxistas creen que los individuos no son agentes libres, sino «portadores» de posiciones en el sistema social. Los estructuralistas consideran que las acciones y declaraciones individuales no tienen sentido separadas de los sistemas significantes que las generan. Los estructuralistas contemplan estas estructuras subyacentes como sistemas autorregulados y al margen del tiempo; los marxistas, en cambio, los conciben históricos, cambiantes y cargados de contradicciones.

Lucien Goldmann, el crítico rumano, se negó a considerar los textos como creaciones de genios individuales argumentando que se basaban en «estructuras mentales transindividuales» pertenecientes a grupos (o clases) particulares. Estas «concepciones del mundo» están en proceso continuo de elaboración y disolución por parte de los grupos sociales a medida que éstos adaptan su imagen mental del mundo en respuesta a la realidad cambiante. Tales imágenes suelen permanecer mal definidas y a medio acabar en la conciencia de los agentes sociales, pero los grandes escritores son capaces de cristalizar estas concepciones del mundo de una forma lúcida y coherente.

El aplaudido libro de Goldmann *Le Dieu Caché* establece relaciones entre las tragedias de Racine, la filosofía de Pascal, un movimiento religioso francés (el jansenismo) y un grupo social (la *noblesse de la robe*). La visión jansenista del mundo es trágica: considera los individuos divididos entre un pecaminoso mundo sin esperanza y un dios ausente que, a pesar de haberlo abandonado, impone aún su autoridad absoluta sobre el creyente, con lo cual, los individuos se ven abocados a una extremada y trágica soledad. La estructura de relaciones subyacente a las tragedias de Racine expresa la difícil situación jansenista, que, a su vez, puede relacionarse con la decadencia de la *noblesse de la robe,* una clase de funcionarios de corte que iba siendo aislada y despojada de su poder a medida que la monarquía absoluta le retiraba el apoyo financiero. El contenido «manifiesto» de las tragedias no parece tener relación con el credo jansenista, pero, en un nivel estructural más profundo, comparten la misma forma: «el héroe trágico, equidistante entre Dios y el mundo, se encuentra *radicalmente solo*». En otras palabras, la expresiva relación entre clase social y texto literario no fue registrada en el contenido «reflejado», sino en un paralelismo de forma u «homología». Mediante el concepto de homología, el pensamiento de Goldmann logró traspasar los confines de la dogmática tradición realista (aunque conservó su admiración por las primeras obras de Lukács) y desarrolló una variedad distintiva de análisis literario y cultural marxista que bautizó como «estructuralismo genético».

Su última obra, *Pour une sociologie du roman* (1964) parece acercarse a la escuela de Frankfurt al centrarse en la «homología» entre la estructura de la novela moderna y la estructura de la economía de mercado. Hacia 1910, sostiene Goldmann, se estaba realizando la transición de la época heroica del capitalismo liberal a la fase imperialista y, como consecuencia, la importancia del individuo en la vida económica se reducía drásticamente. Y, a partir de 1945, la regulación y la dirección de los sistemas económicos por parte del Estado y las compañías multinacionales llevan a su máximo desarrollo la tendencia que los marxistas llaman «cosificación» (haciendo referencia a la reducción del valor al valor de cambio y al dominio del mundo humano por un mundo de objetos). En la novela clásica, los objetos sólo tenían significado en relación con los individuos, pero, en las novelas de Sartre, Kafka y Robbe-Grillet, el mundo de los objetos comienza a desplazar al individuo. En esta etapa final, la obra de Goldmann se basa en un modelo algo tosco de «superestructura» y «base» según el cual las estructuras literarias se corresponden simplemente con las estructuras económicas. Goldmann sortea el depresivo pesimismo de la escuela de Frankfurt, pero pierde sus ricas perspectivas dialécticas.

Louis Althusser, el filósofo marxista francés, ha tenido

una importancia capital en la teoría literaria marxista, especialmente en Francia y Gran Bretaña. Su obra se relaciona claramente con el estructuralismo y el postestructuralismo. Rechaza el retorno a Hegel de la filosofía marxista, resaltando que la verdadera contribución de Marx al conocimiento fue su «ruptura» con Hegel. Critica el concepto hegeliano de «totalidad», de acuerdo con el cual la esencia del todo se expresa en todas sus partes. También evita la utilización de términos como «orden» y «sistema social», porque pueden sugerir la idea de una estructura con un centro que determina la forma de todas sus emanaciones. En lugar de ello, habla de «formación social», considerándola como una estructura «descentrada». A diferencia de un organismo viviente, esta estructura no posee un principio que la rija, ni germen original, ni unidad global. Las implicaciones de este punto de vista son interesantes. Los diversos elementos (o «niveles») en el interior de la formación social no se tratan como reflejos de un nivel esencial (el nivel económico para los marxistas): los niveles poseen una «autonomía relativa» y sólo «en última instancia» vienen determinados por el nivel económico (esta compleja formulación proviene de Engels). La formación social es una estructura en la que los diferentes niveles existen en complejas relaciones de contradicción interna y conflicto mutuo. Esta estructura de contradicciones puede estar dominada en cualquier etapa por uno u otro nivel, aunque dicho nivel estará siempre dominado en el fondo por el nivel económico. En las formaciones sociales feudales, por ejemplo, la religión es estructuralmente dominante, lo cual no quiere decir que la religión sea la esencia o el centro de la estructura: aunque no de modo directo, su papel está determinado por el nivel económico.

Althusser rechaza considerar el arte como una simple forma de ideología. En «Una carta sobre el arte», lo sitúa en algún lugar entre la ideología y el conocimiento científico. Una gran obra literaria no nos proporciona un conocimiento conceptual adecuado de la realidad, pero tampoco expresa simplemente la ideología de una clase particular. Se apoya en las observaciones de Engels sobre Balzac (véase p. 118) y afirma que el arte «nos hace *ver*», de un modo distanciado, «la ideología de la que ha nacido, en la que se baña, a la que alude y de la que se despega en tanto arte». Define la ideología como «una representación de la relación imaginaria de los individuos con sus condiciones reales de existencia». La conciencia imaginaria nos ayuda a dar sentido al mundo, pero también enmascara o reprime nuestra relación real con él. Por ejemplo, la ideología de la «libertad» propaga la creencia en la libertad de todos los hombres, incluyendo los trabajadores, pero oculta la relación real de la economía capitalista de la época liberal. Las clases dominadas aceptan un sistema ideológico dominante como si fuera el punto de vista del sentido común y, de este modo, los intereses de la clase dominante se ven protegidos. El arte, sin embargo, ejecuta «una retirada» (una distancia ficticia) de la misma ideología de la que se alimenta. Por esto, una gran obra literaria puede trascender la ideología de su autor. (Para una lectura de Brecht por Althusser en este contexto, véase *A Practical Reader*, cap. 8.)

El libro *Pour une théorie de la production littéraire* (1966) de Pierre Macherey influyó sobre la visión de Althusser del arte y de la ideología. Dicho autor adopta desde el principio el modelo marxista y, en lugar de considerar el texto como «creación» u obra autónoma, lo hace en tanto «producto», en el cual cierto número de materiales dispares es elaborado y transformado durante el proceso. Estos materiales no son «instrumentos libres» que puedan utilizarse de modo consciente para crear una obra de arte controlada y unificada. El texto, al trabajar los materiales dados con antelación, no es nunca «consciente de lo que está haciendo». Cuando ese estado de conciencia que llamamos ideología penetra en el texto, toma una forma diferente. Por lo general, se percibe como algo totalmente natural, como si su discurso fluido e imaginario proporcionara una explicación de la realidad perfecta y unificada. Una vez elaborada como texto, quedan expuestos todos sus fallos y contradicciones. El escritor realista intenta unificar todos los elementos en el texto, pero, en el proceso textual, se producen de modo inevitable omisiones y errores provocados por la incoherencia misma del discurso ideológico: «para decir algo, hay cosas que *deben no ser dichas*». El crítico literario no se preocupa por mostrar cómo encajan perfectamente todas las partes de la obra ni por aclarar cualquier contradicción aparente: al igual que un psicoanalista, se interesa por el inconsciente del texto, por lo que no se dice, lo que ineludiblemente se reprime.

¿Cómo actúa este enfoque? Tomemos, por ejemplo, la novela de Defoe *Moll Flanders*.* A principios del siglo XVIII, la ideología burguesa se preocupaba por limar las asperezas existentes entre la moral y las necesidades económicas: entre, por un lado, la visión providencialista de la vida humana que exige el aplazamiento de la gratificación inmediata en beneficio de otra a largo plazo y, por otro, el individualismo económico que extrae todo el valor de las relaciones humanas para convertirlo en mercancía. En *Moll Flanders* esta ideología está representada de modo tal que sus contradicciones quedan al descubierto. La aplicación de una forma literaria sobre la ideología produce este efecto de incoherencia. El uso literario de Moll como narradora posibilita una doble perspectiva. Ella cuenta su historia prospectiva y retrospectivamente: es la protagonista que disfruta con su mezquina vida de prostituta y ladrona y, también, la moralista que cuenta su vida de pecados como advertencia para los demás. Las dos perspectivas se funden simbólicamente en el episodio del afortunado negocio de especulación en Virginia, donde Moll funda una empresa con las ganancias ilícitas que mantuvo a buen recaudo durante su encarcelamiento en Newgate. El éxito económico es *también* la recompensa por arrepentirse de su mala vida. De este modo, la forma literaria «fija» el fluido discurso de la ideología: al dar su sustancia formal, el texto pone de manifiesto los fallos y las contradicciones que la ideología que lo sostiene. El escritor no *pretende* este efecto, que el texto genera de modo «inconsciente».

En un estudio posterior, escrito por Etienne Balibar, Macherey se separaba de forma más radical de la concepción tradicional de literatura que defendía la escuela de Frankfurt y que Althusser aún albergaba. La cultura de «lo

---

* Una discusión más completa sobre esta lectura «ideológica» —también en relación con *Moll Flanders*— se encuentra en *PTRL*, pp. 153-157.

literario» fue repensada como práctica clave dentro del sistema educativo, donde servía para reproducir la dominación de clase en el lenguaje.

MARXISMO DE «NUEVA IZQUIERDA»: WILLIAMS, EAGLETON, JAMESON

En Estados Unidos, la teoría marxista ha estado dominada por la herencia hegeliana de la escuela de Frankfurt. En el inhóspito clima ideológico estadounidense, sólo los sutiles escritos filosóficos de Adorno y Horkheimer consiguieron echar raíces firmes (la revista *Telos* es el portavoz de esta tendencia). En Gran Bretaña, el resurgimiento de la crítica marxista (en decadencia desde los años de 1930) se vio favorecido por los «disturbios» de 1968 y por la consiguiente influencia de ideas continentales (la *New Left Review* fue un importante canal de difusión). En ambos países, respondiendo a las condiciones específicas, surgieron teóricos importantes. Fredric Jameson, en *Marxism and Form* (1971) y *La cárcel del lenguaje* (1972), ha desarrollado unos esquemas dialécticos dignos de un filósofo marxista hegeliano. Terry Eagleton, en *Criticism and Ideology* (1976), se basa, en cambio, en el marxismo antihegeliano de Althusser y Macherey para llevar a cabo una reevaluación radical de la evolución de la novela inglesa. Más recientemente, Jameson y Eagleton han respondido con imaginación al reto del postestructuralismo y posmodernismo. (Véase la sección «Posmodernismo y marxismo», en el cap. 8. Para una discusión sobre otras inflexiones de la teoría crítica marxista en los últimos veinte años, véase la sección sobre el «Feminismo marxista» en el cap. 6 y el de «El nuevo historicismo y el materialismo cultural» en el cap. 7).

Naturalmente, ya había una notable presencia de trabajo en este campo: Raymond Williams. Se inició con una nueva valoración crítica de la tradición inglesa del pensamiento cultural crítico (*Culture and Society 1780-1950*, 1958). A continuación, Williams se embarcó en una construcción teórica radical de todo el dominio del significado social —«cultura» como «un modo de vida total»—. Esta perspectiva general fue desarrollada en estudios particulares de teatro, novela, televisión y semántica histórica, y también como una obra teórica más completa. (Dos ejemplos de la obra crítica de Williams sobre la novela se encuentran en el cap. 4 [sobre *Middlemarch*] y en el cap. 7 [sobre *Ulises*] de *A Practical Reader.*) El proyecto general de Williams —el estudio de todas las formas de significación en sus condiciones reales de producción— siempre fue histórico y materialista; el nombre que le dio finalmente fue «materialismo cultural». Sin embargo, no fue hasta 1977, con la publicación de una manifestación elaborada de su postura teórica, que empezó a caracterizar su obra como «marxista» (*Marxism and Literature*, 1977). Había rechazado hacía tiempo la ortodoxia comunista de sus tiempos de estudiante y continuaba convencido de que la perfilada teoría de la cultura recibida de Marx estaba comprometida, no por su «materialismo» sino, bien al contrario, por los residuos idealistas sin liquidar. El aire de vacilación distante que imprimió a sus primeras obras fue interpretado a veces por una generación más jóven de marxistas como señal de insuficiencia teórica y política y esto explica, en parte, el hecho de que Eagleton lanzara su propia intervención teórica no sólo como rechazo de la tradición leavisista dominante, sino también como crítica revolucionaria de su antiguo mentor, Williams.

En *Criticism and Ideology*, Eagleton, como Althusser, sostiene que la crítica debe romper con su «prehistoria ideológica» y convertirse en «ciencia». El problema central, entonces, es el de definir la relación entre literatura e ideología, ya que desde esta nueva postura, los textos no reflejan la realidad histórica, sino que modelan la ideología para producir un *efecto* de «realidad». El texto puede parecer libre con respecto a sus relaciones con la realidad (es capaz de inventar personajes y situaciones a voluntad), pero no lo es con respecto a la ideología. Aquí, el concepto de ideología no se refiere a las doctrinas políticas conscientes, sino a todos los sistemas de representación (estéticos, religiosos, jurídicos, etc.) que dan forma a la imagen mental que el individuo tiene de la experiencia vivida. Los significados y percepciones producidos por el texto son una transformación de la elaboración que la ideología hace de la realidad, con lo cual el texto incide sobre ella en dos niveles. Eagleton profundiza aún más su análisis al examinar la compleja estratificación de la ideología desde sus formas pretextuales más generales hasta la misma ideología del texto. Rechaza la concepción de Althusser, según la cual la literatura puede distanciarse de la ideología, como una compleja reelaboración de discursos ideológicos preexistentes. Sin embargo, el resultado literario no es un simple reflejo de otros discursos ideológicos, es un *producto* ideológico especial. Por esta razón, la crítica no se interesa sólo por las leyes de la forma literaria o por la teoría de la ideología, sino, más bien, por «las leyes de producción de discursos ideológicos tales como la literatura».

Eagleton examina una serie de novelas, desde George Eliot hasta D. H. Lawrence, con el fin de demostrar las interrelaciones existentes entre ideología y forma literaria (la sección sobre el *Middlemarch* de Eliot se reproduce en el cap. 4 de *A Practical Reader*). Según él, la ideología burguesa decimonónica mezcló un utilitarismo estéril con una serie de concepciones organicistas de la sociedad (principalmente derivadas de la tradición del humanismo romántico). A medida que el capitalismo victoriano se fue haciendo más «corporativo», necesitó reforzarse con el amable organicismo estético y social de la tradición romántica. Eagleton pasa revista a la situación ideológica de cada autor y analiza las contradicciones de su pensamiento y los intentos de solución propuestos en sus obras. Lawrence, por ejemplo, estaba muy influido por el humanismo romántico en su creencia de que la novela reflejaba la fluidez de la vida de modo no dogmático y de que la sociedad también era idealmente un orden orgánico frente a la extraña sociedad capitalista de la Gran Bretaña moderna. Tras la destrucción del humanismo liberal en la Primera Guerra Mundial, Lawrence desarrolló un modelo dualista de principios «masculinos» y «femeninos». Dicha antítesis se halla presente en varias de sus obras hasta que se resuelve de modo definitivo en el personaje de Mellors *(El amante de lady Chatterley)*, que combina el impersonal poder «masculino» y la impersonal ternura «femenina». Esta contradictoria combinación

—que toma diversas formas en sus novelas— puede relacionarse con una «profunda crisis ideológica» en el seno de la sociedad contemporánea.

El impacto del pensamiento postestructuralista ocasionó un cambio radical en la obra de Eagleton a finales de los años de 1970. Su atención se desplazó de la actitud «científica» de Althusser al pensamiento revolucionario de Brecht y Benjamin. Este desplazamiento tuvo como consecuencia una vuelta a la teoría revolucionaria marxista clásica expuesta en las *Tesis sobre Feuerbach* (1845): «La cuestión de si la verdad objetiva puede atribuirse a la razón humana no es una cuestión teórica sino práctica... Los filósofos no han hecho más que interpretar el mundo de diversas maneras, de lo que se trata ahora es de cambiarlo.» Eagleton cree que las teorías «deconstructivistas», como las desarrolladas por Derrida y Paul de Man entre otros (véase cap. 4), pueden utilizarse para minar toda certeza, toda forma establecida y absoluta de conocimiento. Por otro lado, critica la deconstrucción por su negación pequeño burguesa de la «objetividad» y los «intereses» materiales (en especial, los intereses de clase). Esta visión contradictoria se explica si tenemos en cuenta que Eagleton asume ahora la concepción de la teoría de Lenin y no la de Althusser: la teoría correcta «toma una forma final únicamente en estrecha relación con la actividad práctica de una masa y un momento revolucionario verdaderos». Las tareas de la crítica marxista se llevan a cabo por medio de la política y no de la filosofía: el crítico debe desmantelar las nociones de «literatura» asumidas y revelar su papel ideológico en la constitución de la subjetividad de los lectores. En tanto socialista, el crítico debe «exponer las estructuras retóricas por las cuales las obras no socialistas producen efectos políticamente indeseables» y también «interpretar en la medida de lo posible dichas obras a contrapelo», de modo que contribuyan a la causa socialista.

El principal libro de Eagleton en esta fase es *Walter Benjamin or Toward a Revolutionary Criticism* (1981). En ella, el particular misticismo materialista de Benjamin es leído a contrapelo para elaborar una crítica revolucionaria. Su concepción de la historia implica una profunda comprensión del sentido histórico de un pasado que se encuentra siempre amenazado y oscurecido por una memoria reaccionaria y represiva. Al llegar el momento (político) oportuno, se puede tomar una voz del pasado para su «verdadero» propósito. Las obras de Brecht, tan admiradas por Benjamin, a menudo reescriben la historia a contrapelo, echando abajo los despiadados acontecimientos históricos y abriendo el pasado a una reescritura. El *Coriolano* de Shakespeare o el *Beggar's Opera* de Gay, por ejemplo, son «reescritas» para exponer sus potencialidades socialistas. (Brecht insistía de modo característico en el hecho de superar la simple empatía con el digno «héroe» shakespeariano y apreciar la tragedia no sólo de Coriolano, sino también, «en especial, la de la plebe».)

Eagleton aplaude la concepción brechtiana, radical y oportunista, del significado: «una obra puede ser realista en junio y antirrealista en diciembre». Eagleton hace frecuente alusión a la obra de Perry Anderson *Considerations on Western Marxism* (1976), que muestra cómo el desarrollo de la teoría marxista siempre ha reflejado el estadio de las luchas de la clase obrera. Cree, por ejemplo, que la profundamente «negativa» crítica de la cultura moderna realizada por la escuela de Frankfurt constituyó primero una respuesta a la dominación fascista de Europa y, más tarde, a la penetrante dominación capitalista en Estados Unidos, pero que también fue el resultado del divorcio teórico y práctico de la escuela respecto al movimiento obrero. De todas maneras, lo que hace que la crítica revolucionaria de Eagleton sea claramente moderna es el despliegue táctico de las teorías freudianas de Lacan y la poderosa filosofía deconstructivista de Jacques Derrida (véase cap. 7); su obra *The Rape of Clarissa* (1982), una relectura de la novela de Richardson inspirada políticamente por el socialismo y el feminismo, ejemplifica la fuerza de esta estrategia crítica revisada.

La obra de Eagleton continúa desarrollando este cambio. *The Ideology of the Aesthetic* (1990) recuerda antecedentes frankfurtianos más que «parisinos»: la cultura de «lo estético» en la Europa postilustrada se revisa de forma dialéctica, considerándose tanto como un agente obligatorio en la formación de la subjetividad burguesa «normal» como el vehículo del deseo irreprimible y disruptivo. Su principal obra de estos últimos años es *Heathcliff and the Great Hunger* (1995) que estudia la evolución de la literatura irlandesa desde el siglo XVIII hasta Joyce y Yeats en relación con la problemática histórica política y social de la nación. Entre otros temas, Eagleton vuelve a las *Cumbres borrascosas* de Emily Brontë que sitúa ahora en el contexto de la escasez irlandesa y, recuperando una preocupación antigua, considera la situación de los exiliados irlandeses, a saber Oscar Wilde y George Bernard Shaw (véanse extractos de este capítulo sobre este particular en *A Practical Reader*, cap. 5). *Heathcliff and the Great Hunger* podría describirse como una obra de «materialismo cultural» y como tal está en consonancia con la nueva admiración de Eagleton por la obra de Raymond Williams, expresada en ocasión de la muerte de este último en 1988. Además, confirma su afiliación política con la causa de la disensión anticolonialista irlandesa, una posición que también expuso en la novela *Saints and Scholars* (1987) y en las obras de radio y televisión *St Oscar* y *The White, The Gold and the Gangrene*. Por sí mismas, estas obras artísticas traen un nuevo aliento y destreza, a la vez que un humor mordaz, al proyecto cultural de Eagleton en una época en la que las obras académicas y el arte estaban normalmente divorciados y la sátira parecía haberse agotado.

En Estados Unidos, donde el movimiento obrero ha sido parcialmente corrompido y totalmente excluido del poder político, la aparición de un gran teórico marxista es un acontecimiento importante y, por otro lado, si no perdemos de vista la concepción de Eagleton acerca de la escuela de Frankfurt y la sociedad norteamericana, no carece de significado el hecho que dicha escuela haya influido profundamente en la obra de Fredric Jameson. En el libro *Marxism and Form* (1971), explora el aspecto dialéctico de las teorías marxistas sobre literatura y, después de una serie de análisis (Adorno, Benjamin, Marcuse, Bloch, Lukács y Sartre), presenta el esbozo de una «crítica dialéctica».

Según Jameson, en el mundo postindustrial del capitalismo monopolista, el único tipo de marxismo con cierta base real es el marxismo que explora los «grandes temas de la filosofía de Hegel: la relación de la parte con el todo, la oposición de lo concreto y lo abstracto, el concepto de totalidad, la dialéctica entre apariencia y esencia, y la interacción entre sujeto y objeto». Para un pensamiento dialéctico no existen «objetos» fijos e inalterables; un «objeto» está estrechamente ligado a un todo más amplio y, al mismo tiempo, está relacionado con una mente pensante que forma parte de una situación histórica. El crítico dialéctico no posee categorías prefabricadas que aplicar a la literatura y siempre debe ser consciente de que las categorías elegidas (estilo, carácter, imagen, etc.) tienen que entenderse en el fondo como un aspecto de su propia situación histórica. Jameson demuestra que *Rhetoric of Fiction* (1961) de Wayne Booth no tiene una autoconciencia dialéctica correcta. Booth adopta el concepto de «punto de vista» en la novela, un concepto profundamente moderno en su relativismo implícito y en el rechazo de cualquier criterio de juicio o punto de vista absolutos. Sin embargo, al defender el específico punto de vista representado por el «autor implícito», intenta restaurar las certezas de la novela del siglo XIX, un paso que pone de manifiesto una nostalgia por una época de mayor estabilidad de la clase media en un ordenado sistema de clases. Una crítica dialéctica marxista debe reconocer siempre los orígenes históricos de sus conceptos y no permitir nunca que se petrifiquen y se vuelvan insensibles a la presión de la realidad. Nunca podemos salir de nuestra existencia subjetiva a tiempo, pero sí podemos intentar romper la endurecida cáscara de nuestras ideas «para conseguir una aprehensión más vívida de la realidad misma».

Una crítica dialéctica buscará desenmascarar la forma interior de un género o un conjunto de textos y operará desde la superficie hacia las profundidades, hacia el nivel en el que la forma literaria se encuentra en íntima relación con lo concreto. Tomando a Hemingway como ejemplo, Jameson sostiene que la «categoría dominante de experiencia» en las novelas es el proceso mismo de la escritura. Hemingway descubrió que podía producir un cierto tipo de frase desnuda que cumplía bien dos funciones: registrar el movimiento de la naturaleza y sugerir la tensión de los resentimientos entre las personas. La habilidad en la escritura está conceptualmente ligada a otras habilidades humanas, expresadas en relación con el mundo natural (en especial, los deportes sangrientos). El culto de Hemingway al *machismo* refleja el ideal norteamericano de habilidad técnica, pero rechaza las condiciones alienantes de la sociedad industrial, que traslada la destreza al ámbito del ocio. Las desnudas frases de Hemingway no pueden penetrar en la compleja estructura de la sociedad estadounidense y, por ello, sus novelas se dirigen a la más sencilla realidad de las culturas extranjeras, en las cuales los individuos destacan con la «nitidez de objetos». Jameson muestra de este modo cómo la forma literaria mantiene una estrecha relación con la realidad concreta.

Su *The Political Unconscious* (1981) conserva la primitiva concepción dialéctica de la teoría, pero asimila varias corrientes de pensamiento contrapuestas (estructuralismo, postestructuralismo, Freud, Althusser y Adorno) en una impresionante y sin embargo reconocible síntesis marxista. Afirma que la condición fragmentada y alienada de la sociedad humana implica un estado original de comunismo primitivo en el que tanto la vida como la percepción eran «colectivas». Cuando la humanidad sufrió una especie de «Caída blakeana», los sentidos acabaron por establecer diferentes ámbitos de especialización. Un pintor trata la vista como un sentido especializado; él o sus pinturas son un síntoma de la alienación —aunque también constituyen una compensación por la pérdida de la plenitud original: proporcionan color a un mundo que carece de él.

Todas las ideologías son «estrategias de contención» que procuran a la sociedad una explicación de sí misma que suprime las contradicciones subyacentes de la Historia, y es la propia Historia (la cruda realidad de la Necesidad económica) quien impone esta estrategia de represión. Los textos literarios actúan en el mismo sentido: las soluciones que ofrecen son simples síntomas de la supresión de la Historia. Jameson utiliza de manera inteligente el concepto de «rectángulo semiótico» del estructuralista A. J. Greimas como herramienta analítica para sus propósitos. Las estrategias textuales de contención se presentan como modelos formales. El sistema de Greimas proporciona un inventario completo de todas las posibles relaciones humanas (sexuales, legales, etc.) que, cuando se aplican a las estrategias del texto, permiten al teórico descubrir las posibilidades que permanecen *no dichas*. Este contenido «no dicho» es la Historia reprimida.

Jameson también desarrolla una sólida argumentación sobre la narración y la interpretación. Asegura que la narración no es únicamente un modo o una forma literarios, sino una «categoría epistemológica»; la realidad se presenta ante la mente humana sólo en la forma de narraciones. Inclusive una teoría científica es una forma de narración. Más aún, todas las narraciones requieren interpretación Y, aquí, Jameson responde a la frecuente crítica postestructuralista contra la interpretación «profunda». Deleuze y Guattari (en *El antiedipo*) atacan la interpretación «trascendental» en beneficio de la «inmanente», que evita la imposición de un «significado» profundo al texto. La interpretación trascendental intenta dominar el texto y, al hacerlo, *empobrece* su verdadera complejidad. Muy hábilmente, Jameson toma el caso de la Nueva Crítica (una concepción que se autoproclama inmanentista) y demuestra que, en realidad, constituye un planteamiento trascendental basado en el «humanismo». De ello concluye que todas las interpretaciones son necesariamente trascendentales e ideológicas. En el fondo, lo único que podemos hacer es utilizar los conceptos ideológicos como un medio de ideología trascendente.

El «inconsciente político» de Jameson toma de Freud el concepto básico de «represión», pero lo eleva del nivel individual al colectivo. La función de la ideología es reprimir la «revolución». No sólo los opresores necesitan de este inconsciente político, sino que también los oprimidos encontrarían insoportable su existencia si la «revolución» no fuese reprimida. Para analizar una novela es necesario establecer una causa ausente (la «no revolución»). Jameson propone un método crítico que incluye tres «horizontes»: un nivel de análisis inmanente, utilizando a Greimas, por ejemplo; un nivel de análisis del discurso social; y un nivel de lectura histórica por épocas. El tercer horizonte de lectura se basa en un complejo replanteamiento de los modelos marxistas de sociedad. A grandes rasgos, acepta la noción de Althusser de totalidad social concebida como una «estructura descentrada» en la cual diferentes niveles con una «autonomía relativa» actúan con distintas escalas temporales (la coexistencia de escalas feudales y capitalistas, por ejemplo). Esta compleja estructura de modos de producción contrarios y ajenos entre sí conforma la heterogénea Historia que se refleja en la heterogeneidad de textos. De este modo, Jameson responde a los postestructuralistas, que querrían abolir la distinción entre texto y realidad tratando la realidad como un texto más; demuestra que la heterogeneidad textual sólo puede entenderse en relación con la heterogeneidad cultural y social *exterior* al texto, con lo cual conserva un espacio para un análisis marxista.

Su lectura de *Lord Jim* de Joseph Conrad muestra cómo cada uno de los diversos tipos de interpretación (impresionista, freudiana, existencial, etc.) que se han aplicado al texto expresa en realidad algo en el texto. Cada forma de interpretación expresa, a su vez, un acontecimiento dentro de la sociedad moderna que sirve a las necesidades del capital. Por ejemplo, el impresionismo está tipificado en el personaje de Stein, el esteta capitalista, cuya pasión por el coleccionismo de mariposas Jameson lo considera como una alegoría de la propia «apasionada elección por el impresionismo» —la vocación de capturar la materia prima viviente de la vida y arrancarla de la situación histórica— para preservarla más allá del tiempo en la imaginación», de Conrad. Esta respuesta narrativa a la Historia está ideológicamente condicionada y es utópica; contiene a la Historia e imagina un futuro ideal. (Para Jameson sobre la «historia» en relación con un texto modernista, véase su «Ulysses in History» en *A Practical Reader*, cap. 7.)

La fuerte comprensión «epistemológica» de Jameson de la narrativa ilustra la motivación política de su obra más importante hasta la fecha, *Postmodernism, or the Cultural Logic of Late Capitalism* (1991). Sostiene que el posmodernismo no es simplemente un estilo, sino más bien «el dominante cultural» de nuestro tiempo; diseña de nuevo toda nuestra actividad artística e intelectual, conlleva patrones de experiencia bastante distintivos, y por tanto condiciona, a los niveles más profundos, lo que podemos conocer acerca del mundo contemporáneo (véase más adelante, especialmente el cap. 8). La atrevida sinopsis de Jameson de la historia cultural contemporánea corrobora su compromiso con los «grandes temas de la filosofía hegeliana»; y su preocupación central acerca de la crisis del «mapa cognitivo» en el capitalismo más reciente, con el descubrimiento de formas de narrativa y representación a través de las cuales su realidad puede colocarse en el punto de mira, nos recuerda —en los términos de política cultural específicamente— el famoso requerimiento marxiano de ir más allá de la interpretación del mundo para cambiarlo.

En el curso de este capítulo nos hemos referido al marxismo «estructuralista», considerando los escritos económicos de Marx como básicamente estructuralistas. Sin embargo, antes de entrar de lleno en el estructuralismo conviene resaltar que sus diferencias con el marxismo son mayores que las similitudes. Para el marxismo, la base última de las ideas es la existencia histórica y material de las sociedades humanas; para los estructuralistas, en cambio, el fondo de la cuestión lo constituye la naturaleza del lenguaje. Mientras las teorías marxistas tratan de los conflictos y los cambios históricos que surgen en la sociedad y que aparecen reflejados de modo indirecto en formas literarias, el estructuralismo estudia el funcionamiento interno de los sistemas separado de su contexto histórico.

Bibliografía seleccionada

Textos básicos

Adorno, Theodor W., *Prisms*, Neville Spearman, Londres, 1967.
Adorno, Theodor W. y Horkheimer, Max, *Dialectic of Enlightement*, Allen Lane, Londres, 1972.
Adorno, Theodor W., Benjamin, Walter, Bloch, Ernst, Brecht, Bertolt y Lukács, Georg, *Aesthetics and Politics*, New Left Books, Londres, 1977.

Althusser, Louis, *Lenin and Philosophy and Other essays*, trad. Ben Brewster, Verso, Londres, 1971, especialmente «Ideology and Ideological state Apparatuses» y «A Letter on Art».

Aderson, Perry, *Considerations on Western Marxism*, Verso, Londres, 1976.

Auerbach, Erich, *Mimesis: The Representations of Reality in Wester Literature* (1946), trad. W. R. Trask, Princeton University Press, Princeton, J, 1953.

Baxandall, Lee y Morawski, Stefa, *Marx and Engels on Literature and Art*, International general, Nueva York, 1973.

Benjamin, Walter, *Illuminations*, Schoken, Nueva York; Cape, Londres, 1970.

—, *Charles Baudelaire: A Lyric Poet in the era of high Capitalism*, trad. H. Zohn, New York Left Books, Londres, 1973*a*.

—, *Understanding Brecht*, trad. A. Bostock, New York Left Books, Londres, 1973*b*.

Eagleton, Terry, *Criticism and Ideology*, New Left Books, Londres, 1976.

—, *Marxism and Literary Criticism*, Methuen, Londres, 1976.

—, *Walter Benjamin or Towards a Revolutionary Criticism*, New Left Books, Londres, 1981.

—, *The rape of Clarissa*, Basil Blackwell, Oxford, 1982.

—, *Literary Theory: A Introduction*, Basil Blackwell, Oxford, 1983.

—, *Against the Grain: Essays, 1975-85*, Verso, Londres, 1986.

—, *The Ideology of the Aesthetic*, Basil Blackwell, Oxford, 1990.

—, *Ideology: An Introduction*, Verso, Londres, 1991.

—, *Heathcliff and the great Hunger*, Verso, Londres, 1995.

Eagleton, Terry, y Milne, Drew (eds.), *Marxist Literary Theory: A Reader*, Basil Blackwell, Oxford, 1995.

Goldmann, Lucien, *The Hidden God*, Routledge & Keagan Paul, Londres, 1964.

Jameson, Fredric, *Marxism ad Form: Twentieth-Century Dialectical Theories of Literature*, Princeton University Press, Princeton, NJ, 1971.

—, *The Prison-House of Language: A Critical Account of Structuralism and Russian Formalism*, Princeton University Press, Princeton, J, y Londres, 1972.

—, *The Political Unconscious: Narrative as a Socially Simbolic Act*, Cornell University Press, Ithaca, 1981.

—, *The Ideologies of Theory*, vol. 1. *Situations of Theory*, vol. 2. *The Syntax of History*, Routledge & Keagan Paul, Londres, 1988.

—, *Postmodernism, or the Cultural Logic of Late Capitalism*, Verso, Londres, 1991.

—, *The Seeds of Time*, Columbia University Press, Nueva York, 1994.

Lukács, Georg, *The Historical Novel* (1937), Merlin Press, Londres, 1962.

—, *Studies in European Realism* (1950), Merlin Press, Londres, 1972.

—, *The Meaning of Contemporary Realism* (1957), Merlin Press, Londres, 1963.

Macherey, Pierre, *A Theory of Literary Production*, trad. G. Wall, Routledge & Keagan Paul, Londres, Henley y Boston, 1978.

Macherey, Pierre y Balibar, Étienne, «On Literature as an Ideological Form», en Francis Mulhern (ed.), *Contemporary Marxist Literary Criticism*, Longman, Londres y Nueva York, 1992.

Marcuse, Herbert, *One-Dimensional Man*, Beacon, Boston; Sphere, Londres, 1964.

—, *Negations*, Allen Lane, Londres, 1968.

—, *The Aesthetic Dimension*, Macmillan, Londres, 1979.

Sartre, Jean-Paul, *What is Literature?*, Philosophical Library, Nueva York, 1949.

Willett, John (ed.), *Brecht on Theatre*, Methuen, Londres, 1964.

Williams, Raymond, *Culture and Society 1780-1950*, Chatto & Windus, Londres, 1958.

—, *The Long Revolution*, Chatto & Windus, Londres, 1961.

—, *Television: Technology and Cultural Form*, Fontana/Collins, Londres, 1974.

—, *Marxism and Literature*, Oxford University Press, Oxford, 1977.

—, *Politics and Letters: Interviews wirh New Left Review*, Verso, Londres, 1979.

—, *Problems in Materialism and Culture*, New Left Books, Londres, 1980.

—, *Keywords: A Vocabulary of Culture and Society*, Fontana/Collins, Londres, 1983.

—, *Towards 2000*, Chatto & Windus, Londres, 1983.

—, *Writing in Society*, Verso, Londres, 1984.

—, *Resources of Hope*, Verso, Londres, 1988.

—, *The Politics of Modernism: Against the New Conformists*, ed. Tony Pinkney, Verso, Londres, 1989.

Lecturas avanzadas

Arvon, Henri, *Marxist Aesthetics*, trad. H. Lane, Cornell University Press, Ithaca y Londres, 1973.

Belsey, Catherine, *Critical Practice*, Methuen, Londres, 1980.

Bennett, Toni, *Formalism and Marxism*, Methuen, Londres, 1979.

Brooker, Tony, *Bertolt Brecht: Dialectics, Poetry, Politics*, Croom Helm, Londres y Nueva York, 1988.

Dowling, William C., *Jameson, Althusser, Marx: An Introduction to the Political Unconscious*, Methuen, Londres; Cornell University Press, Ithaca, 1984.

Eagleton, Terry, ed., *Raymond Williams: Critical Perspectives*, Polity Press, Oxford, 1989.

Frow, John, *Marxism and Literary History*, Basil Blackwell, Oxford, 1986.

James, C. Vaughan, *Soviet Socialist realism: Origins and Theory*, Macmillan, Londres y Basingstoke, 1973.

Jay, Martin, *The Dialectical Imagination: A History of the Franckfurt School*, Heinemann, Londres, 1973.

Laing, Dave, *The Marxist Theory of Art: An Introductory Survey*, Harvester Wheatsheaf, Hemel Hempstead, 1978.

Lunn, Eugene, *Marxism and Modernism*, Verso, Londres, 1985.

Mulhern, Francis (ed.), *Contemporary Marxist Literary Criticism*, Longman, Londres y Nueva York, 1992.

Nelson, Cary y Grossberg, Lawrence (eds.), *Marxism and the Interpretations of Culture*, Macmillan, Londres, 1988.

Williams, Raymond, *What I Came to Say*, Hutchinson Radius, Londres, 1989.

Wolff, Janet, *The Social Production of Art*, Macmillan, Londres y Basingstoke, 1981.

Wright, Elizabeth, *Postmodern Brecht: A Re-Presentation*, Routledge, Londres, 1988.

Capítulo 6

TEORÍAS FEMINISTAS

Escritoras y lectoras siempre lo han tenido difícil. Aristóteles afirmó que «la mujer lo es debido a una falta de cualidades» y santo Tomás de Aquino creía que la mujer era un «hombre imperfecto». Cuando Donne escribió *Air and Angel*s aludía (pero sin refutarla) a la teoría aquiniana por la que la forma es masculina y la sustancia femenina: cual dios, el superior intelecto masculino imprime su forma sobre la maleable e inerte sustancia femenina. Antes de Mendel, los hombres creían que el esperma eran las semillas activas que daban forma al óvulo que, carente de identidad, esperaba hasta recibir la impronta masculina. En la trilogía de Esquilo, *La Orestiada,* Atenea otorga la victoria al argumento masculino, expuesto por Apolo, de acuerdo con el cual la madre no era progenitora de su hijo. La victoria del principio masculino del intelecto acaba con el reinado de las sensuales Erinias y confirma el patriarcado por encima del matriarcado. A lo largo de su dilatada historia, el feminismo (aunque la *palabra* no llegó a ser de uso común en inglés hasta la década de 1890, la lucha consciente de las mujeres para resistir al patriarcado se remonta mucho más atrás en el tiempo) ha pretendido alterar la seguridad complaciente de esta cultura patriarcal, afianzar su creencia en la igualdad sexual y erradicar la dominación sexista en una sociedad cambiante. Mary Ellman, por ejemplo, en su obra *Thinking About Women* (1968), a propósito del nexo espermatozoide/óvulo comentado más atrás, «deconstruye» las formas machistas de considerarlo y sugiere que podemos considerar el óvulo atrevido, independiente e individualista (en lugar de «apático») y el espermatozoide conformista y aborregado (en lugar de «entusiasta»). La *crítica* feminista, en sus numerosas y variadas manifestaciones, también ha tratado de liberarse de los conceptos patriarcales naturalizados de lo literario y lo crítico-literario. Como ya comentamos de pasada en la Introducción, esto ha significado un rechazo a ser incorporadas a cualquier «planteamiento» particular y perturbar y derribar todas las prácticas teóricas recibidas. En este sentido, y de nuevo como ya sugerimos en la Introducción, el feminismo y la crítica feminista pueden designarse mejor como una *política* cultural que como una «teoría» o «teorías».

En efecto, algunas feministas no desean abrazar ninguna teoría, precisamente porque en las instituciones académicas, la «teoría» es con frecuencia masculina, incluso machista: es lo difícil, lo intelectual, lo vanguardista de la obra intelectual; y como parte de su proyecto general, las feministas han tenido serias dificultades para exponer la objetividad fraudulenta de la «ciencia» masculina, como por ejemplo la teoría freudiana del desarrollo sexual masculino. No obstante, una gran parte de la crítica feminista reciente, en su deseo por escapar de las «fijaciones y determinaciones» de la teoría y desarrollar un discurso femenino que no pueda vincularse conceptualmente a una tradición teórica reconocida (y por lo tanto producida por el hombre), ha hallado apoyo teórico en el pensamiento postestructuralista y posmodernista, quizás por su rechazo ante la noción de una autoridad o verdad (masculinas). Como comentaremos más adelante (cap. 7), las teorías psicoanalíticas han sido especialmente valiosas para la crítica feminista con el fin de articular la resistencia subversiva «amorfa» de las escritoras y críticas ante el discurso literario formulado por el hombre.

Pero es aquí donde encontramos una característica central y a la vez problemática de la crítica feminista contemporánea: los méritos que compiten (y el debate entre ellos) son por una parte de un pluralismo de amplia religión, en el que proliferan diversas «teorías» y que puede muy bien culminar en lo primado de lo empírico por encima de lo teórico; y por la otra, de una praxis teórica sofisticada que corre el riesgo de ser incorporada por la teoría masculina de la academia y por lo tanto, de perder contacto tanto con la mayoría de las mujeres como con su dinámica política. Mary Eagleton, en la introducción a su obra crítica, *Feminist Literary Criticism* (1991), también llama la atención hacia «la sospecha de la teoría... desde el principio hasta el final del feminismo» a causa de su tendencia a reforzar la oposición binaria jerárquica entre una *teoría* «impersonal», «desinteresada», «objetiva», «pública» y «masculina» y una *experiencia* «personal», «subjetiva», «privada» y «femenina». Señala que a causa de esto hay un poderoso componente en la crítica feminista contemporánea que celebra lo «personal» («lo personal es político» ha sido un eslogan feminista clave desde que fuera acuñado en 1970 por Carol Hanisch), lo «empírico», la Madre, el Cuerpo, la *jouissance* (el gozo; véase el cap. 7, en «Teorías críticas feministas francesas»). Sin embargo, también señala que muchas feministas están enzarzadas en debates con otras teorías críticas —marxismo, psicoanálisis, postestructuralismo, posmodernismo, poscolonialismo— porque simplemente no hay ninguna postura «libre» «fuera» de la teoría y desocupar el dominio en el supuesto de que exista tal postura equivale a estar envuelto en el subjetivismo de una «política no teorizada de la experiencia personal», incapacitarse uno mismo por ello y adoptar «inconscientemente» posturas reaccionarias. En este contexto, Eagleton cita la crítica de Toril Moi a la resistencia de Elaine Showalter a hacer explícita su estructura teórica (véase más adelante).

Estas perspectivas equivalen a una *posición* dentro del debate crítico feminista y esto nos devuelve a la característica clave (y problemática) de la crítica feminista, que constituye también el recurso estructurador de la obra de Eagleton. Durante los últimos veinticinco años o así, la teoría crítica feminista ha significado, por excelencia, contradicción, intercambio, debate; en efecto, se basa en una serie de oposiciones creativas, de críticas y contracríticas y está en un constante e innovador cambio —desafiando, derribando y expandiendo no sólo otras teorías (masculinas), sino sus propias posiciones y el orden del día—. De aquí que no exista una «gran narrativa», sino muchos *petits récits* basados en necesidades y campos político-culturales específicos —por ejemplo, de clase, de género y raza— y muchas veces, en cierta medida, en controversia unos con otros. Esto representa a la vez la dinámica «abierta» y creativa de las teorías críticas feministas modernas y una cierta dificultad para ofrecer un breve relato sinóptico de un campo tan diverso, vivíparo y que se problematiza a sí mismo acerca de lo que es, por el momento, un período de tiempo considerable. Por tanto, lo que se intenta hacer en este capítulo —aunque es plenamente consciente del cargo de etnocentralismo— es un repaso general de las teorías feministas norteamericanas y europeas predominantemente blancas que abarcaban desde la denominada «primera ola» de críticas de los primeros años de 1960 hasta los logros sustantivos de las teóricas de la «segunda ola» a partir de mediados-finales de 1960. Así se identifican algunos de los debates y de las diferencias capitales que se desarrollan en este período, sobre todo entre los movimientos angloamericanos y franceses. Al plantearlo de este modo, hemos aplazado estratégicamente el tratamiento de las teóricas críticas feministas del Tercer Mundo / «tercera ola» de los últimos tres capítulos de la obra, donde participan adecuadamente en el complejo e interactivo dominio en el que las teorías posmodernas contemporáneas deconstruyen las identidades sexuales, étnicas y nacionales.

La primera ola de crítica feminista: Woolf y De Beauvoir

Naturalmente, el feminismo en general cuenta con una dilatada historia *política*, desarrollándose como fuerza sustancial al menos en Estados Unidos y Gran Bretaña a lo largo del siglo XIX y principios del XX. Los movimientos de los Derechos de la Mujer y del Sufragio de la Mujer fueron determinantes en la formación de esta etapa, poniendo el acento en la reforma social, política y económica —en parcial contradicción con el «nuevo» feminismo de los años de 1960 que, como Maggie Humm ha sugerido en su libro *Feminisms*, hacía hincapié en la «materialidad» diferente de ser mujer y ha engendrado (en dos sentidos) tanto de solidaridades morales creadas por posturas e identidades feministas, como de un nuevo «conocimiento» sobre la personificación de las mujeres inspirándose en las teorías psicoanalíticas, lingüísticas y sociales relativas a la construcción del género y la diferencia. La *crítica* feminista del primer período es más un reflejo de las preocupaciones de la «primera ola» que un discurso teórico. No obstante, entre todas las feministas que trabajaron y escribieron en este período (por ejemplo, Olive Schreiner, Elizabeth Robins, Dorothy Richardson, Katherine Mansfield, Rebecca West, Ray Strachey, Vera Brittain y Winifred Holtby) podemos señalar dos figuras significativas: Virginia Woolf —en palabras de Mary Eagleton, «la madre fundadora del debate contemporáneo»— que «anuncia» muchos de los temas en los que más tarde se centrarían las críticas feministas y que ella misma se convirtió en el terreno en el cual se han desarrollado muchos debates; y Simone de Beauvoir con cuya obra *El segundo sexo* (1949), según sugiere Maggie Humm, se puede decir que concluye la «primera ola».

La fama de Virginia Woolf reside en su propia obra creativa como mujer, y algunas críticas feministas posteriores han analizado sus novelas extensivamente desde ópticas muy diferentes (véase más adelante). Pero también escribió dos textos clave que constituyen su principal contribución a la teoría feminista, *Una habitación propia* (1929) y *Tres guineas* (1938). Como otras feministas de «primera ola», la principal preocupación de Woolf son las desventajas materiales de las mujeres en comparación con los hombres —su primer texto se centraba en el contexto social y la historia de la producción literaria femenina; y el segundo, en las relaciones entre el poder masculino y las profesiones (leyes, educación, medicina, etc.)—. Sin embargo, aunque ella misma rechaza la etiqueta de «feminista» en *Tres guineas*, en ambas obras ofrece un amplio abanico de proyectos feministas, desde una petición de subsidios para las madres y una reforma de las leyes del divorcio hasta propuestas para una universidad femenina y un periódico de mujeres. En *Una habitación propia* también argumenta que las obras escritas por mujeres deberían explorar la experiencia femenina en su propio derecho y no realizar una valoración comparativa de la experiencia de las mujeres en relación con la de los hombres. Por tanto, el ensayo constituye una temprana declaración y exploración de la posibilidad de una tradición distintiva de las obras escritas por mujeres.

La contribución general de Woolf al feminismo, por tanto, es su reconocimiento de que la identidad de género se construye socialmente y puede ser cuestionada y transformada, pero en cuanto a la crítica feminista, estudió sin descanso los problemas a los que se enfrentaban las mujeres escritoras. Creía que las mujeres siempre habían encontrado obstáculos sociales y económicos ante sus ambiciones literarias (véase el extracto sobre *Jane Eyre* en *Una habitación propia —A Practical Reader*, cap. 3— en este contexto) y ella misma era consciente de la restringida educación recibida (no sabía griego, por ejemplo, y sus hermanos sí). Rechazando una conciencia «feminista» y queriendo que su femineidad fuera inconsciente para poder «escapar de la confrontación con lo femenino o lo masculino» *(Una habitación propia)*, hizo suya la ética sexual bloomsburiana de la «androginia» y esperaba conseguir un equilibrio entre una autorrealización «masculina» y una autoaniquilación «femenina». En este sentido, algunas personas han presentado a Virginia Woolf (sobre todo Elaine Showalter) como una persona que aceptaba una retirada pasiva del conflicto entre sexualidad femenina y masculina, pero Toril Moi avanza una interpretación bastante diferente de la estrategia de Woolf. Adoptando el emparejamiento de Kristeva del feminismo con las obras de vanguardia (véase más adelante), Moi afirma que Woolf no está interesada en un «equilibrio» entre tipos masculinos y femeninos, sino en un *desplazamiento* completo de las identidades de género establecidas y que desmantela las nociones esencialistas de género mediante una dispersión de puntos de vista en sus ficciones modernistas. Moi argumenta que Woolf rechazó sólo la clase de feminismo que era simplemente un chauvinismo masculino invertido y también mostró una gran conscienciación respecto a la diferencia de las obras escritas por mujeres.

Uno de los ensayos más interesantes de Woolf sobre escritoras es *Professions for Women*, en el que consideraba que su propia carrera estaba obstaculizada de dos modos.

En primer lugar, como muchas escritoras del siglo XIX, se encontraba prisionera en la ideología de la condición femenina: el ideal de «el ángel de la casa» pedía que las mujeres fueran comprensivas, altruistas y puras; crear tiempo y lugar para escribir le suponía a una mujer utilizar lisonjas y ardides femeninos. En segundo lugar, el tabú de la expresión de la pasión femenina le impidió «contar la verdad sobre experiencias propias en tanto cuerpo». Nunca superó en su vida o en su producción esta negación de la sexualidad femenina y del inconsciente. En realidad, no creía en el inconsciente femenino, sino que pensaba que las mujeres escribían de modo diferente porque su experiencia social era distinta, no porque fueran psicológicamente distintas de los hombres. Los intentos de escribir sobre las experiencias de las mujeres eran conscientes y estaban dirigidos al descubrimiento de modos lingüísticos de describir la confinada vida de las mujeres. Estaba convencida de que cuando las mujeres consiguieren por fin la igualdad económica y social con los hombres nada les impediría desarrollar libremente sus talentos artísticos.

Simone de Beauvoir, feminista francesa y compañera de Jean-Paul Sartre durante toda su vida, activista proaborto y a favor de los derechos de las mujeres, fundadora del periódico *Nouvelles féminisme* y de la publicación de la teoría feminista, *Questions féministes*, marca el momento en el que la «primera ola» del feminismo empieza a dejar paso a la «segunda ola». Aunque su muy ifluyente obra *El segundo sexo* (1949) denota una clara preocupación por el «materialismo» de la primera ola, hace un guiño a la segunda ola en su reconocimiento de las abismales diferencias entre los intereses de ambos sexos y en su asalto a la discriminación biológica, psicológica y también económica, del hombre hacia la mujer. La obra establece con claridad meridiana las cuestiones fundamentales del feminismo moderno. Cuando una mujer intenta definirse, empieza diciendo «soy una mujer». Ningún hombre puede decir lo mismo. Este hecho revela la asimetría básica entre los términos «masculino» y «femenino». El hombre define lo humano: la mujer, no. Y este desequilibrio se remonta al Antiguo Testamento. Dispersas entre los hombres, las mujeres no tienen una historia separada, no poseen una solidaridad natural; no se han unido como otros grupos oprimidos. La mujer está relegada a una relación descompensada en relación al hombre: él es el Uno, ella, el Otro. La dominación masculina ha asegurado un clima ideológico de conformidad: Legisladores, sacerdotes, filósofos, escritores y científicos se han esforzado en demostrar que la posición subordinada de la mujer viene decidida por el cielo y es ventajosa en la tierra, y *à la* Virginia Wolf, la suposición de la mujer como «Otro» se internaliza más por parte de las propias mujeres.

La obra de De Beauvoir distingue claramente entre sexo y género y ve una interacción entre las funciones sociales y naturales: «Uno no nace mujer, sino que se convierte en ella; ... es la civilización entera la que produce esta criatura... Tan sólo la intervención de alguien más puede establecer a un individuo como *Otro*.» Son los sistemas de interpretación en relación con la biología, la psicología, la reproducción, la economía, etc., lo que constituye la presencia (masculina) de ese «alguien más». Con la crucial distinción entre «ser femenina» y estar construida como «una mujer», De Beauvoir propone la destrucción del patriarcado sólo si las mujeres escapan de su objetificación. En co-

mún con otras feministas de «primera ola», quiere la libertad de la diferencia biológica y comparte con ellas una desconfianza de la «feminidad» —escapando así de la celebración de algunas feministas contemporáneas del cuerpo y el reconocimiento de la importancia del subconsciente.

LA SEGUNDA OLA DE CRÍTICA FEMINISTA

Una forma quizás demasiado simplificadora de identificar los comienzos de la «segunda ola» es consignar la publicación de *The Feminine Mystique* de Betty Friedan en 1963 que, en su revelación de las frustraciones de las mujeres americanas, blancas heterosexuales de clase media, sin estudios y atrapadas en la vida doméstica, situó el feminismo en la primera página nacional por primera vez. (Friedan también fundó NOW, la National Organisation for Women, en 1966). El feminismo y la «segunda ola» de crítica feminista son en gran parte un producto de —es decir, están modelados por ellos y a su vez contribuyeron a modelarlos— los movimientos liberacionistas de mediados-finales de los años de 1960. Aunque la segunda ola de feminismo aún comparte con el de la primera ola la lucha por los derechos de la mujer en todos los ámbitos, su preocupación principal se traslada hacia la política de la reproducción, a la «experiencia» de la mujer, a la «diferencia» sexual y a la «sexualidad», a la vez como forma de opresión y motivo de celebración.

En la mayoría de las discusiones sobre la diferencia sexual aparecen cinco aspectos principales:

biología
experiencia
discurso
el inconsciente
condiciones económicas y sociales

Los razonamientos que consideran fundamental la biología y minimizan la socialización han sido utilizados principalmente por los hombres para mantener a las mujeres en su «lugar». El dicho *Tota mulier in utero* («La mujer no es más que un útero») resume esta actitud. Si el cuerpo de la mujer es su destino, todos los intentos por cuestionar roles sexuales atribuidos se esfumarán ante el orden natural. Por otro lado, algunas feministas radicales celebran los atributos biológicos de las mujeres como fuente de superioridad antes que de inferioridad, mientras que otras reivindican la experiencia especial de la mujer como origen de valores femeninos positivos en la vida y en el arte. Puesto que sólo las mujeres, continúa este razonamiento, han pasado por esas experiencias vitales específicamente femeninas (ovulación, menstruación o parto), sólo ellas pueden hablar de la vida de una mujer. Más aún, la experiencia de una mujer incluye una vida perceptiva y emocional diferente: las mujeres no ven las cosas del mismo modo que los hombres y poseen diferentes ideas y sentimientos acerca de lo que es importante y lo que no lo es. Un ejemplo influyente de este planteamiento es la obra de Elaine Showalter (véase más adelante) que se centra en la representación literaria de las diferencias sexuales en las obras escritas por mujeres. El tercer punto, el discurso, ha recibido mucha atención por parte de las feministas. En *Man-Made Language,* Dale Spender considera, tal como sugiere el título, que un lenguaje dominado por el hombre ha oprimido fundamentalmente a las mujeres. Si aceptamos la afirmación de Foucault según la cual la «verdad» depende de quien controle el discurso, resulta razonable creer que la dominación masculina de los discursos ha encerrado a las mujeres dentro de una «verdad» masculina. Desde este punto de vista, tiene más sentido contestar el control de los hombres sobre el lenguaje que retirarse simplemente a un gueto de discurso femenino. El punto de vista contrario es el mantenido por la sociolingüista Robin Lakoff, quien cree que el lenguaje femenino es realmente inferior ya que contiene modelos de «debilidad» e «incertidumbre», se centra en lo «trivial», lo frívolo y lo no serio, y hace hincapié en las respuestas emocionales personales. El discurso masculino, sostiene esta autora, es «más fuerte» y debería ser adoptado por las mujeres si quieren lograr una igualdad social con los hombres. Las feministas más radicales afirman que las mujeres han sido sometidas a un lavado de cerebro por este tipo de ideología patriarcal que produce los estereotipos del hombre fuerte y la mujer débil. Las teorías psicoanalíticas de Lacan y Kristeva han proporcionado un cuarto punto de atención: el proceso del inconsciente. Algunas escritoras feministas han roto por completo con el biologismo y asocian lo «femenino» con aquellos procesos que tienden a socavar la autoridad del discurso «masculino». Se considera «femenino» aquello que anima o admite un juego libre de significados y evita lo «cerrado». La sexualidad femenina es revolucionaria, subversiva, heterogénea y «abierta». Este enfoque corre un riesgo menor de marginación y de convertirse en un cliché, puesto que se niega a definir la sexualidad femenina; si existe un principio femenino, éste es sencillamente permanecer al margen de la definición masculina de la mujer. Virginia Woolf fue la primera crítica que incluyó una dimensión sociológica (el quinto punto) en su análisis de la literatura de mujeres. Desde entonces, las feministas marxistas, en especial, han intentado relacionar los cambios en las condiciones económicas y sociales con los cambios en el equilibrio de poderes entre los sexos. Coinciden con otras feministas en el rechazo de la noción de una feminidad universal.

Por tanto, ciertos temas dominaron la segunda ola del feminismo: la omnipresencia del patriarcado; la insuficiencia de organizaciones políticas existentes para las mujeres; y la celebración de la diferencia de la mujer como algo esencial para la política cultural de la liberación. Estos temas pueden encontrarse en la mayor parte de las obras de la segunda ola, desde las intervenciones populares como la de Germaine Greer *The Female Eunuch* (1970), que examina la neutralización destructiva de las mujeres dentro del patriarcado, a través de las reconsideraciones críticas del socialismo (Sheila Rowbotham) y el psicoanálisis (Juliet Mitchell), hasta el feminismo radical (lésbico) de Kate Millet y Adrienne Rich (para Rich, véase cap. 10). En la teoría literaria feminista más concretamente, esto conduce al surgimiento de la llamada crítica angloamericana, un planteamiento empírico que hacía frente a la «ginocrítica» de Elaine Showalter, que se concentra en la especificidad de las obras escritas por mujeres, en recuperar la tradición de las autoras femeninas y en examinar con detalle la propia cultura de las mujeres. Sin embargo, en debate con esto está la crítica algo posterior y de carácter más teórico conducida por las «francesas», que se inspira sobre todo en el trabajo de Julia Kristeva, Hèléne Cixous y Luce Irigaray y hace hincapié no en el *género* de la escritora («hembra»), sino en el «efecto de la escritura» del texto («femenino») —de aquí *l'écriture féminine*—. Vale la pena notar aquí que esta distinción entre la crítica feminista angloamericana y francesa es una frontera crítica significativa en la evolución de la segunda ola y distingue dos movimientos dominantes y de gran influencia en la teoría crítica a partir de finales de los años de 1960. Sin embargo, es problemática por cuatro razones: la primera, no resulta una categorización *nacional* útil (por ejemplo, muchas críticas inglesas y norteamericanas podrían ser descritas como «francesas») y hay que entender, por tanto, que identifica la tradición intelectual que

la informa y no el país de origen; la segunda es que constituida como lo está, parece excluir el factor de producción
crítico feminista de los demás sitios y sobre todo del «Tercer Mundo»; la tercera es que se concreta en una oposición
binaria demasiado simple, suprimiendo a la vez la vasta diversidad de prácticas dentro de los cuatro movimientos; la
cuarta es que también enmascara sus similitudes. Ambas
escuelas mantienen la idea de una «estética femenina» en el
primer plano del análisis y ambas corren el riesgo del determinismo biológico: la crítica «angloamericana» por su
búsqueda de obras que, en palabras de Peggy Kamuf, sean
«firmadas por hembras biológicamente determinadas de la
especie» y el «feminismo francés» por su privilegio de los
cuerpos «literales» en lugar de los metafóricos femeninos.
Pero antes de profundizar en estos acontecimientos más recientes, tenemos que ver un texto fundamental de finales de
los años de 1960.

I. *Kate Millett: políticas sexuales*

La segunda ola de feminismo en Estados Unidos obtuvo su ímpetu de los movimientos de protesta en favor de los
derechos civiles, la paz y otros, en los que se inscribe el feminismo radical de Kate Millett. Publicado en 1969, un año
después de *Thinking About Women* de Mary Ellman y justo
antes de *The female Eunuch* de Germaine Greer, *Patriarchal
Attitudes* de Eva Figes y *The Dialectic of Sex* de Shulamith
Firestone (todas de 1970), *Sexual Politics* de Kate Millett
marca el momento en el que la segunda ola de feminismo
se convierte en un movimiento notablemente visible, consciente y activo y cuando se transforma en el texto *cause-
célèbre* del momento. Ha sido —ciertamente en la herencia
significativa de su título— quizás el libro más conocido e
influyente de este período y continúa siendo (pese a sus de-
ficiencias, véase más adelante) un trabajo demoledor, com-
prensivo, ingenioso e irreverente sobre la cultura masculina; y por esto quizás sea un monumento a su momento.
El argumento de Millett —que abarca historia, literatura, psicoanálisis, sociología y otros ámbitos— es que la in-

doctrinación ideológica, en la misma medida que la desigualdad económica, es la causa de la opresión de la mujer, un razonamiento que inauguró el pensamiento de la segunda ola sobre la reproducción, la sexualidad y la representación (especialmente las «imágenes de la mujer» verbales y visuales y sobre todo las pornográficas). El título de la obra de Millett, *Sexual Politics*, anuncia su visión del «patriarcado», que considera penetrante y que exige un «estudio sistemático, como una institución política». El patriarcado subordina las mujeres a los hombres y este poder se ejerce, directa o indirectamente, en la vida civil y doméstica para reprimir a las mujeres. Millet toma de la sociología la importante distinción entre «sexo» y «género». El sexo se determina de modo biológico, pero el género es una noción psicológica que se refiere a la identidad sexual adquirida *culturalmente* y junto con otras feministas han atacado a los sociólogos que tratan como «naturales» las características «femeninas» culturalmente aprendidas (pasividad, etc.). Reconoce que, en el mismo grado que los hombres, las propias mujeres perpetúan semejantes actitudes y denomina «política sexual» a la interpretación de los roles sexuales en las desiguales y represivas relaciones de dominación y subordinación.

Sexual Politics fue un análisis pionero de las imágenes históricas, sociales y literarias que tenían los hombres de las mujeres y en nuestro contexto constituye un texto formativo de la crítica literaria feminista. El privilegio de Millett de la *literatura* como recurso ayudó a establecer las obras, los estudios literarios y la crítica como dominios especialmente adecuados para el feminismo. Un factor crucial en la construcción social de la feminidad es la forma en que los valores y las convenciones literarios han sido modelados por los hombres, y las mujeres con frecuencia han luchado para expresar sus propias preocupaciones en lo que muy bien podrían ser formas inadecuadas. En narrativa, por ejemplo, las convenciones moldeadoras de aventura y persecución romántica tienen un estímulo y una intencionalidad «masculinos». En segundo lugar, un escritor se dirige a sus lectores como si siempre fueran hombres. La publicidad ofrece ejemplos paralelos obvios en la cultura de masas. El anuncio televisivo de una ducha con calentador de agua eléctrico presenta a una mujer que se tapa seductoramente con una toalla justo lo bastante tarde como para que el espectador (masculino) pueda vislumbrar su cuerpo desnudo, excluyendo de forma descarada a la espectadora femenina. Sin embargo, está claro que la espectadora puede actuar como cómplice en esta exclusión y ver «como un hombre». Del mismo modo, la lectora puede encontrarse (de modo inconsciente) coaccionada para que lea como un hombre. Con el fin de resistir este adoctrinamiento de la lectora, Kate Millett, en *Sexual Politics*, expone las representaciones opresoras de la sexualidad presentes en la ficción masculina. Al situar deliberadamente en primer plano el punto de vista de una lectora, pone de manifiesto la dominación masculina que impregna las descripciones sexuales de las novelas de D. H. Lawrence, Henry Miller, Norman Mailer y Jean Genet. Censura, por ejemplo, un pasaje de *Sexus* de Miller («me arrodillé y enterré mi cabeza en su manguito», etc.) y afirma que «tiene el tono... de un macho que, con vocabulario masculino, le cuenta a otro una hazaña sexual». Describe el acto central de *Un sueño americano* de Mailer en el cual Rojack asesina a su esposa y sodomiza luego a la doncella Ruta como «una guerra emprendida» contra las mujeres «en términos de asesinato y sodomía».

El libro de Millett realizó una poderosa crítica de la cultura patriarcal, pero algunas feministas creen que su selección de autores fue demasiado poco representativa: otras opinan que no ha acabado de entender el poder subversivo de la imaginación en la ficción. Millett omite, por ejemplo, la naturaleza profundamente desviada del *Diario de un ladrón* de Genet y, en el mundo homosexual descrito, sólo ve supeditación y degradación implícitas de la mujer; concibe la dominación y subordinación entre homosexuales como otra versión más del opresivo modelo heterosexual. Según Millett, los autores masculinos, en razón de su sexo, se hallan compelidos a reproducir en sus ficciones la opresiva política sexual del mundo real. Este enfoque no haría justicia, por ejemplo, al tratamiento que hace Joyce de la sexualidad femenina. No sólo Mailer, sino también algunas feministas han considerado que Millett mantiene un punto de vista unidimensional de la dominación masculina: trata la ideología sexista como un manto de opresión que todos los escritores masculinos fomentan ineludiblemente. Cora Kaplan, en una crítica exhaustiva de Millett en su obra «Radical Feminism and Literature: Rethinking Millett's *Sexual Politics*» (1979), ha sugerido que esta autora considera «la ideología [como] el club universal del pene que los hombres de todas clases utilizan para someter a las mujeres». Kaplan señala la crudeza y las contradicciones de gran parte del análisis de la ficción realizado por Millett, que considera como «verdadero» y «representativo» del patriarcado en general y a la vez «falso» en su representación de las mujeres. En su reflexionismo reductivo, no logra tener en cuenta la «retórica de la ficción» mediadora.

II. *Feminismo marxista*

El feminismo socialista marxista fue una poderosa corriente de la segunda ola durante finales de los años de 1960 y los de 1970, sobre todo en Gran Bretaña. Pretendía extender el análisis marxista de clase a una historia de las mujeres, de su opresión material y económica y en especial de cómo la familia y el trabajo doméstico de las mujeres están construidos y reproducen la división sexual del trabajo. Como otras formas de historia «masculina», el marxismo ha ignorado en gran medida la experiencia y la actividad de las mujeres (uno de los libros de mayor ascendiente de Sheila Rowbotham es *Hidden from History*) y la tarea básica del feminismo marxista fue inaugurar las complejas relaciones entre el género y la economía. El ensayo de Juliet Mitchell, «Women: The Longest Revolution» (1966), constituyó un intento pionero contra el trabajo ahistórico de las feministas radicales como Millett y Firestone de historicizar el control estructural que el patriarcado ejerce en relación con las funciones reproductoras de la mujer; y Sheila Rowbotham, en *Women's Consciousness, Man's World* (1973), reconocía que las mujeres de la clase trabajadora experimentaban la doble opresión de la división sexual del trabajo en el ámbito laboral y en el doméstico y que la historiografía marxista había ignorado durante largo tiempo el campo de la experiencia personal y sobre todo el de la cultura femenina.

En el contexto literario, la crítica de Cora Kaplan a la feminista radical Kate Millett (más atrás), sobre todo en lo referente a la ideología, puede considerarse como un ejemplo de crítica feminista socialista y Michèle Barrett en *Women's Opression Today: Problems in Marxist Feminist Analysis* (1980) presenta un análisis feminista marxista de la representación del género. En primer lugar, aplaude el argumento materialista de Virginia Woolf de que las condiciones en las cuales hombres y mujeres *producen* literatura son materialmente diferentes e influyen, la forma y en el contenido de lo que escriben: no podemos separar cuestiones de estereotipo de géneros de sus condiciones materiales en la historia. Esto significa que la liberación no llegará simplemente por realizar algunos cambios en la cultura. En segundo lugar, la ideología de género afecta a cómo se leen las obras escritas por hombres y mujeres y a cómo se establecen los cánones de excelencia. En tercer lugar, las críticas feministas deben tener en cuenta la naturaleza *ficticia* de los textos literarios y no ceder en un «moralismo rampante» condenando a todos los autores varones por el sexismo de sus libros (véase Millett) y aprobando a todas las autoras mujeres por plantear el tema del género. Los textos carecen de significados establecidos: las interpretaciones dependen de la situación y de la ideología del lector. Sin embargo, las mujeres pueden y deben tratar de afirmar su influencia sobre la forma en que se define y se representa culturalmente el género.

En la Introducción a *Feminist Criticism and Social Change* (1985) Judith Newton y Deborah Rosenfelt abogan en favor de una crítica feminista materialista que escapa del esencialismo «trágico» de esas críticas feministas que proyectan una imagen de mujeres universalmente impotentes y universalmente buenas. Critican lo que consideran el limitado carácter literario de la influyente obra de Gilbert y Gubar, *The Madwoman in the Attic* (1979, véase más adelante) y sobre todo que hagan caso omiso de las realidades sociales y económicas que juegan un importante papel en la construcción de los roles de género. Penny Boumehla, Cora Kaplan y otros miembros del Marxist-Feminist Literature Collective (véase la interpretación que hace este grupo de *Jane Eyre* en *A Practical Reader*, cap. 3) en lugar de esto han aplicado a los textos literarios el tipo de análisis ideológico desarrollado por Althusser y Macherey (véase cap. 5), con el fin de comprender la formación histórica de las categorías de género. No obstante, el feminismo marxista actual carece de los más altos perfiles, sin duda a causa de la «condición» política de la posmodernidad, pero también quizás por el efecto agotador del «debate» entre los feminismos angloamericano y francés.

III. *Elaine Showalter: ginocrítica*

La obra *Sexual/Textual Politics* (1985) de Toril Moi se divide en dos secciones principales: «la crítica feminista angloamericana» y «la teoría feminista francesa». Esto no sólo dirige la atención hacia uno de los principales debates en la teoría crítica feminista contemporánea, sino que también constituye toda una declaración. El paso (consciente) de Moi de la «crítica» a la «teoría» indica tanto una caracterización descriptiva como un juicio de valor: para Moi, la crítica angloamericana es teóricamente ingenua o bien se resiste a teorizar ella misma; por otro lado, la francesa, es teóricamente tímida y sofisticada. De hecho, como ya comentamos unas páginas atrás, hay mucho terreno en común entre estos dos «planteamientos» y una gran interpenetración (y no menos por el hecho de que ambos tienden a ignorar la clase, la etnicidad y la historia como determinantes) y ambos contribuyen a definir importantes formas de discurso crítico feminista. Hablaremos más detalladamente de la francesa en la sección siguiente.

Las principales angloamericanas son, de hecho, americanas. A medida que la crítica de las «imágenes de mujeres» de principios de los años de 1970 (impulsadas por los trabajos de Ellmann y Millett) comenzaron a parecer simplistas y uniformes, aparecieron diversas obras que fomentaban tanto el estudio de las *mujeres* escritoras como del discurso crítico *feminista* con el fin de discutirlos. *Literary Women* (1976) de Ellen Moers fue un esbozo o proyecto preliminar de la tradición «alternativa» de las obras escritas por mujeres que hace sombra a la tradición masculina dominante; pero la obra más importante de este tipo, después de la de Elaine Showalter, es la monumental *The Madwoman in the Attic* (1979) de Sandra Gilbert y Susan Gubar, en la que argumentan que las escritoras clave desde Jane Austen alzaron una voz femenina distintiva «deshonesta» al «amoldarse y subvertir simultáneamente los estándares literarios patriarcales». Los estereotipos femeninos de «ángel» y «monstruo» (loca) están simultáneamente aceptados y deconstruidos (para la lectura de *Jane Eyre* que da título al libro, véase *A Practical Reader*, cap. 3). Sin embargo, como señaló Mary Jacobus, Gilbert y Gubar tienden a limitar la libertad de las escritoras construyéndolas como «víctimas excepcionalmente articuladas de una trama patriarcalmente engendrada»; y Toril Moi añade que este continuo relato de la «historia» de la represión femenina por parte del patriarcado bloquea a la crítica feminista en una relación constrictiva y problemática con la misma crítica patriarcal y autoritaria que pretende superar.

Sin embargo, la crítica americana más influyente de la segunda ola es Elaine Showalter y en especial su obra *A Literature of Their Own* (1977). En ella esboza una historia literaria de las mujeres escritoras (muchas de las cuales habían estado, en efecto, «ocultas a la historia»); escribe una historia que muestra la configuración de sus determinantes materiales, psicológicos e ideológicos; y fomenta tanto una crítica feminista (preocupada por las mujeres lectoras) como una «ginocrítica» (preocupada por las mujeres escritoras). El libro examina las novelistas inglesas desde las Brontë tomando el punto de vista de la experiencia de las mujeres. Según esta autora, aunque no exista una sexualidad o una imaginación femeninas prefijadas o innatas, existe sin embargo una profunda *diferencia* entre la literatura de las mujeres y la de los hombres; afirma, además, la existencia de toda una tradición literaria abandonada por la crítica masculina: «el continente perdido de la tradición femenina ha surgido como la Atlántida en el mar de la literatura inglesa». Divide esta tradición en tres fases. La primera, la «fase femenina» (1840-1880) incluye a Elizabeth Gaskell y George Eliot. Las escritoras imitan e interiorizan los modelos estéticos masculinos dominantes, lo cual exige que las escritoras sigan siendo damas. La principal esfera de sus obras es el círculo social y doméstico inmediato. Estas autoras se sienten culpables a causa del «egoísta» compromiso con la condición de escritoras y aceptan ciertas limitaciones en la expresión, evitando las groserías y la sensualidad. No obstante, me atrevo a afirmar que incluso la un tanto puritana George Eliot se las arregló para plasmar una gran cantidad de sensualidad implícita en *El molino junto al Floss*. En cualquier caso, las groserías y la sensualidad tampoco se aceptaban fácilmente en la ficción de los hombres: el polémico *Tess d'Urberville* de Hardy tuvo que recurrir al sobreentendido y a las imágenes poéticas para expresar la sexualidad de la heroína. La «fase feminista» (1880-1920) incluye a escritoras como Elizabeth Robins y Olive Schreiner. Las feministas radicales de este período abogaban por utopías separatistas al estilo de las amazonas y por hermandades sufragistas. La tercera fase, la «de las amazonas» (a partir de 1920), heredó características de las fases anteriores y desarrolló la idea de una escritura y una experiencia específicamente de mujeres. Rebecca West, Katherine Mansfield y Dorothy Richardson son, según Showalter, las primeras novelistas importantes de esta fase. En la misma época en que Joyce y Proust están escribiendo extensas novelas sobre la conciencia subjetiva, la extensa novela de Richardson *Pilgrimage* tiene como tema la conciencia femenina. Los puntos de vista de esta autora sobre el acto de escribir anticipan las teorías feministas recientes: se inclina por una suerte de capacidad negativa, una «receptibilidad múltiple» que rechaza opiniones y puntos de vista definidos, a los que llama «cosas masculinas». Showalter escribe que «también racionalizó el problema de sus "profusiones amorfas" con la elaboración de una teoría que consideraba la falta de forma como la expresión natural de la empatía de la mujer y la existencia del modelo como el signo de la unilateralidad de los hombres». Intentó producir voluntariamente frases elípticas y fragmentadas con el fin de expresar lo que ella consideraba la forma y la estructura de la mente femenina. A partir de Virginia Woolf y, en especial, con Jean Rhys, entra en la ficción de las mujeres una nueva sinceridad en relación a la sexualidad (adulterio, lesbianismo, etc.). Se trata de una nueva generación de mujeres universitarias, que ya no siente la necesidad de manifestar descontentos femeninos y que incluye a A. S. Byatt, Margaret Drabble, Christine Brooke-Rose y Brigid Brophy. Sin embargo, a principios de los años de 1970 se produce un desplazamiento hacia tonos más airados en las novelas de Penelope Mortimer, Muriel Soark y Doris Lessing.

El título de Showalter indica su deuda para con Virginia Woolf y tal y como señala Mary Eagleton sus proyectos están marcados de forma similar: «Una pasión por las obras escritas por mujeres y por la investigación feminista... une a ambas críticas. Conscientes de la invisibilidad de las vidas de las mujeres, son muy activas en el esencial trabajo de recuperación, tratando de hallar las precursoras olvidadas.» Sin embargo, Showalter critica a Woolf por su «retirada» a la androginia (negando su femineidad) y por su estilo «evasivo». De acuerdo con Eagleton, es en este punto precisamente en el que Toril Moi disiente de Showalter y donde el centro de la oposición entre los feminismos críticos angloamericano y francés pueden percibirse con toda agudeza. Para la «francesa» Moi, el rechazo y la subversión que Woolf hace de la personalidad unitaria y su «festiva» textualidad son sus puntos fuertes, mientras que la ginocrítica angloamericana desea centrarse en el autor y el personaje femenino y en la *experiencia* femenina como indicativo de autenticidad —en nociones de «realidad» (en particular de un colectivo que comprende lo que significa ser una mujer) que pueden ser representadas y relacionadas de forma experimental, mediante la obra literaria—. En efecto, otro problema reside en las suposiciones etnocéntricas enclavadas en las ideas de «autenticidad» y «experiencia femenina» perpetuadas por la tradición angloamericana en general; como ya ha señalado Mary Eagleton, se toma como norma la mujer blanca heterosexual de clase media y la historia literaria que se produce es «casi tan selectiva e ideológicamente limitada como la tradición masculina». Para Moi, la crítica feminista de Showalter también se caracteriza porque no está teorizada y también por su debilidad, y por lo tanto, por su sostén teórico, sobre todo en las conexiones que establece entre literatura y realidad y entre evaluación literaria y política feminista. Un rasgo de la obra de Showalter es su reluctancia a comprometerse y contener las iniciativas teóricas francesas, pues, casi por definición, es deconstruida por ellas (no obstante, véase su desafío a la lectura de Lacan de Ofelia en *Hamlet* en *A Practical Reader*, cap. 1). Por lo tanto, paradójicamente, en el punto en que la ginocrítica consideraba que hacía positivamente visible y poderosa la cultura y la experiencia de las mujeres, el feminismo postestructuralista textualiza la sexualidad y considera todo el proyecto de «las obras escritas por mujeres y las obras escritas sobre las mujeres» como mal interpetado. A continuación, pasaremos a ver este análisis más radicalmente teórico de la diferencia de las mujeres, inaugurado por el psicoanálisis moderno.

IV. *El feminismo francés: Kristeva, Cixous, Irigaray*

Sin perder de vista que el florecimiento de la teoría crítica feminista «francesa» no está constreñido por ningún límite nacional, podemos decir que esta otra corriente clave de la «segunda ola» se originó en Francia. Derivada de la percepción de Simone de Beauvoir de la mujer como «el Otro» para el hombre, la sexualidad (junto con la clase y la raza) se identifica como oposición binaria (hombre/mujer, negro/blanco) que registra la «diferencia» entre grupos de personas —diferencias que se manipulan social y culturalmente de forma que uno de los grupos domina u oprime a otro. Las teóricas del feminismo francés en particular, en su búsqueda de la destrucción de los estereotipos convencionales de las diferencias sexuales construidos por los hombres, se han centrado en el lenguaje como el ámbito en el que se estructuran estos estereotipos y a la vez como prueba de la diferencia sexual liberadora que se puede describir en un «lenguaje de mujer» específicamente. La literatura es un discurso altamente significativo en el que se puede percibir y movilizar esto. (Las feministas negras y lesbianas de América y de todas partes han desarrollado y/o criticado estas ideas en relación con los posicionamientos mucho más complejos de aquellas cuyas «diferencias» están además determinadas por la raza y/o las preferencias sexuales.)

El psicoanálisis y, en especial, la reelaboración de Lacan de las teorías de Freud (véase cap. 7) han influido profundamente en el feminismo francés. Al hacerse eco de las teorías de Lacan, las feministas francesas han superado la hostilidad hacia Freud compartida por la mayoría de las feministas. Con anterioridad a Lacan, las teorías freudianas, en especial en Estados Unidos, habían sido reducidas a un crudo nivel biológico: la niña, al ver el órgano masculino, se reconoce a sí misma como hembra porque carece de pene. Se define negativamente y sufre una inevitable «envidia del pene». Según Freud, la envidia del pene es universal en las mujeres y es la responsable del «complejo de castración» que resulta de considerarse a sí mismas *hommes manqués* en lugar de un sexo positivo por derecho propio. Ernest Jones fue el primero que definió como «falocéntrica» la teoría de Freud, un término socialmente adoptado por las feministas a la hora de discutir la dominación del hombre en general.

Juliet Mitchell, en *Psicoanálisis y feminismo* (1975), defiende a Freud diciendo que «el psicoanálisis no es la recomendación de una sociedad patriarcal, sino el análisis de una sociedad de este tipo». Según ella, Freud describe la *representación mental* de una realidad social, no la realidad misma. Su defensa de Freud proporcionó las bases para el feminismo psicoanalítico contemporáneo, junto con la obra de influencia más lacaniana de Jacqueline Rose (*Sexuality in the Field of Vision*, 1986) y Shoshana Felman (*Literature and Psycoanalysis*, 1977). De modo inevitable, las feministas han reaccionado cáusticamente contra la visión de la mujer como ser «pasivo, narcisista, masoquista y con envidia del pene» (Eagleton), una imagen que no es propia, sino producto de una comparación con una norma masculina. Sin embargo, algunas feministas francesas han subrayado que el concepto freudiano de «pene» o «falo» es un concepto «simbólico» y no una realidad biológica. La utilización que hace

Lacan del término se acerca a las antiguas connotaciones del falo en los cultos de fertilidad. La palabra también se emplea en la literatura teológica y antropológica haciendo referencia al significado simbólico del órgano: _poder_.

Las feministas han encontrado muy útil uno de los diagramas de Lacan para señalar la arbitrariedad de los roles sexuales:

ÁRBOL   SEÑORAS   CABALLEROS

El primer signo es «icónico» y describe la correspondencia «natural» entre palabra y cosa. El signo resume la vieja noción presaussureana del lenguaje según la cual las palabras y las cosas aparecen unidas de modo natural en un significado universal. El segundo diagrama destruye la vieja armonía: los significantes «señoras» y «caballeros» están asignados a puertas idénticas. De la misma manera, «mujer» es un significante, no una hembra biológica. No existe una correspondencia simple entre un cuerpo específico y el significante «mujer». Sin embargo, esto no significa que si suprimimos la distorsionadora inscripción del significante, vaya a salir a la luz una mujer «real» y «natural», tal como lo habría sido antes del inicio de la simbolización. No podemos apartarnos del proceso de significación para pisar un terreno neutral. Cualquier resistencia feminista al falocentrismo (el dominio del falo como significante) debe provenir del seno del proceso de significación. Como veremos en el capítulo 7, el significante es más poderoso que el «sujeto», que se «marchita» y sufre «la castración». «Mujer» representa una posición de sujeto desterrada a la oscuridad exterior («el continente oscuro») por medio del castrante poder del falocentrismo y, en realidad, puesto que semejante dominación se realiza a través del discurso, por medio del «falogocentrismo» (el término que utiliza Derrida para designar la dominación que ejerce el discurso patriarcal). No obstante, la crítica feminista negra Kadiatu Kanneh ha señalado los peligros inherentes en cualquier reiteración feminista del tema del «continente oscuro» para indicar el potencial subversivo de todas las mujeres (presente en la obra de De Beauvoir y tipificada en los comentarios de Cixous en «The Laugh of the Medusa» de que «estás en África, eres negro. Tu continente es oscuro. Lo oscuro es peligroso»). Kanneh escribe: «[Cixous] trabaja para liberar a las mujeres de una historia que ella etiqueta como exclusivamente masculina, que consigue encerrar a todas las mujeres en una historia en la que flotan libremente entre imágenes de sometimiento negro y dominación imperial.» («Love, Mourning and Metaphor: Terms of Identity», 1992.)

Para Lacan, la cuestión del falocentrismo es inseparable de la estructura del signo. El significante, el falo, ofrece la promesa de la presencia plena y el poder que, como es inalcanzable, amenaza a ambos sexos con el «complejo de castración». El complejo está estructurado exactamente del mismo modo que el lenguaje y el inconsciente: la entrada del sujeto individual en el lenguaje produce una «división» como resultado de la sensación de pérdida del sujeto cuando los significantes no cumplen la promesa de una presencia plena (cap. 7). De diferentes modos, tanto hombres como mujeres carecen de la sexualidad integral simbolizada en el falo. Los factores sociales y culturales, tales como los estereotipos sexuales, pueden acentuar o disminuir el impacto de esta «carencia» inconsciente, pero el falo, al ser un significante de presencia plena y no un órgano físico, sigue siendo la fuente universal del «complejo de castración»: la carencia que promete suplir no podrá ser llenada nunca. Lacan llama alguna vez a este insistente significante el «Nombre-del-Padre» para enfatizar así su modo de existencia no biológico. El niño llega a tener un sentido de la identidad cuando entra en el orden «simbólico» del lenguaje, el cual se compone de relaciones de *similaridad* y de *diferencia*. Únicamente aceptando las exclusiones (si esto, entonces aquello) impuestas por la Ley del Padre puede entrar el niño en el espacio de género asignado a éste por el orden lingüístico. Es esencial reconocer la naturaleza *metafórica* del papel del padre. Se halla instalado en la posición de legislador no sólo porque tiene una función procreadora superior (aunque la gente haya creído esto en el pasado), sino simplemente como un efecto del sistema lingüístico. La madre reconoce el discurso del padre porque tiene acceso al *significante* de la función paternal (el «Nombre-del-Padre») que regula el deseo de una forma civilizada (esto es, reprimida). Sólo mediante la aceptación de la necesidad de la diferencia sexual o del deseo regulado puede un niño «socializarse».

Las feministas han objetado a veces que, aun cuando adoptemos un punto de vista estrictamente «simbólico» del falo, la posición privilegiada en la significación que se le otorga en las teorías de Lacan es bastante desproporcionada. Según Jane Gallop, la aplicación de las categorías lacanianas a la diferencia sexual parece implicar ineludiblemente una subordinación de la sexualidad femenina. El hombre resulta «castrado» al no conseguir la plenitud total prometida por el falo, mientras que la mujer lo es por no ser un macho. El paso de la hembra por el complejo de Edipo se encuentra menos perfilado. En primer lugar, debe transferir su afecto desde la madre hasta el padre antes de que la Ley de este último pueda prohibir el incesto y, en segundo lugar, como ya está «castrada», es difícil ver qué es lo que reemplaza la castración que, en el caso del hombre, constituye la amenaza al desarrollo. ¿Qué la obliga a la aceptación de la Ley? A pesar de todo, la ventaja del enfoque de Lacan es el abandono del determinismo biológico y la conexión (mediante el lenguaje) del psicoanálisis freudiano con el sistema social.

Tal como ha señalado Jane Gallop, Lacan tiende a promocionar un discurso «feminista» antilogocéntrico. Aunque no conscientemente feminista, es «coqueto», juguetón y «poético», se niega a afirmar conclusiones o a establecer verdades. Cuando recuerda la no contestada pregunta de Freud: «¿Qué desea la mujer?» *(Was will das Weib?)*, concluye que la pregunta debe permanecer abierta ya que la mujer es «fluida» y la fluidez es «inestable». «La mujer nunca habla *pareil* (similar, igual, parecido). Lo que emite es fluido *(fluent)*. Engañoso *(flouant)*.» Aquí corremos de nuevo el peligro de deslizarnos hacia el sistema falocéntrico que relega las mujeres a los márgenes y las rechaza por inestables, impredecibles y tornadizas; pero el *privilegiar* positivamente esta franqueza impide semejante recuperación de la «franqueza» femenina por parte del sistema patriarcal. La sexualidad femenina está directamente asociada con la productividad poética, con los impulsos psicosomáticos que desbaratan la tiranía del significado unitario y el discurso logocéntrico (y, por lo tanto, falocéntrico). Los principales teóricos de este punto de vista son Julia Kristeva y Hélène Cixous.

La obra de Kristeva ha tomado con frecuencia como concepto central el de una polaridad entre los sistemas racionales «cerrados» y los perturbadores sistemas irracionales «abiertos». Esta autora considera la poesía como el «lugar privilegiado» del análisis, porque se encuentra suspendida entre los dos sistemas; y porque en ciertas épocas la poesía se ha abierto a los impulsos básicos de deseo y miedo que operan fuera de los sistemas «racionales». Ya comentaremos (cap. 7) su importante distinción entre lo «semiótico» y lo «simbólico», fuente de muchas otras polaridades. En la literatura de vanguardia, los procesos primarios (tal como se describen en la versión lacaniana de la teoría de los sueños de Freud) invaden la ordenación racional del lenguaje y amenazan con trastornar la unificada subjetividad del «hablante» y del lector. El «sujeto» ya no es visto como productor de significado sino como lugar del significado y puede, por lo tanto, sufrir una «dispersión» radical de identidad y una pérdida de coherencia. Los «impulsos» experimentados por el niño en la fase preedípica son parecidos a un lenguaje pero todavía no están ordenados como tal. Para que este material «semiótico» se convierta en «simbólico» debe ser estabilizado, lo cual conlleva la represión de los impulsos rítmicos y fluyentes. La expresión hablada que más se aproxima al discurso semiótico es el «balbuceo» preedípico del niño. Sin embargo, el mismo lenguaje conserva algo de este flujo semiótico y el poeta se halla en condiciones especiales para utilizar dichas resonancias. Puesto que los impulsos psicosomáticos son preedípicos, están asociados con el cuerpo de la madre: el libre y flotante mar del útero y la envolvente sensualidad del seno materno son los primeros lugares de la experiencia preedípica. De este modo, lo «semiótico» se halla inevitablemente asociado al cuerpo de la mujer, mientras que lo simbólico está ligado a la Ley del Padre que censura y reprime con el fin de que el discurso pueda llegar a ser. La mujer es el silencio del «inconsciente» que precede al discurso. Es el «Otro», que permanece fuera y amenaza con interrumpir el orden consciente (racional) del discurso.

Por otro lado, al ser la fase preedípica sexualmente indiferenciada, lo semiótico no es inequívocamente femenino. Podría decirse que Kristeva reivindica en nombre de las mujeres este flujo no reprimido ni represor de energía liberadora. El poeta o la poetisa vanguardista penetra en el Cuerpo-de-la-Madre y resiste el Nombre-del-Padre. Mallarmé, por ejemplo, cuando subvierte las leyes de la sintaxis, subvierte la Ley del Padre y se identifica con la madre por medio de la recuperación del flujo semiótico «maternal». En literatura, el encuentro de lo semiótico y lo simbólico, donde el primero es liberado en el segundo, resulta en un «juego» lingüístico. El gozo representa un «éxtasis» próximo a la «ruptura». Kristeva concibe esta revolución poética de un modo íntimamente ligado a la revolución política en general y a la revolución feminista en particular: el movimiento feminista debe inventar una «forma de anarquismo» que se corresponda con el «discurso de vanguardia». El anarquismo es inevitablemente la posición política y filosófica adoptada por un feminismo resuelto a destruir el dominio del falocentrismo. A diferencia de Cixous e Irigaray, Kristeva no trata la opresión de las mujeres como algo diferente en principio de otros grupos marginalizados o explotados, ya que el feminismo inicial formaba parte de una teoría más amplia y general de la subversión y la disidencia. Sin embargo, Gayatri Spivak ha lanzado una crítica importante de esta producción intercultural de la marginalidad común, señalando a la valoración «primitivista» de Kristeva del «Oriente "clásico"» (véase también el cap. 9).

Cierto número de feministas francesas (entre las que se

cuentan Chantal Chawaf, Xavière Gauthier y Luce Irigaray) han sostenido que la sexualidad femenina es una entidad subterránea y desconocida. El ensayo de Hélène Cixous *The laugh of the Medusa* es un célebre manifiesto de la literatura de mujeres en el que hace un llamamiento para que las mujeres pongan sus «cuerpos» en su literatura. Así, mientras Virginia Woolf abandonó la lucha de hablar del cuerpo femenino, Cixous escribe con éxtasis sobre el hormigueante inconsciente femenino: «Escribíos a vosotras mismas. Vuestro cuerpo tiene que oírse, sólo entonces brotarán los inmensos recursos del inconsciente.» No existe una mente femenina universal; por el contrario, la imaginación femenina es infinita y hermosa. La escritora verdaderamente liberada, cuando exista, dirá:

> Reboso, mis deseos han inventado nuevos deseos, mi cuerpo conoce canciones desconocidas. Una y otra vez... me he sentido tan llena de torrentes luminosos que habría podido estallar, estallar en formas mucho más hermosas que las que se enmarcan y venden por una enorme fortuna.

Puesto que la literatura es el lugar en donde el pensamiento subversivo puede germinar, es especialmente vergonzoso que la tradición falocéntrica haya, en la mayor parte, conseguido impedir que las mujeres se expresen. La mujer debe no censurarse y recuperar «sus bienes, sus órganos, sus inmensos territorios corporales que han sido mantenidos bajo siete sellos». Debe deshacerse de su culpa (por ser demasiado fogosa o demasiado frígida, demasiado maternal o demasiado poco maternal, etc.). El núcleo de la teoría de Cixous es el rechazo de la teoría: la literatura feminista «siempre superará el discurso que regula el sistema falocéntrico». El «Otro» o negativo de cualquier jerarquía que la sociedad pueda construir, *l'écriture féminine* subvertirá de inmediato el lenguaje masculino «simbólico» y creará nuevas identidades para las mujeres, las cuales, a su vez, conducirán a nuevas instituciones sociales. Sin embargo, su propio trabajo contiene contradicciones teóricas, ya sean estratégicas o no. Su preocupación por el juego libre del discurso rechaza el biologismo, pero su privilegio del cuerpo de la mujer parece abrazarlo; rechaza la oposición binaria masculino/femenino y abraza el principio de Derrida de la *différance* (su trabajo sobre James Joyce por ejemplo —una muestra del cual aparece en *A Practical Reader*, cap. 7— representa su intento de afirmar la naturaleza desestabilizadora de escribir de forma no-biologística), pero relaciona «las obras escritas por feministas» con la fase preedípica «Imaginary» de Lacan en la cual la diferencia queda abolida en una unidad prelingüística utópica del cuerpo de la madre y el niño.

Este retorno liberador a la «Buena Madre» es la fuente de la visión poética de Cixous de las obras escritas por mujeres y abre la posibilidad de un nuevo tipo de sexualidad. Cixous se opone a la especie de bisexualidad neutral abrazada por Virginia Woolf y aboga, en su lugar, por lo que llama «la *otra bisexualidad*», la que se niega a «anular diferencias y las fomenta». El trabajo de Barthes sobre *Sarrasine* (véase cap. 7) es un perfecto ejemplo de bisexualidad narrativa. De hecho, la visión de Cixous de la sexualidad femenina a menudo recuerda la descripción de Barthes del texto vanguardista. «El cuerpo de una mujer, con sus mil y un umbrales de ardor... hará que la vieja y rutinaria lengua materna reverbere en más de un lenguaje», escribe Cixous. Está hablando de la *jouissance* que, en Barthes y Kristeva, combina connotaciones del orgasmo sexual y del discurso polisémico; el placer del texto, al abolir todas las represiones, alcanza una intensa crisis (la muerte del significado). Esta transgresión de las leyes del discurso falocéntrico es la tarea especial de la mujer escritora. Como ha operado siempre «desde el interior» del discurso dominado por el hombre, la mujer necesita «inventarse un lenguaje en el que introducirse».

El enfoque de Cixous es visionario, imagina un lenguaje posible en lugar de describir el existente. Corre el riesgo que han corrido otros enfoques ya comentados, el de conducir a las mujeres hasta un oscuro refugio inconsciente donde el silencio reinante se vea interrumpido únicamente por el «balbuceo» uterino. Kristeva ha comprendido bien este peligro ya que ve a las escritoras, más bien al estilo de Virginia Woolf, atrapadas entre el padre y la madre. Por un lado, en tanto escritoras, chocan de manera inevitable con

«el dominio fálico, asociado a la privilegiada relación pa-
dre-hija, que produce la tendencia a la supremacía, la ciencia, la filosofía, las cátedras, etc...». Por otro lado, «huimos
de cualquier cosa considerada "fálica" para encontrar refugio en la valorización de un silencioso cuerpo subacuático
y abdicamos de esta manera a cualquier entrada en la historia».

Spéculum de l'autre femme (1974) de Luce Irigaray desarrolla, en términos filosóficos más rigurosos, ideas que
recuerdan a las de Cixous. Considera que la opresión patriarcal de las mujeres se basa en el tipo de construcciones
negativas asociadas a la teoría de Freud sobre la sexualidad
femenina. El concepto de «envidia del pene», por ejemplo,
se basa en la consideración del hombre respecto a la mujer
como su «Otro» que carece del pene que él posee (preca-
riamente). No se la considera como si existiera, salvo como
la imagen negativa de un hombre del espejo. En este sentido, las mujeres son invisibles a las miradas de los hombres
y sólo pueden alcanzar una especie de existencia fantasmal
en la histeria y el misticismo. Como mística, la mujer puede perder todo sentido de ser subjetivo personal y, por lo
tanto, es capaz de escapar de la red patriarcal. Mientras que
los hombres están orientados a la vista (son escopofílicos),
las mujeres encuentran placer en el tacto; y por tanto, las
obras escritas por mujeres están relacionadas con la variabilidad y el tacto, con el resultado de que «El "estilo" de
ellas resiste y explota todas las formas, figuras, ideas y conceptos firmemente establecidos». En otras palabras, Irigaray fomenta la «otredad» del erotismo de las mujeres y su
representación disruptiva en el lenguaje. Tan sólo la celebración de la diferencia de las mujeres —su variabilidad y
multiplicidad— puede romper las representaciones occidentales convencionales de ellas.

El desarrollo y la movilización de la teoría feminista de
posiciones críticas que fluyen de semejante concepción
«postestructuralista» son el objeto de los capítulos 8, 9,
y 10. Pero vale la pena señalar aquí que este tipo de críticas tienden a reconocer que la «Mujer» no es un ser físico,
sino un «efecto en las obras», que «*l'écriture féminine*», en
palabras de Mary Jacobus, «no sólo afirma la sexualidad del

texto, sino la textualidad del sexo». No consideran las obras como algo con un «género» específico, sino que pretenden alterar el significado fijado; fomentan el juego libre textual más allá del control autorial o crítico; son antihumanistas, antirrealistas y antiesencialistas; y en efecto, representan una poderosa forma de deconstrucción política, cultural y crítica. En términos específicos de los estudios literarios, revalorizan y remodelan (cuando no explotan) los cánones literarios, rechazan un cuerpo teórico unitario o universalmente aceptado y politizan abiertamente todo el dominio de la práctica discursiva. Son fluidos, múltiples, heteroglósicos y subversivos y como tales están en el centro del asalto contemporáneo postestructuralista y posmodernista a las narrativas «dominantes» que han gobernado las culturas occidentales —y por ende las coloniales— desde la Ilustración. Es en la evolución originaria de estos movimientos que nos fijaremos a continuación.

BIBLIOGRAFÍA SELECCIONADA

Textos básicos

Abel, Elizabeth (ed.), *Writing and Sexual Difference,* University of Chicago Press, Chicago, 1982; Harvester Wheatsheaf, Hemel Hempstead, 1983.

Barrett, Michèle, *Women's Oppression Today: Problems in Marxist Feminist Analysis,* Verso, Londres, 1980.

Belsey, Catherine y Moore, Jane (eds.), *The Feminist Reader: Essays in Gender and the Politics of Literary Criticism,* Macmillan, Basingstoke, 1989.

Cixous, Hélène, «The Laugh of the Medusa» (1976), reimpreso en Marks y de Courtivron (más adelante).

—, *Writing Differences: Readings from the Seminar of Hélène Cixous,* Susan Sellers (ed.). Open University Press, Milton Keynes, 1988.

Cornillon, S. K. (ed.), *Images of Women in Fiction: Feminist Perspectives,* Bowling Green University Popular Press, Bowling Green, OH, 1972.

De Beauvoir, Simone, *The Second Sex* (1949), trad. H. M. Parshley, Bantam, Nueva York, 1961; Penguin, Hamondsworth, 1974.

Eagleton, Mary (ed.), *Feminist Literary Criticism,* Longman, Londres, 1991.

—, *Feminist Literary Theory: A Reader*, Basil Blackwell, Oxford, 1986.

Ellman, Mary, *Thinking About Women*, Harcourt Brace Jovanovich, Nueva York, 1968.

Felman, Shoshana (ed.), *Literature and Psychoanalysis*, Johns Hopkins University Press, Baltimore, 1977.

Friedan, Betty, *The Feminine Mystique*, Dell, Nueva York, 1963.

Gallop, Jane, *Feminism and Psychoanalysis: The Daughter's Seduction*, Macmillan, Basingstoke, 1982.

Gilbert, Sandra y Gubar, Susan, *The Madwoman in the Attic: The Woman Writer and the Nineteenth Century Literary Imagination*, Yale University Press, New Haven, 1979.

—, *No Man's Land: The Place of the Woman Writer in the Twentieth Century*, Yale University Press, New Haven, 1988.

Humm, Maggie, *The Dictionary of Feminist Theory*, Harvester Wheatsheaf, Hemel Hempstead, 1989.

—, (ed.), *Feminisms: A Reader*, Harvester Wheatsheaf, Hemel Hempstead, 1992.

Irigaray, Luce, *This Sex Which Is Not One*, Cornell University Press, Ithaca, 1985.

Jacobus, Mary (ed.), *Women Writing and Writing About Women*, Croom Helm, Londres, 1979.

—, *Reading Woman: Essays in Feminist Criticism*, Methuen, Londres, 1986.

Johson, Barbara, *A World of Difference*, Johns Hopkins University Press, Baltimore, 1987.

Kaplan, Cora, *Sea Changes: Culture and Feminism*, Verso, Londres, 1986.

Kauffman, Linda S., *American Feminist Thought at Century's End: A Reader*, Basil Blackwell, Oxford, 1993.

Kolodny, Annette, «Dancing Through the Minifield: Some Observations on the Theory, Practice and Politics of a Feminist Literary Criticism», *Feminist Studies*, vol. 6 (1980), pp. 1-25.

Kristeva, Julia, *Desire in Language: A Semiotic Approach to Literature and Art*, Columbia University Press, Nueva York, 1980.

—, *About Chinese Women*, Marion Boyars, Nueva York y Londres, 1986.

—, *The Kristeva Reader*, ed. Toril Moi, Basil Blackwell, Oxford, 1986.

Marks, Elaine y de Courtivron, Isabelle (eds.), *New French Feminisms: An Anthology*, Harvester Wheatsheaf, Hemel Hempstead, 1981.

Marxist-Feminist Literature Collective, The, «Women's writing: *Jane Eyre, Shirley, Villette, Aurora Leigh*» *Ideology and Consciousness*, 3, Spring, 1978, 27-48; pp. 27-34. Están reimpresas en Brooker y Widdowson, eds., *A Practical Reader*, cap. 3.

Millet, Kate, *Sexual Politics*, Doubleday, Nueva York, 1970.

Mitchell, Juliet, *Psychoanalysis and Feminism*, Penguin, Harmonsworth, 1975.

—, *Women: The Longest Revolution: Essays on Feminism, Literature and Psychoanalysis*, Virago, Londres, 1984.

Moers, Ellen, *Literary Women*, Anchor Press, Garden City, 1976.

Moi, Toril (ed.), *French Feminist Thought: A Reader*, Basil Blackwell, Oxford, 1987.

Newton, Judith y Rosenfelt, Deborah (eds.), *Feminist Criticism and Social Change: Sex, Class, and Race in Literature*, Methuen, Londres, 1985.

Showalter, Elaine, *A Literature of Their Own*, Princeton University Press, Princeton, NJ, 1977.

—, (ed.), *Speaking of Gender*, Routledge, Londres, 1989.

Spender, Dale, *Man Made Language*, Routledge, Londres, 1980.

Spivak, Gayatri Chakravorty —ver «Bibliografía seleccionada» para el cap. 9.

Woolf, Virginia, *A Room of One's Own*, Hogarth Press, Londres, 1929.

—, *Three Guineas*, Hogarth Press, Londres, 1938.

—, *Women and Writing*, intro. Michèle Barrett, The Women's Press, Londres, 1979.

Lecturas avanzadas

Belsey, Catherine, «Critical Approaches» en Claire Buck, *Bloomsbury Guide to Women's Literature*, Bloomsbury, Londres, 1992.

Bronfen, Elisabeth, *Over Her Dead Body: Death, Feminity and the Aesthetic*, Manchester University Press, Manchester, 1992.

Culler, Jonathan, «Reading as a Woman», en *On Deconstruction: Theory and Criticism after Structuralism*, Routledge, Londres, 1983.

De Lauretis, Teresa (ed.), *Feminist Studies/Critical Studies*, Indiana University Press, Bloomington, 1986.

Felski, Rita, *Beyond Feminist Aesthetics: Feminist Literature and Social Change*, Hutchinson Radius, Londres, 1989.

Fuss, Diana, *Essentially Speaking: Feminism, Nature and Difference*, Routledge, Londres, 1989.

Gallop, Jane, *Around 1981: Academic Feminist Literary Theory*, Routledge, Londres, 1992.

Gates, Henry Louis, Jr. (ed.), *Reading Black: Reading Feminist: A Critical Anthology*, Meridian, Nueva York, 1990.

Grosz, Elizabeth, *Jacques Lacan: A Feminist Introduction*, Routledge, Londres, 1990.

Kamuf, Peggy, «Writing Like a Woman», en Sally Mc-Connell *et al.*, (eds.), *Women and Language in Literature and Society*, Praeger Publishers, Nueva York, 1980.

Kanneh, Kadiatu, «Love, Mourning and Metaphor: Terms of Identity», en Isobel Armstrong (ed.), *New Feminist Discourses: Critical Essays on Theories and Texts*, Routledge, Londres, 1992.

Kaplan, Cora, «Feminist Literary Criticism: New Colours and Shadows», en *Encyclopaedia of Literature and Criticism*, Martin Coyle, Peter Garside, Malcolm Kelsall y John Peck (eds.), Routledge, Londres, 1990.

—, «Radical Feminism and Literature: Rethinking Millett's *Sexual Politics*» (1979), reimpreso en Eagleton, 1991 (ver *Textos básicos* más atrás).

Lacquer, Thomas, *Making Sex: Body and Gender from the Greeks to Freud*, Harvard University Press, Cambridge Mass. y Londres, 1990.

Lakoff, Robin, *Language and Woman's Place*, Harper & Row, Nueva York, 1975.

Miller, Nancy (ed.), *The Poetics of Gender*, Columbia University Press, Nueva York, 1986.

—, *Getting Personal: Feminist Occasions and Other Autobiographical Acts*, Routledge, Londres, 1991.

Mills, Sara, *Feminist Stylistics*, Routledge, Londres, 1995.

Mills, Sara, Pearce, Lynne, Spaull, Sue y Millard, Elaine, *Feminist Readings/Feminists Reading*, Harvester Wheatsheaf, Hemel Hempstead, 1989.

Modleski, Tania, *Feminism Without Women: Culture and Criticism in a «Postfeminist» Age*, Routledge, Londres, 1991.

Moi, Toril, *Sexual/Textual Politics: Feminist Literary Theory*, Methuen, Londres, 1985.

—, *Feminist Literary Theory and Simone de Beauvoir*, Basil Blackwell, Oxford, 1990.

Roe, Sues (ed.), *Women Reading Women's Writing*, Harvester Wueatsheaf, Hemel Hempstead, 1987.

Rose, Jacqueline, *Sexuality in the Field of Vision*, Verso, Londres, 1986.

Sellers, Susan (ed.), *Feminist Criticism: Theory and Practice*, Harvester Wheatsheaf, Hemel Hempstead, 1991.

Waugh, Patricia, *Feminine Fictions: Revisiting the Modern*, Routledge, Londres, 1989.

Weedon, Chris, *Feminist Practice and Postestructuralist Theory*, Basil Blackwell, Oxford, 1987.

Whitford, Margaret, *Luce Irigaray: Philosophy in the Feminine*, Routledge, Londres, 1991.

CAPÍTULO 7

TEORÍAS POSTESTRUCTURALISTAS

En algún momento, a finales de los años de 1960, el estructuralismo dio paso al postestructuralismo. Algunos creen que estos desarrollos posteriores se encontraban prefigurados en los inicios del movimiento estructuralista y que el postestructuralista sólo constituye el pleno desarrollo de sus posibilidades. Pero esta formulación no es del todo satisfactoria, ya que es evidente que el postestructuralismo trata de desalentar las pretensiones científicas del estructuralismo. Si había algo de heroico en el deseo del estructuralismo de dominar el mundo de los signos humanos, el postestructuralismo es cómico y antiheroico en su negativa a considerar con seriedad tales objetivos. Sin embargo, aunque el postestructuralismo se burle del estructuralismo, también se burla de sí mismo: en efecto, los postestructuralistas son estructuralistas que de pronto se dan cuenta de su error.

Es posible ver en la misma teoría lingüística de Saussure los inicios de la reacción postestructuralista. Como hemos visto, la *lengua* es el aspecto sistemático del lenguaje, que funciona como estructura apuntaladora del *habla,* el caso individual de enunciado oral o escrito. Y también el signo tiene dos partes: significante y significado son como las dos caras de una moneda. A veces, una lengua tiene una sola palabra (significante) para dos conceptos (significados): en inglés, *sheep* se refiere a la «oveja» y *mutton* a su carne pero, en francés, sólo hay una palabra, *mouton,* que asume los dos significados. Parece como si las lenguas cortasen el mundo de las cosas y las ideas en conceptos distintos (significados), por un lado, y palabras diferentes (significantes), por otro. Como dijo Saussure: «Un sistema lingüístico es una serie de diferencias de sonidos combinadas con una serie de diferencias de ideas.» El significante «cama» puede funcionar como parte de un signo porque *difiere* de «rama», «cima», «cara», etc., y estas diferencias pueden alinearse con diferentes significados. Saussure concluye con una famosa observación: «En el lenguaje, sólo hay diferencias, *exentas de términos positivos.*» Pero, antes de que lleguemos a una conclusión errónea, añade que ello sólo es cierto si tomamos significantes y significados por separado, puesto que existe una tendencia general de los significantes hacia los significados para formar una *unidad positiva.* Esta concepción de una cierta estabilidad en lo relativo a la significación, es propia de un pensador prefreudiano: al ser la relación significante/significado arbitraria, los hablantes necesitan que los significantes concretos estén firmemente unidos a los conceptos concretos y, por lo tanto, asumen que significante y significado conforman un todo unificado que mantiene una cierta unidad de sentido.

Los postestructuralistas descubrieron la naturaleza esencialmente *inestable* de la significación. Según ellos, el signo ya no es tanto una unidad con dos lados, como una «fijación» momentánea entre dos capas en movimiento. Saussure reconocía que significante y significado forman dos sistemas separados, pero no se dio cuenta de lo inestable que pueden ser las unidades de sentido cuando los dos sistemas se juntan. Después de establecer que el lenguaje es un sistema total independiente de la realidad física, intentó conservar la coherencia del signo aunque su división en dos partes amenazara con deshacerlo. Los postestructuralistas han unido de varias maneras estas dos mitades.

Sin duda, se podría objetar, la unidad del signo queda confirmada cuando utilizamos un diccionario para encontrar el sentido (significado) de una palabra (significante). De hecho, el diccionario sólo confirma el implacable aplazamiento del sentido: no sólo encontramos varios significados para cada significante («vela» puede significar bujía, vigilancia del centinela, romería, pieza de lona para impulsar los barcos, toldo o voltereta), sino que se puede seguir la pista de cada uno de los significantes, que está dotado de su propia serie de significados («bujía», además de una vela, puede ser una unidad de intensidad de luz, un dispositivo utilizado en los motores de explosión y un instrumento de cirugía). El proceso puede prolongarse de modo interminable, a medida que los significantes desarrollan su camaleónica existencia, cambiando de colores con cada nuevo contexto. El postestructuralismo ha dedicado buena parte de sus energías a seguir la pista de la insistente actividad del significante al formar cadenas y contracorrientes de sentido con otros significantes y desafiar los disciplinados requisitos del significado.

Como ya hemos señalado en el capítulo 4, los estructuralistas atacan la idea de que el lenguaje es un instrumento para reflejar una realidad preexistente o para expresar una intención humana. Creen que los «sujetos» son producidos por estructuras lingüísticas que están «siempre dispuestas» en su sitio. Las pronunciaciones de un sujeto pertenecen al reino del habla, que está gobernado por la lengua, el verdadero objeto del análisis estructuralista. Esta visión sistemática de la comunicación excluye todos los procesos subjetivos mediante los cuales los individuos interaccionan unos con otros y con la sociedad. Los críticos postestructuralistas del estructuralismo introducen el concepto de «sujeto hablante» o de «sujeto en curso». En lugar de considerar el lenguaje como un sistema impersonal, lo consideran como articulado siempre con otros sistemas y especialmente con procesos subjetivos. Esta concepción del lenguaje-en-uso se resume en el término «discurso».

Los miembros de la escuela de Bakhtin (véase el cap. 2) fueron probablemente los primeros teóricos literarios modernos en rechazar el concepto saussuriano de lenguaje. Insistieron en que todos los ejemplos de lenguaje tenían que ser considerados en un contexto social. Cada pronunciación es potencialmente el escenario de una lucha: cada palabra que se lanza al espacio social implica un diálogo y, por tanto, una interpretación rebatida. Las relaciones entre significantes y significados siempre están cargadas de interferencia y conflicto. El lenguaje no puede ser disociado limpiamente de la vida social; siempre está contaminado, intercalado de páginas en blanco, coloreado por capas de depósitos semánticos que resultan del inacabable proceso de la lucha y la interacción humanas.

Posteriormente, tuvo lugar en el pensamiento lingüístico un movimiento paralelo. En su celebrada distinción entre *histoire* (narrativa) y *discours* (discurso), Émile Benveniste trató de preservar la idea de una región no subjetivizada del lenguaje. Razonaba que un uso puramente narrativo del lenguaje (caracterizado en la ficción francesa por el uso del «pasado histórico» o tiempo «aoristo») está bastante desprovisto de intervención por parte del hablante. Esto parece negar la idea de Bakhtin de que el lenguaje-en-uso es «dialógico». La dimensión «yo-tú» se excluye en la pura narrativa, la cual parece narrarse a sí misma sin mediación subjetiva. Los diálogos contenidos en una ficción están situados y son manejables por la autoridad de la *histoire* que en sí misma carece de origen subjetivo aparente. Tal y como lo expresa Catherine Belsey, «el realismo clásico propone un modelo en el que el autor y el lector son sujetos que constituyen la fuente de significados compartidos, el origen del cual es misteriosamente extradiscursivo» (Critical Practice, 1980). Como ha quedado demostrado por Gérard Genette (véase el cap. 4) y otros muchos, la distinción *histoire/discours* carece de fundamento. Tomemos la primera frase del primer capítulo de Middlemarch de George Eliot: «Miss Brooke poseía ese tipo de belleza que parece resaltar con ropajes pobres.» A nivel de la *histoire*, se nos dice que Miss Brooke poseía un cierto tipo de belleza y la impersonal sintaxis de la frase parece conferirle objetividad y verdad. Sin embargo, la locución «ese tipo» introduce inmediatamente un nivel «discursivo»: se refiere a algo que se espera que los lectores reconozcan y confirmen. Roland Barthes habría dicho que aquí George Eliot está utilizando el «código cultural» (véase la sección sobre Barthes más adelante). Esto subraya el hecho de que el autor no sólo acepta una determinada suposición específica desde el punto de vista cultural, sino que se invoca a la relación «yo-tú» entre el autor y el lector. Los postestructuralistas estarían de acuerdo en que la narrativa nunca puede escapar del nivel discursivo. El eslogan «sólo hay discurso» requiere una explicación detallada, pero resume de forma efectiva el objetivo de este capítulo.

El pensamiento postestructuralista adopta con frecuencia la forma de una crítica del empirismo (la forma filosófica dominante en Gran Bretaña al menos desde mediados del siglo XVII en adelante). Consideraba al sujeto como la fuente de todo conocimiento: la mente humana recibe las impresiones sin las cuales se mueve y organiza en un conocimiento del mundo, que se expresa en el medio aparentemente transparente del lenguaje. El «sujeto» capta el «objeto» y lo expresa con palabras. Este modelo ha sido cuestionado por una teoría de las «formaciones discursivas» que rehúsa separar el sujeto y el objeto en dominios separados. Los conocimientos siempre se forman a partir de los discursos que preexisten a la existencia del sujeto. Incluso el propio sujeto no es una identidad autónoma o identificada, sino que está siempre «en curso» (véase más adelante sobre Kristeva y Lacan). Ha habido un cambio paralelo en la historia y la filosofía de la ciencia. T. S. Kuhn (véase el cap. 3) y Paul Feyerabend han cuestionado esta opinión en la firme progresión de conocimiento de las ciencias y han demostrado que la ciencia «progresa» en una serie de saltos e interrupciones, en un movimiento discontinuo de una formación discursiva (o «paradigma») a otra. Los científicos no dependen de percibir los objetos a través del espejo vacío de los sentidos (y sus extensiones técnicas). Conducen y escriben su investigación dentro de los límites conceptuales de los discursos científicos particulares, que están situados históricamente en relación con su sociedad y cultura.

La obra de Michel Foucault (véase más adelante) ha ido mucho más lejos trazando un mapa de las formaciones discursivas que a menudo en nombre de la ciencia han hecho posible que las instituciones ejerzan el poder y la dominación definiendo y excluyendo a los locos, los enfermos, los criminales, los pobres y los desviados. Para Foucault, el discurso es siempre inseparable del poder porque el discurso es el medio que gobierna y ordena cada institución. El discurso determina lo que es posible decir, cuáles son los criterios de la «verdad», a quién se le permite hablar con autoridad y dónde puede emitirse un discurso semejante. Por ejemplo, para graduarse en literatura inglesa hay que estudiar en una institución validada o en una que tenga correspondencia. Tan sólo los profesores reconocidos de la institución tienen permiso para determinar la forma de estudiar las materias. En un determinado período, únicamente ciertos tipos de formas de hablar y escribir son reconocidas como válidas. Los críticos marxistas de Foucault han considerado esta teoría de las formaciones discursivas excesivamente pesimistas y han sugerido formas de teorizar el discurso en términos de formaciones ideológicas que permiten de manera más rápida la posibilidad de resistencia y subversión de los discursos dominantes (véase más adelante, «El Nuevo Historicismo y el materialismo cultural»).

Louis Althusser (véase cap. 5) realizó una importante contribución a la teoría del discurso en su «Ideology and Ideological State Apparatuses» (1969). Argumenta que todos somos «sujetos» de una ideología que funciona instándonos a ocupar nuestros sitios en la estructura social. Esta convocatoria (o «interpelación») opera a través de las formaciones discursivas materialmente ligadas con los «aparatos estatales» (religioso, legal, educacional y así sucesivamente). La consciencia «imaginaria» que induce la ideología nos da una representación de la forma en que los individuos se relacionan con sus «condiciones reales de existencia», pero siendo simplemente una «imagen» serena y armónica que en realidad reprime las relaciones reales entre los individuos y la estructura social. Al traducir el «discurso» a una «ideología» Althusser lanza una acusación política a la teoría al introducir el modelo de dominación-subordinación. Adopta para sus propios propósitos la terminología psicoanalítica de Jacques Lacan (véase más adelante), quien cuestiona la concepción humanista de una subjetividad sustancial y unificada (una ilusión derivada de la fase preedípica «imaginaria» de la niñez). Sin embargo, el modelo de Althusser de formación del sujeto es más estático. Lacan concibe al sujeto como una entidad permanentemente inestable, escindida en la vida consciente del «ego» y la vida inconsciente del «deseo». Colin MacCabe ha sugerido que se puede imaginar un modelo de interpelación más lacaniano:

Una interpretación marxista de la división del sujeto en el lugar del Otro teorizaría la suposición individual del lugar producido por él o ella por el complejo de formaciones discursivas e insistiría en que estos lugares estarían constantemente amenazados e indeterminados por su inestabilidad constitutiva en el campo del lenguaje y del deseo. («On Discourse», 1981.)

La obra de Michel Pêcheux, que, de alguna manera, ofrece una explicación más elaborada de la operación de los discursos ideológicos en relación con la subjetividad, se discutirá en la sección sobre el «El Nuevo Historicismo», en el que el pesimismo de Foucault sobre la posibilidad de resistencia al poder discursivo de las ideologías es contestado por los argumentos del materialismo cultural.

ROLAND BARTHES

Barthes es sin duda el más ameno, agudo y atrevido de los teóricos franceses de los años de 1960 y 1970. Su trayectoria ha sufrido varios giros, pero siempre ha mantenido un tema central: la convencionalidad de todas las formas de representación. En uno de sus primeros ensayos, define la literatura como «un mensaje de la significación de las cosas, no su sentido (por «significación» entiendo el proceso que produce el sentido y no el sentido mismo»). De este modo, se hace eco de la definición Jakobson de la «poética» como «orientación hacia el mensaje», pero Barthes hace hincapié en el *proceso* de significación que aparece como cada vez menos predecible a medida que avanza. El mayor pecado que puede cometer un escritor es creer que el lenguaje es un medio natural y transparente, gracias al cual el lector alcanza una sólida y unificada «verdad» o «realidad». El escritor virtuoso reconoce la artificialidad de toda escritura y juega con este hecho. La ideología burguesa, la bestia negra de Barthes, promueve el escandaloso punto de vista según el cual la lectura es natural y el lenguaje transparente, insiste en considerar el significante como el compañero sensato del significado que constriñe de modo autoritario todo discurso a un sentido. Los escritores vanguardistas dejan que el inconsciente del lenguaje salga a la superficie: permiten que los significantes generen significados a voluntad, socavando la censura del significante y su represiva insistencia en un solo sentido. (Dos ensayos cortos ilustran las primeras obras estructuralistas de Barthes —pero también indican su posterior cambio hacia el postestructuralismo— son los dedicados a Brecht, reimpreso en el cap. 8 de *A Practical Reader*).

Si hay algo que señale una etapa postestructuralista en Barthes es, sin duda, el abandono de las aspiraciones científicas. En *Elementos de Semiología* (1967), afirmaba que el método estructuralista podía explicar todos los sistemas de signos de la cultura humana y admitía que el mismo discurso estructuralista podía convertirse en tema de estudio. El investigador semiótico considera su propio lenguaje como un discurso de «segundo orden» (llamado metalenguaje), que opera con todos los poderes sobre el lenguaje-objeto de «primer orden». Al darse cuenta de que cualquier metalenguaje puede convertirse en lenguaje de primer orden, Barthes entrevé una regresión infinita (una «aporía») que destruye la autoridad de todos los metalenguajes. Esto significa que, cuando leemos como críticos, nunca podemos salirnos del discurso y adoptar una posición invulnerable ante una lectura inquisitiva. Todos los discursos, incluyendo las interpretaciones críticas, son igualmente *ficticios,* ninguno puede ocupar el lugar de la Verdad.

Lo que se podría llamar la etapa postestructuralista de Barthes queda bien reflejada en su pequeño ensayo «La muerte del autor» (1968). En él, rechaza el tradicional punto de vista del autor como creador del texto, fuente de sentido y única autoridad en su interpretación. Al principio, esto quizás suene como la restauración del familiar dogma de la Nueva Crítica sobre la independencia (autonomía) de la obra literaria respecto de su fondo histórico y biográfico. La Nueva Crítica creía que la unidad de un texto radicaba no en la intención del autor, sino en su estructura, aunque esta unidad autosuficiente posea, según dicho punto de vista, conexiones subterráneas con el autor porque constituye una compleja proclamación verbal (un «icono verbal») que se corresponde con las intuiciones que éste tiene del mundo. La formulación de Barthes es totalmente radical en su rechazo de semejantes consideraciones humanistas. Su autor se encuentra desprovisto de toda posición metafísica y reducido a un lugar (una encrucijada) por donde el lenguaje, con su infinito inventario de citas, repeticiones, ecos y referencias, cruza y vuelve a cruzar. De este modo, el lector es libre de entrar en el texto desde cualquier dirección, no existe una ruta correcta. La muerte del autor es algo casi inherente al estructuralismo, ya que considera los enunciados individuales *(hablas)* en tanto productos de sistemas impersonales *(lenguas)*. Lo novedoso en Barthes es la idea de que los lectores son libres de abrir y cerrar el proceso de significación del texto sin tener en cuenta el significado, como lo son de disfrutar de él, de seguir a voluntad el recorrido del significante a medida que se desprende y escapa del abrazo del significado. Los lectores son sedes del imperio del lenguaje, pero tienen la libertad de conectar el texto con sistemas de sentido y no hacer caso de la «intención» del autor. El personaje central de Blackeyes (1987) de Denis Potter es un modelo fotográfico que posee la franqueza de una señal que espera la marca de la mirada del observador. Blackeyes expresa la «sensualidad de lo pasivo. El óvalo perfectamente formado de su rostro era un vacío sobre el que proyectar el deseo masculino. Sus grandes, luminosos y llameantes ojos no decían nada y por eso lo decían todo. Ella era flexible. Estaba allí para ser inventada, en cualquier postura, con cualesquiera palabras, una y otra vez, en un anhelo eyaculatorio». Ella es un texto postestructuralista totalmente a la merced del placer del lector. (Otros ejemplos anteriores de personajes «libres» a disposición de una inscripción del observador —nótese que son siempre mujeres— podrían ser: la viuda Wadman de Tristan Shandy, en la que Sterne deja una página en blanco para que el lector la llene con su descripción ideal de la mujer más «concupiscible» del mundo en lugar de la caracterización de Sterne; Tess, de la novela de Hardy, que muchas veces se considera que está compuesta de imágenes fijadas por la mirada masculina a la que constantemente está sometida; y Sarak Woodruff en *La mujer del teniente francés* de John Fowles, a la que el autor considera un «enigma» que no puede llegar a conocer.)

En *Le plaisir du texte* (1973), Barthes explora el temerario abandono del lector. Distingue entre dos sentidos de «placer»:

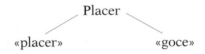

Placer es aquí «goce» *(jouissance)* y su forma atenuada, «placer». El placer general de un texto es todo lo que *excede* un simple sentido transparente. A medida que leemos, percibimos una conexión, un eco, una referencia, y esta alteración del flujo inocente y lineal del texto proporciona un placer que está relacionado con la creación de una *articulación* (grieta o falla) entre dos superficies. El lugar en que la carne desnuda encuentra una prenda de vestir es un centro de placer erótico. En los textos, el efecto se consigue con algo heterodoxo o perverso en relación con el lenguaje desnudo. Al leer la novela realista creamos otro «placer», permitiendo que nuestra atención vague o salte de un sitio a otro: «es el propio ritmo de lo que se lee y de lo que no se lee lo que crea el placer en las grandes narraciones». Esto es especialmente cierto en los escritos eróticos (aunque Barthes opina que la pornografía no tiene textos de goce porque está demasiado empeñada en ofrecer la verdad última). La más limitada lectura de placer es una práctica que se ajusta a los usos culturales. El texto de goce «desmonta los supuestos psicológicos, culturales, históricos del lector..., produce una crisis en su relación con el lenguaje». Es evidente que esta clase de texto no satisface los requisitos de placer fácil solicitados por la economía de mercado. De hecho, Barthes considera que el «goce» se encuentra muy cerca del aburrimiento: si los lectores se resisten el extático colapso de los presupuestos culturales, es inevitable que sólo encuentren aburrimiento en un texto moderno. ¿Cuántos lectores han gozado plenamente con el *Finnegans Wake* de Joyce?

El libro *S/Z* es su más impresionante obra postestructuralista. Empieza aludiendo a las vanas ambiciones de los teóricos de la narración estructuralistas que intentan «ver todas las narraciones del mundo... en el interior de una simple estructura». Este intento de descubrir *la* estructura es inútil, ya que cada texto posee una «diferencia», que no es una especie de unicidad, sino el resultado de la textualidad misma. Cada texto se refiere de modo diferente al océano infinito de lo «ya escrito». Algunos escritos intentan desanimar al lector para que no realice conexiones libres entre el texto y lo «ya escrito», insistiendo en las referencias y sentidos específicos. Una novela realista ofrece un texto «cerrado» con un sentido limitado. Otros, en cambio, animan al lector a que produzca sentidos diferentes. El «yo» que lee «es ya en sí mismo una pluralidad de otros textos», y el texto de vanguardia le otorga la mayor libertad de producir sentidos poniendo lo que se lee en relación con esa pluralidad. El primer tipo de texto *(lisible)* sólo permite al lector ser *consumidor* de un sentido establecido, el segundo *(scriptible)* convierte al lector en *productor.* Uno está hecho para ser leído (consumido), otro para ser escrito (producido). El texto «escribible» sólo existe teóricamente, aunque la descripción que de él hace Barthes recuerda los textos modernos: «este texto ideal es una galaxia de significantes, no una estructura de significados; no tiene principio... penetramos en él por diferentes entradas, ninguna de las cuales puede proclamarse la principal; los códigos que utiliza se extienden hasta donde el ojo alcanza».

¿Qué son los «códigos»?[*] Como queda claro en la cita, no son los sistemas de sentido estructuralistas que podríamos esperar. Cualquier sistema (marxista, formalista, estructuralista, psicoanalítico, etc.) que decidamos aplicar al texto activa una o más de sus virtualmente infinitas «voces». A medida que el lector adopta diferentes puntos de vista, se produce el sentido del texto en una multitud de fragmentos que no tienen una unidad inherente. *S/Z* es un análisis del cuento de Balzac *Sarrasine,* al que divide en 561 lexias (unidades de lectura). Las lexias se leen sucesivamente a través de una rejilla de cinco códigos:

---

[*] Para mayor información —relativa a *La caída de la casa Usher* de Edgar Allan Poe— véase *PTRL,* pp. 118-119.

Hermenéutico
Sémico
Simbólico
Proairético
Cultural

El código hermenéutico hace referencia al *enigma* que se plantea al comenzar el discurso. ¿De qué se trata? ¿Qué está sucediendo? ¿Cuál es el problema? ¿Quién ha cometido el asesinato? ¿Cómo conseguirá el héroe llevar a cabo su propósito? En inglés, a las historias de detectives, se les llama *whodunit* («quiénlohizo»), con lo que se resalta la especial importancia que tiene el enigma en este género. En *Sarrasine*, el enigma tiene que ver con Zambinella. Antes de que se resuelva finalmente la cuestión «¿Quién es ella?» (en realidad, es un eunuco disfrazado de mujer), el relato se prolonga, retrasando una y otra vez la respuesta: es una «mujer» (trampa), «una criatura extraordinaria» (ambigüedad), «nadie lo sabe» (respuesta confusa). El código de los «semas» se refiere a las connotaciones que a menudo se evocan en la caracterización o descripción. Una primera descripción de Zambinella presenta los semas «feminidad», «riqueza» e «irrealidad». El código simbólico afecta a las polaridades y las antítesis que posibilitan la polivalencia y la «reversibilidad». Pone de relieve los esquemas de las relaciones psicológicas y sexuales que la gente puede establecer. Por ejemplo, al presentarse a Sarrasine, éste se nos muestra en la relación simbólica de «padre e hijo» («era el único hijo de un abogado...»). La ausencia de madre (a quien no se menciona) es significativa y, cuando el hijo decide hacerse artista, pasa de ser «favorecido» por el padre a ser «condenado» por él (antítesis simbólica). Este código simbólico de la narración se desarrolla más tarde, cuando leemos que el afectuoso escultor Bouchardon toma el lugar de la madre y consigue la reconciliación entre padre e hijo. El código proairético (o código de acciones) se aplica a la secuencia lógica de acciones y comportamientos. Barthes marca una secuencia como ésa entre las lexias 95 y 101: la novia del narrador toca al viejo castrado y éste reacciona con un sudor frío; cuando sus familiares se alarman, escapa a una habitación lateral y se deja caer en un sofá, aterrorizado. Según Barthes, la secuencia está formada por las cinco etapas de la acción codificada de «tocar»: 1) tocar; 2) reacción; 3) reacción general; 4) huida, y 5) ocultación. Juntas forman una secuencia que el lector, al operar el código de modo inconsciente, percibe como «natural» o «realista». Por último, el código cultural abarca todas las referencias del fondo común de «saber» (físico, médico, psicológico, literario, etc.) producido por la sociedad. Sarrasine revela su genio «en una de esas obras en las que un futuro talento lucha con la efervescencia de la juventud» (lexia 174). «Una de ésas» es una de las fórmulas fijadas para señalar este código. Ingeniosamente, Barthes destaca una doble referencia cultural: «código de edades y código de Arte (el talento como disciplina y la juventud como efervescencia)».

¿Por qué Barthes eligió estudiar un cuento realista en lugar de un texto de goce vanguardista? La fragmentación del discurso y la dispersión de sus sentidos a través de la partitura musical de los códigos parecen negar al texto su posición clásica de obra realista. El cuento se nos muestra como «texto límite» dentro del realismo. Los elementos ambivalentes destruyen la unidad de representación que esperamos encontrar en un texto de esa clase. El tema de la castración, la confusión de roles sexuales y los misterios que rodean los orígenes de la riqueza capitalista son elementos que invitan a una lectura antifigurativa. Se tiene la impresión de que los principios del postestructuralismo se encuentran ya escritos en este texto, considerado realista.

TEORÍAS PSICOANALÍTICAS

La relación entre el psicoanálisis y la crítica literaria abarca gran parte del siglo XX. Fundamentalmente preocupada por la articulación de la sexualidad en el lenguaje, ha hecho hincapié en tres cuestiones principales en su búsqueda del «inconsciente» literario: en el autor (y su corolario, el «personaje»), en el lector y en el texto. Comienza con el análisis de Sigmund Freud de la obra literaria como síntoma del artista, donde la relación entre autor y texto es análoga a los soñadores y su «texto» (literatura = «fantasía»); está modificado por los posfreudianos en una crítica psicoanalítica lector-respuesta en la que la relación transactiva del lector al texto está en un primer término (véase el cap. 3); y es rebatida por la crítica «arquetípica» de Carl Jung en la cual, al contrario de lo que afirma Freud, la obra literaria no es el epicentro de la psicología personal del escritor o el lector, sino una representación de la relación entre el inconsciente personal y colectivo, las imágenes, mitos, símbolos, «arquetipos» de culturas pasadas. En tiempos más recientes, la crítica psicoanalítica ha sido remodelada en el contexto del postestructuralismo por la obra de Jacques Lacan y sus seguidores, en el cual el emparejamiento de una noción dinámica de «deseo» con un modelo de lingüística estructural ha sido muy innovador e influyente. Es el caso de la crítica feminista psicoanalítica (véase más atrás, el cap. 6), que, como dijo Elizabeth Wright, está preocupada por:

> la interacción de la literatura, la cultura y la identidad sexual, enfatizando la forma en que se localizan en la historia las configuraciones de género. La investigación psicoanalítica feminista quizás posee el potencial para convertirse en la forma más radical de crítica psicoanalítica, ya que tiene una crucial preocupación por la propia construcción de la subjetividad.

Para dos interpretaciones de Beloved de Toni Morrison que se inspiran en los conceptos freudianos en una investigación de la subjetividad, raza e historia, véase el ensayo de Mae G. Henderson y Peter Nicholls, *A Practical Reader*, cap. 9).

I. *Jacques Lacan*

El pensamiento occidental ha dado por sentado durante mucho tiempo la necesidad de un «sujeto» unificado. Conocer algo presuponía una conciencia unificada que realizara el conocimiento. Dicha conciencia venía a ser como una lente graduada sin la cual ningún objeto podía verse con nitidez. El medio por el cual este sujeto unificado percibía los objetos y la verdad era la sintaxis. Una sintaxis ordenada sirve para crear una mente ordenada. Sin embargo, la razón nunca ha tenido todas las cosas controladas; siempre se ha visto amenazada por los ruidos subversivos del placer (vino, sexo, música), la risa o la poesía. Los racionalistas puritanos, como Platón, siempre han vigilado esas peligrosas influencias, que pueden resumirse todas en un solo concepto: «deseo». La alteración puede ir desde el nivel simplemente literario hasta el social. El lenguaje poético muestra cómo los discursos sociales dominantes pueden verse alterados por la creación de nuevas «posiciones del sujeto». Esto implica que, lejos de constituir una tabla rasa que espera su rol social o sexual, el sujeto se halla «en curso» y es capaz de ser otro que el que es.

Los escritos psicoanalíticos de Lacan han proporcionado a los críticos una nueva teoría del «sujeto». Los críticos marxistas, formalistas y estructuralistas habían menospreciado las críticas «subjetivas» por románticas y reaccionarias, pero la crítica lacaniana ha desarrollado un análisis «materialista» del «sujeto hablante» que ha sido muy aceptada. De acuerdo con el lingüista Émile Benveniste, «yo», «él», «ella», etc., no son más que posiciones del sujeto en las que el lenguaje se asienta. Cuando hablo, me refiero a mí mismo como «yo», y a la persona a la que me dirijo como «tú». Cuando el «tú» responde, las personas se invierten: el «yo» se convierte en «tú», y así sucesivamente. Sólo nos podremos comunicar si aceptamos esta extraña reversibilidad de las personas. Por lo tanto, el ego que utiliza la palabra «yo», no se identifica con este «yo». Cuando digo «Mañana yo me licencio», el «yo» de la declaración recibe el nombre de «sujeto de lo enunciado» y el ego que la hace es el «sujeto del enunciado». El pensamiento postestructuralista registra la diferencia entre los dos sujetos, el romántico la suprimía.

Lacan considera que los sujetos humanos penetran en un sistema preexistente de significantes que sólo cobran sentido en el interior de un sistema de lenguaje. La entrada en el lenguaje nos permite encontrar la posición del sujeto en el sistema relacional (masculino/femenino, padre/madre/hija, etc.). Este proceso y las etapas que lo preceden están regidos por el inconsciente.

Según Freud, durante las primeras etapas de la infancia, los impulsos de la libido no tienen un objeto sexual definido y giran en torno de varias zonas erógenas del cuerpo (sexualidad oral, anal, fálica). Con anterioridad al establecimiento del género o la identidad todo se rige por el «principio del placer». El «principio de la realidad» sobreviene bajo la forma del padre que amenaza con el castigo de la «castración» el deseo edípico del hijo por la madre. La represión del deseo hace posible que el niño se identifique con el padre y con un rol masculino. El recorrido edípico de las mujeres es mucho menos claro. De hecho, algunas críticas feministas han atacado el sexismo de Freud. Esta fase introduce la moralidad, la ley y la religión, simbolizadas por la «ley patriarcal», y se induce el desarrollo de un «superego» en el niño. Sin embargo, los deseos reprimidos no desaparecen, sino que permanecen en el inconsciente, dando lugar a un sujeto radicalmente *dividido*. En realidad, esta fuerza de deseo *es* el inconsciente.

La distinción de Lacan entre lo «imaginario» y lo «simbólico» se corresponde con la de Kristeva entre lo «semiótico» y lo «simbólico». Este «imaginario» es un estadio en que no existe una clara distinción entre el sujeto y el objeto: no hay un yo central que separe uno del otro. En la prelingüística «fase del espejo», el niño, desde este estadio «imaginario» del ser, comienza a proyectar cierta unidad en la fragmentada imagen del espejo (que no tiene por qué ser un espejo real), produce un «ego», un ideal «ficticio». Esta imagen especular todavía es parcialmente imaginaria (no está claro si es el niño u otro), pero también es parcialmente diferenciada en tanto «otro». La tendencia imaginaria continúa después de la formación del ego, porque el mito de una personalidad unificada depende de la habilidad para identificarse con los objetos del mundo en tanto «otros». No obstante, el niño también tiene que aprender a diferenciarse de los otros si quiere convertirse en sujeto de propio derecho. Con la prohibición del padre, el niño se ve lanzado de cabeza en el mundo «simbólico» de las diferencias (masculino/femenino, padre/hijo, ausente/presente, etc.). En realidad, en el sistema de Lacan, el «falo» (no el pene, sino su símbolo) constituye el significante privilegiado que contribuye a que todos los significantes completen la unidad con sus significados. En el reino simbólico, el falo es el rey.

Ni lo imaginario ni lo simbólico pueden comprender totalmente la Realidad, que permanece fuera de su alcance. Nuestras *necesidades* instintivas son moldeadas por el discurso mediante el cual se expresa nuestra *demanda* de satisfacción. Sin embargo, este moldeado por el discurso de las necesidades no deja satisfacción, sino *deseo*, que continúa en la cadena de significantes. Cuando «yo» expreso mi deseo en palabras, siempre «me» encuentro subvertido por ese inconsciente que activa su propio juego oblicuo. Este inconsciente trabaja con sustituciones metafóricas y metonímicas, y con cambios que eluden la conciencia, aunque se revela a sí mismo en los sueños, en los chistes y en el arte.

Lacan reformula las teorías de Freud con el lenguaje de Saussure. En lo esencial, los procesos inconscientes se identifican con el inestable *significante*. Como hemos visto, Saussure intentó en vano unir los separados sistemas de los significantes y de los significados. Por ejemplo, cuando un sujeto penetra en el orden simbólico y acepta una *posición* como «hijo» o «hija», se hace posible un cierto vínculo entre significante y significado. Sin embargo, el «yo» nunca está donde pienso, el «yo» está en el eje de significante y significado, es un ser dividido, incapaz de dar a mi posición una presencia plena. En la versión del signo de Lacan, el significado se «desliza» bajo un significante que «flota». Freud consideraba que los sueños eran el principal desagüe de los deseos reprimidos. Lacan reinterpreta su teoría de los sueños como si se tratara de una teoría textual.* El inconsciente esconde el sentido en imágenes simbólicas que necesitan ser descifradas. Las imágenes de los sueños sufren «condensaciones» (combinación de varias imágenes) y «desplazamientos» (cambios de significación de una imagen a otra, contigua). Lacan llama a los primeros procesos

---

* La sección 11, pp. 81-87 de *PTRL* ofrece un relato más completo de la crítica psicoanalítica —más específicamente freudiana— en relación con Hamlet, incluyendo el ensayo del propio Lacan sobre la obra: véase la referencia cruzada con *A Practical Reader*, más abajo.

«metáforas» y a los segundos «metonimias» (véase Jakob-son, cap. 5). En otras palabras, cree que el falso y enigmá-tico sueño sigue las leyes del significante y trata los «meca-nismos de defensa» freudianos como figuras retóricas (ironía, elipsis, etc.). Cualquier deformación psíquica es vis-ta como una rareza del significante, más que como un mis-terioso impulso prelingüístico. Para Lacan, nunca ha habi-do significantes no distorsionados. Su psicoanálisis es una retórica científica del inconsciente.

Su freudismo ha animado a la crítica moderna a aban-donar la fe en el poder del lenguaje para referirse a las co-sas y expresar ideas o sentimientos. La literatura moderna se parece a menudo a los sueños en su evitar una posición narrativa rectora y en su libre juego con el sentido. Lacan escribió un debatido análisis de «La carta robada» de Poe, un relato en dos episodios. En el primero, el ministro se da cuenta de que la reina está nerviosa por una carta que ha dejado en su gabinete ante la entrada inesperada del rey, y la sustituye por otra. La reina no puede intervenir por te-mor a que el rey se entere del contenido de la carta. En el segundo episodio, el detective Dupin, incitado por el fraca-so del prefecto de policía en su intento de encontrar la car-ta en casa del ministro, la descubre en un tarjetero de su despacho. Vuelve al día siguiente, distrae al ministro y sus-tituye la carta por otra muy similar. Lacan señala que el contenido de la carta no se revela nunca. El desarrollo de la historia viene determinado no por el carácter de los in-dividuos o por el contenido de la carta, sino por la *posición* de la carta en relación al trío de personajes de cada episo-dio. Lacan define estas relaciones con la carta según tres clases de «mirada»: la primera no ve nada (el rey y el pre-fecto), la segunda ve que la primera no ve nada pero cree que el secreto está a salvo (la reina y, en el segundo episo-dio, el ministro), la tercera ve que las dos primeras dejan expuesta la carta «escondida» (el ministro y Dupin). La car-ta actúa como un significante que produce posiciones de sujeto para los personajes de la narración. Lacan considera que este cuento ilustra la teoría psicoanalítica según la cual el orden simbólico es constitutivo para el sujeto», el sujeto recibe una «orientación decisiva» del «itinerario de un sig-

nificante». Trata la historia como una alegoría del psicoanálisis, pero también considera a éste como un modelo de
ficción. La repetición de la escena primera en la segunda
está regida por los efectos de un simple significante (la carta); los personajes se mueven impulsados por el inconsciente.

Para un análisis más completo de Lacan y de la lectura
crítica que Derrida hace de él, remitimos al lector al excelente estudio de Barbara Johnson (en R. Young, *Untying the
Text*, véase bibliografía). En una brillante demostración de
pensamiento postestructuralista, introduce otro desplazamiento de sentido en la secuencia potencialmente interminable: Poe ———➤ Lacan ———➤ Derrida ———➤ Johnson.

Como parte del ímpetu del pensamiento postestructuralista, las ideas psicoanalíticas de Lacan (transmitidas también en la obra de Althusser —más atrás—; Kristeva, Deleuze y Guattari, secciones II y III —más adelante—) han dis-
frutado de un estatus central en la reciente teoría literaria
inglesa. Sin embargo, aunque el «cambio lingüístico» continúa impregnando el estudio de las formas culturales en
general, el psicoanálisis de la Escuela Británica —cuya ge-
nealogía deriva directamente de los años pasados en Londres por Freud e incluye nombres tales como Melanie
Klein, D. W. Winnicott, Wilfred Bion y R. D. Laing— ha
complicado el escenario psicoanalítico freudiano en el cual
Lacan había «postestructuralizado» mucho mientras pudo.
Se ha hecho hincapié en extender la investigación psicoanalítica práctica —en particular el estudio de los fenómenos
finalmente inteorizables detectados en las negociaciones de
transferencia/contratransferencia de todo tipo (incluyendo
las terapias de grupo), que se consideran como el núcleo del
método freudiano—. En *Good Society and the Inner World*
(1991), por ejemplo, Michael Rustin lamenta el «itinerario
de todos los mensajes vía París» y comenta la falta de interés de Lacan por «la base propia del trabajo clínico» del psicoanálisis —un sentimiento que también resumió R. W.
Connell de la siguiente forma: «los teóricos debaten la Ley
del Padre o el significado de la sublimación sin dos casos
que rocen»—. La opinión de la Escuela Británica parece
ser que incluso los «cambios de paradigma» teóricos re-

quieren unos antecedentes de «ciencia normal» atenta y que el psicoanálisis francés poslacaniano está más interesado en la teorización cultural que en profundizar en el análisis de la dinámica de los fenómenos psíquicos reales.

No obstante, el psicoanálisis de la Escuela Británica carece de un puente sofisticado entre su trabajo clínico y el discurso en el que se expresa; y puede parecer ingenuo y obsoleto en sus propuestas interdisciplinares hacia la teoría literaria (todavía encantada en su concepción de esto por F. R. Leavis y por una noción no problematizada del canon). Pese a todo, podría ser muy productivo para los estudios literarios y culturales. De particular interés es su énfasis poskleiniano en la díada niño-madre (concebida como más importante que las teorías edípica y preedípica); la creatividad interpretativa de la mente en desarrollo (independientemente de su estructuración social); y la extensión más allá del «sujeto» psicoanalítico tanto para la terapia individual como grupal. El primer tema está ya implícito en las ideas de Kristeva (véase más adelante y el cap. 6) y está tomado en gran parte de la teoría feminista; el segundo en las meditaciones de Derrida sobre Artaud y Hamlet, que revela su conocimiento de la obra de Klein —pero aquí tiene cabida una mayor cooperación—. El tercer énfasis constituye un posible puente entre lo personal y lo político como algo potencialmente fructífero, como el matrimonio de conveniencia de Althusser entre lo inconsciente y la ideología. Desde el trabajo pionero de Bion, el estudio psicoanalítico de las interacciones de grupo —a un nivel más fundamental que el discurso como tal desde el punto de vista existencial— es muy sugestivo para comprender cómo se produce la literatura en una emulación y rivalidad intertextual; por qué los movimientos críticos y teóricos (incluyendo el postestructuralismo, el Nuevo Historicismo y el posmodernismo) tienen una fuerte autoridad emotiva y también intelectual; y los términos psicoanalíticos en los cuales incluso la «ciencia dura» se desarrolla realmente. Queda, por tanto, la posibilidad de una entente *cordiale* en la cual la teoría literaria podría beneficiarse a la vez de los avances analíticos de los teóricos parisinos y de la Escuela Británica para ofrecer una explicación más completa de la compren-

sión cultural en el período desde la «Revolución Coperni-
cana» de Freud.

II. *Julia Kristeva*

La obra más importante de Kristeva sobre el sentido literario es *La révolution du langage poétique* (1974). A diferencia de la de Barthes, su teoría se basa en un sistema particular de ideas: el psicoanálisis. El libro intenta explorar el
proceso mediante el cual aquello que está ordenado y ra-
cionalmente aceptado se ve continuamente amenazado por
lo «heterogéneo» y lo «irracional».

Kristeva nos ofrece un complejo análisis psicológico de
las relaciones entre la «normalidad» y la «poesía». Desde su
nacimiento, los seres humanos son un espacio a través del
cual fluyen de modo rítmico los impulsos físicos y psíquicos.
Este flujo indefinido se ve gradualmente regulado por las
restricciones de la familia y la sociedad (hacer las necesidades en el orinal, identificación de los sexos, separación de
lo público y lo privado, etc.). Al principio, en la etapa preedípica, el flujo de impulsos se centra en la madre y no
permite la formulación de una personalidad, sino sólo una
somera demarcación de las partes del cuerpo y de sus relaciones. Este desorganizado flujo prelingüístico de movimientos, gestos, sonidos y ritmos constituye un basamento
de material semiótico que permanece activo bajo la madura
actuación lingüística del adulto. Kristeva llama «semiótico»
a este material porque funciona como un desorganizado
proceso de significación. Nos damos cuenta de esta actividad en los sueños, donde las imágenes aparecen bajo formas
«ilógicas» (para la teoría de Freud, véase Lacan, *infra*).

En la poesía de Mallarmé y de Lautréamont, estos procesos primarios se encuentran liberados de lo inconsciente
(según Lacan, *son* lo inconsciente). Kristeva relaciona la
utilización del sonido en poesía con los impulsos sexuales
primarios. La oposición *mamá/papá* enfrenta la nasal *m* y
la oclusiva *p*. La primera transmite la «oralidad» materna
y la segunda se relaciona con la «analidad» masculina.

A medida que lo semiótico se regula, los caminos trillados se convierten en la sintaxis y la racionalidad coherentes y lógicas del adulto, que Kristeva llama lo «simbólico». Lo simbólico trabaja con la sustancia de lo semiótico y consigue cierto dominio sobre él, pero no puede producir su propia sustancia significadora. Lo simbólico coloca los sujetos en sus posiciones y hace posible el que tengan una identidad. Kristeva adopta el punto de vista de Lacan en la explicación del surgimiento de dicha fase.

La palabra «revolución» que aparece en el título de su obra no es una simple metáfora. La posibilidad de un cambio social radical está, según ella, muy relacionado con la modificación de los discursos autoritarios. El lenguaje poético introduce la subversiva apertura de lo semiótico «a través» del «cerrado» orden simbólico de la sociedad: «Lo que la teoría del inconsciente busca, el lenguaje poético lo realiza, dentro y en contra del orden social.» Algunas veces, considera que la poesía moderna prefigura realmente una revolución social que se producirá en un futuro distante, cuando la sociedad haya adquirido una forma más compleja; sin embargo, otras, teme que la ideología burguesa llegue a recuperar esta revolución poética utilizándola como válvula de seguridad para los impulsos sociales reprimidos. Igualmente ambivalente es su opinión sobre el potencial revolucionario de las escritoras.

III. *Deleuze y Guattari*

Gilles Deleuze y Félix Guattari, en *Anti-Oedipus: Capitalism and Schizophrenia* (1972) y *Kafka: Pour une littérature mineure* (1975), ofrecen a la vez una crítica radical del psicoanálisis —inspirándose en Lacan, aunque trascendiéndolo— y un minucioso método textual para la lectura de textos que denominan «esquizoanálisis». Su ataque al psicoanálisis se dirige en primer lugar a su representación del deseo basado en la carencia o la necesidad, que Deleuze y Guattari consideran como un recurso capitalista que deforma el inconsciente: el complejo de Edipo, considerado como un conjunto internalizado de relaciones de poder, es el resultado de la represión del capitalismo en el seno de la familia. El esquizoanálisis, a la inversa, construiría un inconsciente en el que el deseo constituye un «flujo» sin límites, una energía que no contiene la «ansiedad» edípica, sino que es un recurso positivo de nuevos comienzos: «esquizoanálisis» significa la liberación del deseo. Allá donde el deseo inconsciente paranoico «territorializa» —en términos de nación, familia, iglesia, escuela, etc.—, un esquizofrénico «desterritorializa», ofreciendo una subversión de estas totalidades (capitalistas). En este sentido, como dijo Elizabeth Wright, «el "material psiquiátrico" de Deleuze y Guattari se convierte en un factor político en sus intentos por liberar el flujo libidinoso de lo que consideran una opresión más que una represión».

La relación de la esquizofrenia con la literatura es que esta última también puede subvertir el sistema y liberarse de él. Pero el autor/texto también necesita un «lector liberador del deseo», un «esquizoanalista», para activar sus discursos potencialmente revolucionarios. El análisis de Deleuze y Guattari de Kafka, a quien encontraban especialmente adecuado para su proyecto (su trabajo, en un concepto favorito del de ellos, es un «rizoma», «un fértil tubérculo del que brotan plantas inesperadas de su ocultamiento» [Wright]), es una ejecución brillante, minuciosa, textual, enteramente antiNueva Crítica, análisis de-deconstruir-la-deconstrucción de su obra, que expone los «vacíos» y tensiones del texto, las continuas combinaciones de imágenes variopintas y la subversión de las nociones «normales» de representación, símbolo y texto dentro del discurso psicoanalítico y otros discursos críticos literarios. Al considerar la obra no como un «texto», sino como esencialmente descodificada, la práctica de un lector/escritor esquizoanalítico «revolucionario» que «desterritorializará» cualquier representación dada: en el caso de Kafka, por tanto, dando cuenta de su fuerza «revolucionaria», exponiendo los discursos inconscientes del deseo como algo más poderosos que los de familia y estado. Sin embargo, en cuanto a Kristeva, la paradoja de la promoción que Deleuze y Guattari hacen del esquizoanálisis es que el dominio de la literatura y de la crítica literaria sólo puede ser un desplazamiento de su potencial político revolucionario.

LA DECONSTRUCCIÓN

I. Jacques Derrida

La ponencia de Derrida «*Structure, Sign and Play in the Discourse of the Human Sciences*», presentada en un congreso celebrado en la Johns Hopkins University en 1966, en la que cuestionaba los presupuestos metafísicos básicos de la filosofía occidental desde Platón, inauguró de hecho un nuevo movimiento crítico en Estados Unidos. La noción de «estructura», sostiene, incluso en la teoría «estructuralista», siempre ha dado por sentado un «centro» de sentido de alguna clase. Dicho «centro» rige la estructura, pero él mismo no es sujeto de análisis estructural (hallar la estructura del centro sería hallar otro centro). Deseamos un centro porque nos garantiza *ser en tanto presencia*, creemos que nuestra vida física y mental está centrada en un «yo», y esta personalidad es el principio de unidad que se encuentra bajo la estructura de todo lo que hay en este espacio. Las teorías de Freud destruyeron por completo esta certeza metafísica al descubrir la división entre consciente e inconsciente. El pensamiento occidental ha desarrollado innumerables conceptos que operan como principios centrales: ser, esencia, sustancia, verdad, forma, principio, final, meta, conciencia, hombre, Dios, etc. Es importante destacar que Derrida no afirma la posibilidad de pensar fuera de esos términos; cualquier intento de desmontar un concepto concreto tropieza con los términos de los que depende. Si intentamos, por ejemplo, desmontar el concepto central de «conciencia» afirmando la desorganizadora contrafuerza del «inconsciente», corremos el peligro de introducir un nuevo centro, porque no tenemos otra opción que entrar en el sistema conceptual (consciente/inconsciente) que queremos derribar. Todo lo que podemos hacer es negarnos a que uno u otro polo de un sistema (cuerpo/alma, bueno/malo, serio/no serio, etc.) se convierta en centro y garante de presencia.

En su libro clásico *De la gramatología*, Derrida llama «logocentrismo» a este deseo de centro. «Logos» es un término que en el Nuevo Testamento produce la mayor concentración posible de presencia: «Al principio era la Palabra.» Al ser el origen de todas las cosas, la «Palabra» asegura la plena presencia del mundo, todo es efecto de esa causa única. Aunque la Biblia sea una obra escrita, la palabra de Dios es esencialmente *hablada*. Una palabra hablada, emitida por un ser vivo, parece más próxima a un pensamiento generador que una palabra escrita. Derrida sostiene que el privilegiar lo hablado sobre lo escrito (lo que llama «fonocentrismo») es una propiedad clásica del logocentrismo.

¿Qué es lo que impide que el signo sea una presencia plena? Derrida inventa el término *différance* para expresar la naturaleza dividida del signo. En francés, la palabra se pronuncia igual que *différence* (diferencia) y, por lo tanto, la ambigüedad sólo se percibe por escrito. *Différer*, «diferir» puede tener dos significados: «diferir» como concepto espacial (diferenciarse), donde el signo emerge de un sistema de diferencias distribuidas en el sistema; y «diferir» como concepto temporal (aplazar), donde los significantes imponen un aplazamiento sin fin de la «presencia» (como en el ejemplo del diccionario, *supra*). El pensamiento fonocéntrico no tiene en cuenta la *différance* e insiste en la autopresencia de la palabra hablada.

El fonocentrismo trata lo escrito como una forma contaminada de lo hablado, que está más próximo del pensamiento generador. Cuando oímos palabras, les atribuimos una «presencia» que no encontramos en el escrito. Se considera que el discurso de un gran actor, orador o político posee «presencia», que encarna el alma del hablante. Los escritos parecen relativamente impuros e imponen su propio sistema con marcas físicas que tienen una permanencia relativa: lo escrito puede repetirse (se imprime, reimprime, etcétera) y esta repetición invita a la interpretación y a la reinterpretación. Inclusive cuando las palabras son motivo de interpretación, lo son normalmente en su forma escrita. Los escritos no necesitan la presencia del escritor, pero las palabras implican una presencia inmediata. Los sonidos producidos por un hablante (a menos que se graben) se deshacen en el aire y no dejan huella: por lo tanto, no parecen ensuciar el pensamiento generador como lo escrito. Los filósofos han expresado muchas veces su disgusto por lo escrito; temen que destruya la autoridad de la Verdad filosófica. Esta Verdad depende del pensamiento puro (lógica, ideas, proposiciones, etc.) y corre el riesgo de contaminarse al ser escrita. Francis Bacon creía que uno de los principales obstáculos del progreso científico era el amor a la elocuencia: «los hombres empezaron a buscar más las palabras que el tema; y más... los tropos y las figuras que la importancia del tema... y la validez del argumento». Sin embargo, tal como sugiere la palabra «elocuencia», las cualidades de lo escrito que ataca fueron las originalmente desarrolladas por los oradores. Así, esos rasgos de elaboración que en lo escrito amenazan con enturbiar la pureza del pensamiento se cultivaron en principio en el lenguaje hablado.

Esta conexión entre lo escrito y lo hablado es un ejemplo de lo que Derrida llama «jerarquía violenta». La palabra hablada tiene presencia plena, mientras que lo escrito es secundario y amenaza con contaminar el discurso con su materialidad. La filosofía occidental ha sostenido esta categorización con el fin de preservar la presencia. Pero, como ocurre en el ejemplo de Bacon, la jerarquía puede deshacerse e invertirse con facilidad. Descubrimos que lo escrito y lo hablado comparten propiedades de la escritura: ambos son procesos de significación que carecen de presencia. Y, para completar la inversión de la jerarquía, podríamos afirmar que lo hablado es una clase de escrito. Semejante inversión constituye la primera fase de la «de-construcción» de Derrida.

Derrida utiliza el término «suplemento» para expresar la inestable relación entre parejas como hablado/escrito. Para Rousseau, lo escrito era sólo un suplemento de lo hablado, que añade algo que no es esencial. En francés, *suppléer* también quiere decir «reemplazar» y Derrida demuestra que lo escrito no sólo completa, sino que además toma el lugar de lo hablado, porque lo hablado siempre está escrito. Todas las actividades humanas entrañan esta suplementariedad (adición-sustitución). Cuando decimos que la «naturaleza» precede a la «civilización», afirmamos otra jerarquía violenta en la cual la pura presencia se elogia a sí misma en detrimento del mero suplemento. Sin embargo, al observar más atentamente, encontramos que la naturaleza siempre ha estado contaminada por la civilización: no hay ninguna naturaleza «original», es sólo un mito que deseamos propagar.

Veamos otro ejemplo. El *Paraíso perdido* de Milton parece descansar sobre la distinción entre el bien y el mal. El bien posee la plenitud original del ser, se creó con Dios. El mal es un segundón, un suplemento que contamina la original unidad del ser. Aunque, también aquí, podríamos efectuar una inversión. Si buscamos un tiempo en que el bien existiera sin el mal, nos vemos inmersos en una regresión abisal. ¿Fue antes de la Caída? ¿Antes de Satanás? ¿Qué causó la caída de Satanás? El orgullo. ¿Y quién creó el orgullo? Dios, que creó a los ángeles y a los seres humanos con libertad para pecar. Nunca llegaremos a un momento original de pura bondad. Podemos, pues, invertir la jerarquía y afirmar que no existieron actos «buenos» hasta después de la Caída. El primer acto de sacrificio de Adán es una expresión de amor por la caída de Eva. Esta «bondad» sólo llega después del mal. La misma prohibición de Dios presupone el mal. En *Areopagitica,* Milton se opuso a la censura de libros porque creía que sólo podíamos ser virtuosos si teníamos la oportunidad de luchar contra el mal: «lo que nos purifica es la prueba, y la prueba se realiza mediante lo contrario». Así, el bien aparece *después* del mal. Existen muchas estrategias críticas y teológicas para sacarnos de este embrollo, pero siempre queda la base para la deconstrucción, un análisis que empieza destacando la jerarquía, luego la invierte y, finalmente, resiste la reivindicación de una nueva jerarquía desplazando también el segundo término de su posición de superioridad. Blake creía que Milton estaba del lado de Satanás en su gran poema épico, y Shelley que Satanás era moralmente superior a Dios. Lo que hicieron, simplemente, fue invertir la jerarquía y reemplazar a Dios por Satanás. Un análisis deconstructivo iría más lejos, afirmaría que no es posible establecer una jerarquía sin ejercer una violencia. El mal es tanto adición como suplemento. La deconstrucción empieza cuando localizamos el momento en que un texto *transgrede las leyes que es-*

tablece para él mismo: es el momento en que, por decirlo de algún modo, el texto se viene abajo.

En *Signature Event Context*, Derrida otorga a lo escrito tres características:

1. Un signo escrito es una marca que puede repetirse en ausencia, no sólo del sujeto que lo emitió en un contexto determinado, sino también de un receptor concreto.
2. El signo escrito puede romper su «contexto real» y leerse en un contexto diferente, independientemente de la intención del escritor —cualquier cadena de signos puede «encargarse» en un discurso pronunciado en un contexto diferente (como una cita).
3. El signo escrito está sujeto a un «espaciamiento» *(espacement)* en dos sentidos: en primer lugar, se encuentra separado de los otros signos en una cadena particular y, en segundo lugar, está separado de una «referencia presente» (esto es, se puede referir «únicamente» a algo que no está presente en él).

Estas características distinguen lo escrito de lo hablado. Lo primero entraña cierta irresponsabilidad: si los signos pueden repetirse fuera de contexto, ¿qué autoridad pueden tener? Derrida procede a deconstruir la jerarquía señalando, por ejemplo, que cuando interpretamos signos orales, tenemos que reconocer ciertas formas idénticas y estables (significantes), cualquiera que sea el acento, el tono o la deformación que puedan sufrir en su formulación. Tenemos que excluir la sustancia fónica accidental (sonido) y remontarnos a la forma pura, que es el significante repetible, que vimos como característica de lo escrito. Volvemos a encontrarnos con que lo hablado es una clase de escrito.

La teoría de J. L. Austin sobre los «actos de habla» se desarrolló para sustituir la vieja concepción lógico-positivista del lenguaje, que afirmaba que los únicos enunciados con sentido eran aquellos que describían un estado de los acontecimientos del mundo. Todos los demás no eran enunciados reales, sino «pseudoenunciados». Austin utiliza el término «constatativo» para referirse a los primeros (enunciados referenciales) y el de «ejecutivo» para aquellos enunciados que realizan las acciones que describen («Juro decir toda la verdad y nada más que la verdad» es la *ejecución* de un juramento). Derrida reconoce que esto supone una ruptura con el pensamiento logocéntrico, al reconocer que lo hablado no tiene que representar algo para tener sentido. Además, Austin distingue varios grados de fuerza lingüística. Realizar una simple declaración lingüística (decir una frase en un idioma) constituye un *acto locutivo*. Un acto de habla con fuerza *ilocutiva* implica realizar el acto (prometer, jurar, sostener, afirmar, etc.). Un acto de habla tiene una fuerza *perlocutiva* si produce un efecto (te persuado al sostener, te convenzo al jurar, etc.). Según Austin, los actos de habla deben tener contextos: un juramento sólo puede llevarse a cabo en un tribunal, dentro del marco judicial apropiado, o en cualquier otra situación en que los juramentos se lleven a cabo convencionalmente. Derrida cuestiona esto al sugerir que la repetibilidad («iterabilidad») del acto de habla es más importante que su relación con un contexto.

Austin señala que para ser ejecutivo un enunciado debe ser dicho «en serio», no como broma o en una obra de teatro o un poema. Un juramento en un decorado de Hollywood que simule un tribunal es «parasitario» con respecto a un juramento en la vida real. En «*Reiterating the differences*», la réplica a Derrida, John Searle defiende la posición de Austin y sostiene que un discurso «serio» tiene lógicamente prioridad sobre las citas ficticias y «parasitarias» que se hagan de él. Derrida examina esta cuestión y demuestra claramente que un enunciado ejecutivo «serio» no puede tener lugar a menos que sea una secuencia de signos repetible (lo que Barthes llamó lo «ya escrito»). Un juramento judicial de verdad es sólo un caso particular del juego que la gente realiza en las películas y los libros. Lo que tienen en común los enunciados ejecutivos puros de Austin y las versiones parasitarias e impuras es que implican cita y repetición, lo cual es típico de lo «escrito».

Desde su trabajo de 1966, Derrida se convirtió en una celebridad académica en Estados Unidos. La deconstrucción se extendió ampliamente por los departamentos de humanidades y Derrida obtuvo una plaza de profesor en la Universidad de Yale.

Prueba la fuerza del movimiento deconstructivista el que haya obligado a una reestructuración de las posiciones de otras importantes escuelas intelectuales. Michael Ryan, por ejemplo, ha llevado a cabo un acercamiento entre la filosofía deconstructiva y el marxismo moderno en *Marxism and Deconstruction*, obra en la que propugna la «pluralidad» en lugar de la «unidad autoritaria», la crítica en lugar de la obediencia, la «diferencia» en lugar de la «identidad» y un escepticismo general en relación con los sistemas absolutos o totalizantes.

II. *La deconstrucción norteamericana*

Los críticos norteamericanos han coqueteado con un buen número de presencias extrañas en sus intentos de expulsar el durante mucho tiempo dominante formalismo de la Nueva Crítica. La «crítica de mitos» científica de Northrop Frye, el marxismo hegeliano de Lukács, la fenomenología de Poulet y el rigor del estructuralismo francés, todas estas tendencias han tenido su momento de gloria. Es en cierto modo sorprendente que el enfoque de Derrida haya convencido a tantos críticos estadounidenses importantes, entre los cuales varios especialistas en el Romanticismo. Los poetas románticos están muy relacionados con las experiencias de las iluminaciones atemporales («epifanías») ocurridas en algún momento privilegiado de sus vidas. En su poesía, intentan volver a capturar esos «puntos de vida» y saturar sus palabras con esa presencia absoluta. También lamentan la pérdida de «presencia»: «ha desaparecido una gloria de la tierra». Por lo tanto, se explica que Paul de Man y otros hayan encontrado en la poesía romántica una invitación abierta a la deconstrucción. De hecho, De Man afirma que los románticos deconstruyeron en realidad sus propios escritos al mostrar que la presencia que deseaban estaba siempre ausente, que siempre se encontraba en el pasado o en el futuro.

Los libros de De Man *Blindness and Insight* (1979) y *Allegories of Reading* (1979) constituyen notables e importantes trabajos de deconstrucción. La deuda con Derrida es notoria, aunque De Man elabora su propia terminología. El primer libro trata del hecho paradójico de que algunos críticos sólo logren ver a través de cierta ceguera. Adoptan un método o una teoría que se contradice con las percepciones a las que llegan: «Todos estos críticos (Lukács, Blanchot, Poulet) parecen curiosamente condenados a decir algo diferente de lo que quieren decir.» Por otro lado, sólo llegan a una percepción porque se encuentran en «las garras de esa ceguera particular». La Nueva Crítica norteamericana, por ejemplo, basó su práctica en la concepción de Coleridge de la forma orgánica, según la cual un poema poseía una unidad formal análoga a la de la forma natural. Sin embargo, en lugar de descubrir en la poesía la unidad y la coherencia del mundo natural, descubrieron sentidos ambiguos y con muchas facetas: «Esta crítica unitaria se convierte al final en una crítica de la ambigüedad.» El ambiguo lenguaje poético contradice la idea de un objeto parecido a la totalidad.

De Man cree que esta percepción-en-la-ceguera se ve facilitada por un deslizamiento inconsciente de una clase de unidad a otra. La unidad que la Nueva Crítica cree descubrir con tanta frecuencia no se halla en el texto, sino en la interpretación. Su deseo de comprensión total inicia el «ciclo hermenéutico» de la interpretación. Cada elemento del texto se entiende en relación con el todo, y el todo se concibe como una totalidad hecha con todos los elementos. Este movimiento interpretativo es parte de un complejo proceso que produce la «forma» literaria. Entender de modo erróneo este «círculo» de interpretación para la unidad del texto, les ayuda a mantener la ceguera que produce la percepción del sentido dividido y múltiple de la poesía (en la cual los elementos no forman una unidad). La crítica debe ignorar la percepción que produce.

El cuestionamiento por Derrida de la dicotomía entre lo hablado y lo escrito es paralela a la que realiza de la distinción entre «filosofía» y «literatura» y entre «literal» y «figurativo». La filosofía sólo puede ser filosófica si ignora o niega su propia textualidad: si cree mantenerse a un paso de dicha contaminación. La filosofía considera la «literatura» como mera ficción, como un discurso en manos de «figuras retóricas». Al invertir la jerarquía filosofía/literatura, Derrida coloca la filosofía «bajo una tachadura»: la propia filosofía está regida por la retórica y preservada como una forma determinada de «escritura». Leer la filosofía como si fuera literatura no nos impide leer la literatura como si fuera filosofía. Derrida se niega a establecer una nueva jerarquía (literatura/filosofía), aunque algunos de sus seguidores sean culpables de semejante deconstrucción parcial. De modo similar, descubrimos que el lenguaje «literal» es en realidad un lenguaje «figurativo», cuya figuración ha sido olvidada. Sin embargo, el concepto de «literal» no es por ello eliminado, sólo deconstruido: permanece, pero «bajo una tachadura».

En *Allegories of Reading*, De Man desarrolla un modo «retórico» de deconstrucción que ya había iniciado en *Blindness and Insight*. «Retórica» es el término clásico para hacer referencia al arte de la persuasión. De Man se refiere a la teoría de los «tropos» que acompaña los tratados retóricos. Las «figuras retóricas» (tropos) permiten a los escritores decir una cosa queriendo decir otra: sustituir un signo por otro (metáfora), desplazar el sentido de un signo de una cadena a otro (metonimia), etc. Los tropos se extienden por el lenguaje, ejerciendo una fuerza que desestabiliza la lógica y, por lo tanto, niega la posibilidad de un uso franco, literal o referencial, del lenguaje. A la pregunta: «¿Té o café?», respondo: «¿Cuál es la diferencia?» Mi pregunta retórica (que significa: «Me da lo mismo») contradice el sentido «literal» de la pregunta («¿Qué diferencia hay entre el café y el té?»). De Man demuestra que, del mismo modo en que las percepciones críticas resultan de la ceguera crítica, pasajes de reflexión crítica explícita o declaraciones temáticas en los textos literarios parecen depender de la supresión de las implicaciones de la retórica utilizada en tales pasajes. De Man basa su teoría en detalladas lecturas de textos concretos y considera que son los efectos del lenguaje y la retórica lo que impide la representación directa de lo real. Sigue a Nietzsche al afirmar que el lenguaje es esencialmente figurativo y no referencial o expresivo: no existe un lenguaje original no retórico. Esto significa que la «referencia» siempre se halla contaminada por la figuralidad. Añade (aunque éste no sea el lugar para extenderse sobre ello) que la «gramática» es el tercer término que aprieta el sentido referencial en la forma figurativa.

De Man aplica estos argumentos a la propia crítica. La lectura siempre es necesariamente una «mala lectura», porque los «tropos» se interponen inevitablemente entre los textos literarios y los críticos. La obra crítica se ajusta de manera esencial a la figura literaria que llamamos «alegoría», es una secuencia de signos que está a cierta distancia de otra secuencia de signos y que intenta colocarse en su lugar. De este modo, la crítica, como la filosofía, es devuelta a la textualidad común de la «literatura». ¿Qué es lo importante de esta «mala lectura»? De Man piensa que algunas malas lecturas son correctas y otras no. Una mala lectura correcta intenta contener y no reprimir las malas lecturas inevitables que todos los lenguajes producen. En el corazón de este razonamiento se halla la creencia de que todos los lenguajes son *autodeconstructivos:* «un texto literario afirma y niega al mismo tiempo la autoridad de su propio modo retórico». El teórico deconstructivista tiene poco que hacer, excepto aceptar los propios procesos del texto. Si lo consigue, podrá llevar a cabo una mala lectura correcta.

El sofisticado procedimiento crítico de De Man no implica una negación real de la función referencial del lenguaje (la referencia simplemente se sitúa «bajo una tachadura»). Sin embargo, como los textos nunca parecen emerger de su textualidad, quizás haya algo de cierto en la opinión de Terry Eagleton de que la deconstrucción norteamericana (y, en especial, De Man) perpetúa por otros medios la disolución de la historia de la Nueva Crítica. Así; mientras la Nueva Crítica metía el texto en la «forma» para protegerlo de la historia, la deconstrucción engulle la historia en el dilatado imperio de la literatura, «considerando hambrunas, revoluciones, partidos de fútbol y bizcochos borrachos como un "texto" todavía más irresoluble». La deconstrucción no puede en teoría establecer una jerarquía texto/historia pero, en la práctica, sólo alcanza a ver el texto.

La versión retórica del postestructuralismo ha adoptado varias formas. En el terreno de la historiografía, Hayden White ha intentado llevar a cabo una deconstrucción radical de escritos bien conocidos por los historiadores. En *Tropics of Discourse* (1978) sostiene que los historiadores creen que sus narraciones son objetivas, pero no pueden escapar a la textualidad, ya que implican una estructura: «Nuestro discurso siempre tiende a resbalar sobre los datos hacia las estructuras de la conciencia con las que intentamos cogerlos.» Cuando surge una nueva disciplina, debe establecer la exactitud de su propio lenguaje hacia los objetos de su campo de estudio. Sin embargo, esto se realiza, no siguiendo un razonamiento lógico, sino por medio de un «acto *pre*figurativo más trópico que lógico». Cuando un historiador ordena su material, lo hace manejable con la silenciosa aplicación de lo que Kenneth Burke llamó «los Cuatro Tropos Básicos»: la metáfora, la metonimia, la sinécdoque y la ironía. El pensamiento histórico no es posible sino en términos de tropos. White está de acuerdo con Piaget en que esta conciencia figurativa puede formar parte de un desarrollo psicológico normal. Examina los escritos de los grandes pensadores (Freud, Marx, E. P. Thompson, entre otros) y demuestra que el «conocimiento objetivo» o la «realidad histórica concreta» se encuentran siempre determinados por los tropos básicos.

En el campo de la crítica literaria, Harold Bloom ha llevado a cabo una utilización espectacular de los tropos. A pesar de ser profesor en Yale, es menos radicalmente «textual» que De Man o que Hartman, y continúa tratando la literatura como un terreno de estudio especial. Su combinación de teoría de los tropos, psicología freudiana y misticismo cabalístico es bastante atrevida. Afirma que desde Milton, el primer poeta verdaderamente «subjetivo», los poetas han sufrido la conciencia de su «atraso»: al haber llegado tarde a la historia de la poesía, temen que sus padres poéticos ya hayan utilizado toda la inspiración disponible. Experimentan hacia ellos un odio edípico, sienten un desesperado deseo de negar la paternidad. La supresión de sus sentimientos agresivos da lugar a varias estrategias de defensa. Ningún poema se mantiene por sí solo, siempre está en relación con otro. Para escribir a pesar del atraso, los poetas deben iniciar una lucha psíquica para crear un espacio imaginario. Ello implica realizar «malas lecturas» de sus padres con el fin de llevar a cabo una nueva interpretación. Este «encubrimiento poético» produce el espacio necesario en el que pueden comunicar su auténtica inspiración. Sin esta agresiva desvirtuación del sentido de sus predecesores, la tradición ahogaría toda creatividad.

Las obras cabalísticas (escritos rabínicos que revelaban los sentidos ocultos de los libros sagrados) constituyen ejemplos clásicos de textos *revisionistas*. Bloom cree que el misticismo cabalístico de Isaac Luria (siglo XVI) es un modelo ejemplar del modo en que el poeta revisa a sus antecesores en la poesía posterior al Renacimiento. Desarrolla las tres etapas de la revisión de Luria: *limitación* (examinando de nuevo el texto), *sustitución* (reemplazando una forma por otra) y *representación* (restaurando un sentido). Cuando un poeta «fuerte» escribe, pasa repetidamente por las tres etapas de modo dialéctico, a la vez que lucha cuerpo a cuerpo con los poetas fuertes del pasado (he mantenido de modo intencionado el estilo de Bloom).

En *A Map of Misreading* (1975), traza la forma en que se produce el sentido en «las imágenes posteriores a la Ilustración, por medio del lenguaje con el que los poetas fuertes se defienden del de los poetas fuertes anteriores y lo atacan». Los «tropos» y «defensas» constituyen formas intercambiables de «relaciones revisionistas». Los poetas fuertes se las arreglan con su «ansia de influencia» utilizando separada o sucesivamente seis defensas psíquicas que aparecen en su poesía como tropos que le permitirán «esquivar» los poemas del padre. Estos seis tropos son la ironía, la sinécdoque, la metonimia, la hipérbole/lítote y la metáfora. Bloom utiliza seis palabras clásicas para describir las seis clases de relación entre los textos de los padres y los de los hijos: *clinamen, tessera, kenosis, daemonisation, askesis* y *apophrades*. El *clinamen* es el «regate» que el poeta hace para justificar una nueva dirección poética (una dirección, se sobreentiende, que el maestro hubiera cogido o hubiera tenido que coger). Esto implica una mala interpretación deliberada de un poeta anterior. *Tessera* quiere decir «fragmento»: un poeta trata los materiales de un poema precursor como si estuviera a trozos y necesitara del acabado del sucesor. El *clinamen* toma la forma retórica de la «ironía» y es la defensa psíquica llamada «reacción-formación». La ironía dice algo y quiere decir algo diferente (a veces, lo contrario). Las otras relaciones se expresan de modo similar, como tropo y defensa psíquica (*tessera* = sinécdoque = «volverse contra el yo», etc.). A diferencia de White y de De Man, Bloom no privilegia la retórica en sus análisis y sería más apropiado calificar su método de «psicocrítico».

Bloom pone especial atención en los «poemas de crisis» románticos de Wordsworth, Shelley, Keats y Tennyson. Cada poeta lucha para leer mal de modo creativo a sus predecesores, cada poema pasa por las etapas de revisión y cada etapa penetra poco a poco bajo las parejas de relaciones revisionistas. La *Ode to the West Wind* de Shelley, por ejemplo, lucha con la oda *Immortality* de Wordsworth del modo siguiente: estrofas I-II, *clinamen/tessera;* IV, *kenosis/daemonisation;* V, *askesis/apophrades*. Es necesario estudiar la tercera parte de *A Map of Misreading* para comprender el alcance del método de Bloom.

Geofrey Hartman surgió de la Nueva Crítica para lanzarse con alegre desenfado a la deconstrucción, dejando tras de sí un intermitente y temerario rastro de textos fragmentarios (reunidos en *Beyond Formalism,* 1970; *The Fate of Reading,* 1975; y *Criticism in the Wildrness,* 1980). Como De Man, considera la crítica desde el interior de la literatura, pero ha utilizado esta libertad para justificar un pillaje aparentemente aleatorio de otros textos (literarios, filosóficos, populares, etc.) y tejer su propio discurso. En un lugar, por ejemplo, escribe sobre lo discordante y extraño de las parábolas de Cristo, suavizadas por la «hermenéutica antigua» que «tendía a incorporar o reconciliar, como "el amor de la araña que lo transubstancia todo" de Donne». La frase de Donne aparece por asociación. «Transubstanciación» se utiliza en ese poema de modo metafórico, pero Hartman activa las connotaciones religiosas, su «incorporar» recoge las connotaciones de «transubstanciación» relativas a la encarnación. Y, de modo aleatorio, suprime o hace caso omiso de las ponzoñosas implicaciones de «araña» en la época de Donne. Sus escritos críticos se ven a menudo interrumpidos y complicados por semejantes referencias mal digeridas. Esta imperfección refleja la concepción de Hartman según la cual el análisis crítico no debe producir un sentido consciente, sino revelar «las contradicciones y equivocaciones» con el fin de hacer la ficción «interpretable haciéndola menos legible». Desde que la crítica forma parte de la literatura, debe ser igual de ilegible.

Hartman se revela contra la crítica erudita del sentido común: de la tradición de Matthew Arnold («dulzura y luz»). De modo más general, adopta el rechazo postestructuralista de la científica «ambición por dominar el objeto de estudio (texto, psique, etc.) por medio de fórmulas tecnocráticas, prospectivas y autoritarias». Sin embargo, también cuestiona la «divagación» especulativa y abstracta del filósofo crítico que vuela demasiado alto sin relación con los textos reales. Su propio tipo de crítica, ligeramente especulativa y densamente textual, constituye un intento de reconciliación. Teme y admira al mismo tiempo la teoría radical de Derrida. Da la bienvenida a la recién encontrada creatividad de la crítica, pero duda ante el bostezante abismo de la indeterminación, que la amenaza con el caos. Tal como ha escrito Vincent Leitch, «surge como un *voyeur* en la orilla, que mira o imagina el vado y advierte de los peligros». No obstante, no se puede dejar de pensar que las dudas filosóficas de Hartman se ven acalladas por el señuelo del placer textual. Veamos este pasaje de su análisis de *Glas*, de Derrida, que incorpora fragmentos del *Diario del ladrón* de Genet:

> *Glas* es, por lo tanto, el *Diario del ladrón* del propio Derrida y revela la vol-un-teología del escribir. Escribir es siempre robo o bricolaje del logos. El robo redistribuye el logos según un nuevo principio de equidad... como si se tratara de la volátil semilla de las flores. La propiedad, incluso bajo la forma de *nom propre*, es *non-propre* y escribir es un acto de tachar la línea del texto, de hacerla indeterminada o de descubrir el *midi* en tanto *mi-dit*.

Durante la década de 1960, J. Hillis Miller recibió una profunda influencia de la crítica «fenomenológica» de la escuela de Ginebra (véase cap. 3). Desde 1970, su obra se ha centrado en la deconstrucción de la ficción (especialmente en *Fiction and Repetition: Seven English Novels*, 1982). Esta etapa se inició con una estupenda ponencia sobre Dickens leída en 1970, en la que retomaba la teoría de la metáfora y la metonimia de Jakobson (véase cap. 4) y mostraba que el realismo de *Cuentos de Boz* no es un efecto mimético, sino figurativo. Mirando hacia Monmouth Street, Boz ve «cosas, artilugios humanos, calles, edificios, vehículos, ropa vieja en las tiendas». Estos objetos significan metonímicamente algo que está ausente: de ellos deduce «la vida que se vive entre ellos». El estudio de Miller no concluye, sin embargo, con este análisis relativamente estructuralista del realismo: señala cómo las metonímicas ropas de los muertos surgen en la mente de Boz, a medida que imagina a sus antiguos propietarios ausentes: «los chalecos casi revientan de ansiedad por ser puestos». Esta «reciprocidad» metonímica entre una persona y lo que le rodea (casa, bienes, etc.) «es la base de las sustituciones metafóricas tan frecuentes en la "ficción" de Dickens». La metonimia proclama una *asociación* entre las ropas y quien las lleva, mientras que la metáfora sugiere una *similitud* entre ellos. Primero, las ropas y el propietario se unen por el contexto y, segundo, cuando el contexto se desvanece, las ropas sustituyen al propietario. Miller percibe otra ficcionalidad más tímida en la afición de Dickens por las metáforas teatrales. Con frecuencia describe el comportamiento de los individuos como una imitación de estilos teatrales o de obras de arte (un personaje ejecuta «un admirable fragmento de pantomima seria», habla con un «susurro de escenario» y aparece más tarde «como el fantasma de la reina Ana en la escena de la tienda de Ricardo III»). Hay un aplazamiento sin fin de la presencia: todo el mundo imita o repite el comportamiento de otro, ya sea real o ficticio. El proceso metonímico anima una lectura literal (esto es Londres), mientras reconoce al mismo tiempo su figuratividad. Descubrimos que la metonimia tiene más de ficción que la metáfora. Miller deconstruye la oposición original de Jakobson entre metonimia «realista» y metáfora «poética». Una «interpretación correcta» de ellas muestra lo «figurativo como figurativo». Ambas «invitan a una mala interpretación que toma como verdadero lo que sólo son ficciones lingüísticas». La poesía, aunque sea metafórica, puede ser «leída literalmente» y la obra realista, aunque sea metonímica, está abierta a «una lectura figurativa correcta que la muestre como ficción más que como *mímesis*». Se puede objetar que Miller cae en el error de una inversión incompleta de la jerarquía metafísica (literal/figurativo). Al hablar de una «interpretación correcta» y de una «mala interpretación», se expone a los argumentos antideconstructivos de Gerald Graff (*Literature Against Itself*, 1979) quien objeta que Miller «excluye la posibilidad de que el lenguaje se refiera al mundo» y por lo tanto supone que todo texto (no sólo Dickens) pone sus propios supuestos en tela de juicio.

La obra *The Critical Difference* (1980) de Barbara Johnson contiene unos lúcidos y sutiles análisis deconstructivos sobre crítica y literatura. Demuestra que tanto los textos literarios como los críticos establecen «un sistema de diferencias que atrae al lector con la promesa de la comprensión». En *S/Z*, por ejemplo, Barthes identifica y desmonta la «diferencia» masculino/femenino del *Sarrasine* de Balzac (véase *supra*). Al desmenuzar en lexias el cuento, Barthes parece resistirse a cualquier análisis total del sentido del texto en términos de sexualidad. Johnson muestra que el análisis de Barthes privilegia sin embargo la «castración» y, aún más, que su distinción entre el texto «legible» y el «escribible» corresponde a la distinción de Balzac entre la mujer ideal (Zambinella tal como la concibe Sarrasine) y el castrado (Zambinella en realidad). De este modo, Zambinella se parece a la perfecta unidad del texto legible y al fragmentado e indeterminable texto escribible. El método de Barthes favorece de modo claro la «castración» (el desmenuzamiento). La imagen de Zambinella que tiene Sarrasine está basada en el narcisismo: su perfección (es la mujer perfecta) es la contrapartida simétrica de la masculina imagen que Sarrasine tiene de sí mismo. Esto es, Sarrasine ama «la imagen de la pérdida de lo que él mismo cree que posee». Por extraño que parezca, el castrado se encuentra «al margen de la diferencia entre los sexos, al tiempo que representa simultáneamente el reflejo literal de su ilusoria simetría». Así, Zambinella destruye la tranquilizadora masculinidad de Sarrasine al poner de manifiesto que se basa en la castración. La más importante conclusión de Johnson sobre el análisis que Barthes hace de Balzac es que el primero muestra claramente la castración, mientras el segundo la deja no dicha, con lo cual Barthes reduce la «diferencia» a una «identidad». Johnson hace esta observación, no como crítica hacia Barthes, sino como ilustración de la inevitable ceguera de la percepción crítica (como diría De Man).

MICHEL FOUCAULT

Existe otra corriente de pensamiento postestructuralista que cree que el mundo es algo más que una galaxia de textos y que algunas teorías sobre la textualidad hacen caso omiso del hecho de que el discurso está en relación con el *poder*, con lo que reducen las fuerzas políticas y económicas, el control ideológico y social a aspectos de los procesos de significación. Cuando Hitler o Stalin dirigen todo un país manejando únicamente el poder del discurso, es absurdo tratar el resultado como algo que ocurre simplemente en el interior del discurso. Es evidente que el poder real se ejerce por medio del discurso, y que este poder tiene efectos reales.

El padre de esta línea de pensamientos es el filósofo alemán Friedrich Nietzsche, quien dijo que la gente decide primero lo que quiere y luego dirige sus actos para conseguir su objetivo: «En el fondo, el hombre encuentra en las cosas aquello que les ha otorgado.» Todo conocimiento es expresión de una «voluntad de poder». Esto significa que no podemos hablar de verdades absolutas ni de conocimientos objetivos. La gente reconoce que una filosofía o una teoría científica son «verdaderas» sólo si encajan con las descripciones de verdad establecidas por las autoridades intelectuales o políticas del momento, por los miembros de la elite gobernante o por los ideólogos dominantes.

Como otros postestructuralistas, Foucault considera el discurso como la actividad humana central, aunque no como un «texto general» universal, un vasto océano de significación. Está interesado en la dimensión histórica del *cambio* discursivo. Lo que se puede decir cambia de una época a otra. En ciencia, una teoría no se ve reconocida en su época si no se adapta al poder consensual de las instituciones y los órganos científicos oficiales. Las teorías genéticas de Mendel no obtuvieron ningún eco en 1860, se promulgaron en el vacío y tuvieron que esperar hasta el siglo XX para ser aceptadas. No basta con decir la verdad, hay que «estar en la verdad».

En su primer libro sobre la «locura», Foucault encuentra difícil localizar ejemplos de discurso «loco» (excepto en la literatura: Sade o Artaud). De ello deduce que los procesos y reglas que determinan lo que se considera normal o racional logran silenciar con éxito aquello que excluyen. Los individuos que trabajan en el interior de prácticas discursivas concretas no pueden pensar o hablar sin obedecer el archivo «no hablado» de reglas y restricciones; de otro modo, corren el riesgo de ser condenados al silencio o a la locura. Este dominio discursivo no actúa sólo por exclusión, sino también por «rarificación» (cada práctica reduce su contenido y su sentido al pensar sólo en términos de «autor» y «disciplina»). Por último, también existen las restricciones sociales, especialmente el poder formativo del sistema pedagógico, que define lo que es racional y erudito.

Las obras de Foucault, en particular *Historia de la locura en la época clásica* (1961), *El nacimiento de la clínica* (1963), *Las palabras y las cosas* (1966), *Vigilar y castigar* (1975) e *Historia de la sexualidad* (1976), ponen de manifiesto el modo en que han surgido y han sido sustituidas diferentes formas de «saber». Hace hincapié en los desplazamientos que ocurren entre dos épocas; no ofrece periodizaciones, pero traza las series superpuestas de campos discontinuos. La historia es esta gama desconectada de prácticas discursivas. Cada una tiene un conjunto de reglas y procedimientos que rigen, mediante la exclusión y la reglamentación, el pensamiento y la escritura en un campo determinado. Tomados en conjunto, estos campos forman un «archivo» de cultura, su «Inconsciente positivo».

Aunque la supervisión del saber se vea a menudo asociada a nombres individuales (Aristóteles, Platón, Aquino, Locke, etc.), el conjunto de las reglas estructurales que inspiran los diferentes campos del saber se encuentra más allá de cualquier conciencia individual. La reglamentación de disciplinas específicas implica reglas muy sofisticadas para el funcionamiento de instituciones, el entrenamiento de los iniciados y la transmisión del saber. La voluntad de poder que se exhibe en esta reglamentación constituye una fuerza impersonal. Nunca podemos conocer el archivo de nuestra propia época porque es el Inconsciente desde el que hablamos. Podemos comprender un archivo anterior porque somos lo bastante diferentes y estamos alejados de él. Cuando leemos, por ejemplo, la literatura del Renacimiento, percibimos a menudo la riqueza y la exuberancia de su juego verbal. En *Las palabras y las cosas,* Foucault muestra que, en esa época, la *semejanza* jugaba un papel central en las estructuras de todos los saberes. Todo repetía otra cosa, nada permanecía aislado. Esto se ve claramente en la poesía de John Donne, cuya mente nunca descansa sobre un objeto, sino que se mueve hacia delante y hacia atrás, de lo espiritual a lo físico, de lo humano a lo divino y de lo universal a lo individual. En *Devotions,* describe en términos cósmicos los síntomas de las fiebres que casi lo matan, uniendo el microcosmos (el hombre) con el macrocosmos (el universo): sus temblores son «terremotos»; sus desvanecimientos, «eclipses»; y su aliento febril, «estrellas ardientes». Desde nuestro punto de vista moderno, podemos ver las diversas clases de correspondencia que dan forma a los discursos renacentistas, pero los escritores de la época vieron y pensaron a través de ellas y no pudieron percibirlas como nosotros lo hacemos.

Siguiendo a Nietzsche, Foucault afirma que nunca tendremos un conocimiento objetivo de la historia. Los escritores históricos siempre estarán enmarañados en tropos, nunca podrá ser una ciencia. En *Revolution and Repetition* (1979), Jeffrey Mehlman recuerda cómo Marx, en *El 18 de brumario de Luis Napoleón,* presenta la «revolución» de Luis Napoleón como una «repetición caricaturesca» de la de su tío. El análisis histórico de Marx, según Mehlman, reconoce la imposibilidad de saber; sólo existe el absurdo tropo de la «repetición». Sin embargo, Foucault no trata las estrategias empleadas por los escritores para dar sentido a la historia como simple juego textual. Tales discursos tienen lugar en un mundo real de lucha por el poder. En la política, el arte o la ciencia, el poder se consigue por medio del discurso: el discurso es «una violencia que ejercemos sobre las cosas». Las exigencias de objetividad realizada en nombre de discursos concretos siempre son espurias: no existen discursos absolutamente «verdaderos», sólo discursos más o menos poderosos. (Una descripción de la obra del discípulo norteamericano más significativo de Foucault, Edward Said, se encuentra en la sección sobre el «Poscolonialismo», cap. 9.)

EL NUEVO HISTORICISMO Y EL MATERIALISMO CULTURAL

Durante los años de 1980 el dominio de la deconstrucción en Estados Unidos fue cuestionado por una nueva teoría y práctica de historia literaria. Aunque la mayoría de postestructuralistas son escépticos en cuanto a los intentos por recuperar la «verdad» histórica, los Nuevos Historicistas creen que el trabajo de Foucault abre la puerta a una nueva forma del estudio historicista de los textos no orientada a la verdad. En Gran Bretaña tuvo lugar un acontecimiento paralelo, pero allí la influencia de Foucault se vio enriquecida por los acentos marxista y feminista.

A lo largo del siglo XIX, dos concepciones de la historia literaria han discurrido una junto a otra. Una la presentaba como una serie de monumentos aislados, logros de genios individuales. La otra era «historicista» y consideraba la historia de la literatura como una parte de una historia cultural más amplia. El historicismo fue el resultado del idealismo hegeliano y, más tarde, del naturalismo evolutivo de Herbert Spencer. Varios «historicistas» de renombre estudiaron la literatura en el contexto de la historia social, política y cultural. Vieron la historia literaria de una nación como la expresión de su «espíritu» en evolución. Thomas Carlyle resumió su opinión cuando escribió: «La historia de la poesía de una nación es la esencia de su historia, política, ciencia y religión» (*Edinburgh Review*, 53, n.º 105, 1831).

En 1943, E. M. W. Tillyard publicó un relato historicista de enorme influencia en la cultura en la época de Shakespeare —*The Elizabethan World Picture*—. En él razonaba, a la manera hegeliana, que la literatura de ese período expresaba el espíritu de la época, que se centraba en ideas sobre el orden divino, la cadena del ser y las correspondencias entre las existencias terrenales y celestiales. Para Tillyard, la cultura isabelina era un sistema sin fisuras, unificado en los significados, que no podía ser alterado por voces poco ortodoxas o disidentes. Creía que los isabelinos consideraban el «desorden» como algo completamente ajeno a la norma ordenada de manera divina y las figuras desviadas, como la de Christopher Marlowe, nunca llegaron a desafiar seriamente la visión del mundo establecida de esta época.

Los Nuevos Historicistas, como Tillyard, trataron de establecer las interconexiones entre la literatura y la cultura general de un período. Sin embargo, en todos los demás sentidos se separaron del planteamiento de Tillyard. La revolución intelectual postestructuralista de los años de 1960 y 1970 cuestiona el viejo historicismo en diversos ámbitos y establece un nuevo conjunto de supuestos:

1. La palabra «historia» tiene dos significados: *a*) «los acontecimientos del pasado», y *b*) «explicar una historia sobre los acontecimientos del pasado». El pensamiento postestructuralista deja claro que la historia siempre es «narrada» y que, por tanto, la primera acepción es insostenible. El pasado nunca puede estar disponible en forma pura, sino siempre en forma de «representaciones»; después del postestructuralismo, la historia se convierte en algo textualizado.

2. Los períodos históricos no son entidades unificadas. No hay una única «historia», tan sólo «historias» discontinuas y contradictorias. No había una única visión isabelina del mundo. La idea de una cultura uniforme y armoniosa es un mito impuesto por la historia y propagado por las clases dominantes en sus propios intereses.

3. Los historiadores ya no pueden reivindicar que su estudio del pasado es independiente y objetivo. No podemos trascender nuestra propia situación histórica. El pasado no es algo que nos confronte como si fuéramos un objeto físico, sino algo que construimos a partir de textos escritos de todo tipo que interpretamos de acuerdo con nuestras preocupaciones históricas particulares.

4. Las relaciones entre la literatura y la historia tienen que ser

repensadas. No hay una «historia» estable y fija que se pueda tratar como «los antecedentes» contra los que se puede enmarcar la literatura. Toda la historia (historias) es «el marco». La «historia» es siempre una cuestión de explicar una historia sobre el pasado, utilizando otros textos como nuestros intertextos. Los textos «no literarios» producidos por abogados, escritores populares, teólogos, científicos e historiadores no deberían ser tratados como si pertenecieran a un orden de textualidad diferente. Las obras literarias no deberían ser consideradas como expresiones sublimes y trascendentes del «espíritu humano», sino como textos entre otros textos. No podemos aceptar que un mundo «interior» privilegiado de grandes autores se compare con el marco del mundo «exterior» de la historia ordinaria.

Los Nuevos Historicistas norteamericanos y sus iguales en Gran Bretaña, los «materialistas culturales» (el término lo tomó prestado Jonathan Dollimore de Raymond Williams), han producido un corpus sustancial de obras sobre la sociedad y la literatura del Renacimiento, sobre el romanticismo y —modulados de forma diferente— sobre la sexualidad y la estética «transgresoras» (véase más adelante y en el cap. 10). Las dos influencias clave en su obra son Michel Foucault y Louis Althusser, de acuerdo con los cuales la «experiencia» humana está formada por instituciones sociales y concretamente por discursos ideológicos. Ambos consideran que la ideología está constituida de forma activa a través de la lucha social y ambos muestran cómo a otro nivel las ideologías dominantes sostienen y mantienen las divisiones sociales en su sitio. La teoría de Althusser abandona la interpretación ortodoxa de la ideología como «falsa conciencia» en favor de una teoría que sitúa claramente la ideología dentro de instituciones materiales (políticas, jurídicas, educacionales, religiosas, etc.) y concibe la ideología como un cuerpo de prácticas discursivas que, cuando son dominantes, sostienen a los individuos en sus sitios como «sujetos» (los sujeta). Cada individuo es «interpelado» (o «aclamado») como sujeto por diversos discursos ideológicos, que juntos sirven a los intereses de las clases gobernantes. Foucault (véase la sección anterior) también hace hincapié en que los discursos siempre tienen sus raíces en instituciones sociales. Muestra cómo el poder político y social opera a través del discurso. Por ejemplo, ciertas dicotomías son impuestas como definitivas de la existencia humana y funcionan de formas que tienen un efecto directo en la organización social. Se producen unos discursos en los que los conceptos de locura, criminalidad, anormalidad sexual, etc., se definen en relación a los conceptos de sensatez, justicia y normalidad sexual. Semejantes formaciones discursivas determinan y limitan masivamente las formas de conocimiento, los tipos de normalidad y la naturaleza de la «subjetividad» que prevalece en determinados períodos. Por ejemplo, los foucauldianos hablan del surgimiento del «alma» o de la «privatización del cuerpo» como «eventos» producidos por la cultura burguesa que surgió durante el siglo XVII. Las prácticas discursivas carecen de validez universal, pero son formas históricamente dominantes de controlar y preservar las relaciones sociales de explotación.

Estas ideas han revolucionado el estudio de la literatura romántica y, en especial, de la renacentista. Los Nuevos Historicistas Stephen Greenblatt, Louis Montrose, Jonathan Goldberg, Stephen Orgel y Leonard Tennenhouse exploran las formas en las que los textos literarios isabelinos (sobre todo, el teatro, la mascarada y la literatura pastoril) representaban las preocupaciones de la monarquía Tudor, reproduciendo y renovando los poderosos discursos que sostenían el sistema. Consideran la monarquía como el eje central que gobierna la estructura de poder. Aunque algunos americanos han disentido de esta versión algo «racionalista» de Foucault, en general se ha asociado a los Nuevos Historicistas norteamericanos con una comprensión pesimista del poder discursivo en las representaciones literarias del orden social isabelino y jacobiano. Aunque muchas de las obras de Shakespeare expresan ideas subversivas, piensan que semejantes cuestionamientos del orden social dominante siempre están «contenidas» dentro de los términos de los discursos que mantienen ese orden social en su lugar. La resistencia de Falstaff al orden monárquico, por ejemplo, es en último término un valioso modelo negativo para Hal, quien de esta forma logra rechazar eficazmente el desafío desordenado de Falstaff a la normalidad y a asumir el poder real. Con frecuencia Greenblatt conside-

ra la subversión como una expresión de una necesidad íntima: siempre definimos nuestras identidades en relación con
lo que no somos y por tanto lo que no somos (nuestros Fals-
taffs) tiene que ser demonizado y objetificado como «otros».
Los locos, los desenfrenados y los extraños son «otros» in-
ternalizados que nos ayudan a consolidar nuestra identidad:
su existencia sólo se permite en tanto que evidencia de la
justicia del poder establecido. Greenblatt concluye de forma
pesimista en su «Epílogo» a *Renaissance Self-Fashioning*
(1980): «En todos mis textos y documentos, que yo sepa, no
había momentos de subjetividad pura y liberada; en efecto,
el propio sujeto humano empezó a parecer a todas luces
cautivo, el producto ideológico de las relaciones de poder en
una sociedad determinada.» Semejante opinión, en el contexto de la sociedad norteamericana contemporánea, constituye una expresión de la «política» de desesperación cultural.

Más recientemente, ha hecho su aparición otra inflexión
del Nuevo Historicismo, centrada fundamentalmente en el
terreno de caza favorito de la Deconstrucción norteamericana, el romanticismo —y por tanto señalando su desafío
estratégico al trabajo «idealizador» de Bloom, De Man,
Hartman *et al.*—. Los críticos de ambos lados del Atlántico
están asociados con su proyecto general, incluyendo a John
Barrell, David Simpson, Jerome McGann, Marilyn Butler,
Paul Hamilton y Marjorie Levinson. Influenciado en parte
por la obra de Althusser, Macherey, Jameson y Eagleton,
este Nuevo Historicismo —de acuerdo con Levinson, «a la
vez materialista y deconstructivo»— despliega la «imaginación histórica» para restaurar a una obra literaria esos significados contemporáneos que inscriben la matriz en los
que están modelados, pero que no están escritos conscientemente «en» la obra. Estos «significados» serán desde el
punto de vista ideológico «puntos conflictivos» más allá de
la percepción del escritor; pero al adoptar una postura dentro del marco de referencia ideológico del escritor, la crítica que realiza el Nuevo Historicismo adquiere «la capacidad de conocer una obra como si ni ella ni sus lectores
originales ni su autor pudieran conocerla» (*Wordsworth's
Great Period Poems: Four Essays*, 1986). Resituar los textos

en el complejo marco discursivo del período en el que se originaron mediante una lectura alusiva detallada de los mismos en sus relaciones intertextuales con otros discursos contemporáneos políticos, culturales y «populares» lleva al Nuevo Historicismo mucho más allá de la antigua yuxtaposición historicista de «texto y contexto». Pero ha recibido duras críticas por despolitizar efectivamente la literatura guardándola bajo llave en su «propio» pasado —incapaz, como era, de «hablar» al presente— y para borrar la postura y el rol interpretativo (ideológico) del crítico que está leyendo el presente.

Los «materialistas culturales» británicos, bajo la influencia de Althusser y Mikhail Bakhtin (véanse los caps. 5 y 2 respectivamente), han desarrollado un tipo de historicismo más radical desde el punto de vista político y han cuestionado el «funcionalismo» de Greenblatt (sobre esta diferencia, véase el ensayo de Lisa Jardine sobre *Hamlet* en *A Practical Reader*, cap. 1). Consideran que Foucault presupone una estructura de poder más precaria e inestable y con frecuencia pretenden derivar de su trabajo una historia de «resistencias» a las ideologías dominantes. Jonathan Dollimore, Alan Sinfield, Catherine Belsey, Francis Barker y otros han adoptado algunos de los refinamientos que se pueden encontrar en *Marxism and Literature* (1977) de Raymond Williams, en especial su distinción entre los aspectos «residual», «dominante» y «emergente» de la cultura. Al sustituir el concepto de Tillyard de un único espíritu de la época por el modelo de cultura más dinámico de Williams han liberado un espacio para la exploración de la compleja totalidad de la sociedad renacentista incluyendo sus elementos subversivos y marginalizados. Afirman que cada historia del sometimiento también contiene una historia de la resistencia y que esta resistencia no es sólo un síntoma de y una justificación para el sometimiento, sino la verdadera marca de una «diferencia» inerradicable (véase Derrida más atrás) que siempre evita que el poder cierre la puerta al cambio. Otra importante preocupación de Dollimore y otros se refiere a las «asignaciones» de las representaciones culturales del Renacimiento que tuvieron lugar en esa época y en años posteriores. Los significados de los textos literarios nunca están totalmente fijados por algún criterio universal, sino que están siempre en juego y sujetos a asignaciones específicas (a menudo políticas radicales), incluyendo a las de los propios materialistas culturales. Catherine Belsey ha utilizado el término más neutral de «historia cultural» para describir su perspectiva aguda y política de la tarea que queda pendiente. Insta a la nueva historia a adoptar la perspectiva del «cambio, la diferencia cultural y la relatividad de la verdad» y a dar prioridad a la «producción de conocimientos alternativos» y de «posiciones alternativas sometidas», algo que ella pretende hacer en obras más recientes como *The Subject of Tragedy* (1985), y *Desire: Love Stories in Western Culture* (1994).

Algunas de las herramientas teóricas que requiere el programa de Belsey han sido desarrolladas en *Language, Semantics and Ideology* (1975) de Michel Pêcheux. Combina el marxismo althusseriano, la lingüística moderna y el psicoanálisis en un intento por desarrollar una nueva teoría del discurso y la ideología. Althusser describió el proceso de la «interpelación» por el cual los sujetos identifican con los discursos de determinados aparatos ideológicos estatales. Pêcheux reconoce la necesidad de desarrollar la teoría de modo que permita la posible resistencia del sujeto a las formaciones discursivas que transmiten posiciones ideológicas. Puede ser cierto que la ideología religiosa funciona interpelando a los individuos como sujetos de Dios. Sin embargo, también necesitamos términos para describir la respuesta negativa o subversiva de los ateos y las nuevas religiones. Pêcheuz resuelve este problema proponiendo tres tipos de sujeto:

1. El «sujeto bueno», que acepta «libremente» la imagen de sí mismo que es proyectada por el discurso en cuestión en un acto de «identificación» total («Al fin me he encontrado a mí mismo»).

2. El «sujeto malo» que rechaza la identidad ofrecida por el discurso en un acto de «contra-identificación» («Lo siento, no me creo nada de eso»).

3. El sujeto que adopta una «tercera modalidad» transformando la posición del sujeto que se le ofrece en un acto de «desidentificación» («No creo en esa clase de dios»).

Los Nuevos Historicistas norteamericanos tienden a considerar las estructuras de poder como si sólo permitieran la identificación y la contra-identificación. Los exponentes británicos pertenecen a una tradición más radical políticamente y están mucho más interesados en la posibilidad de sujetos que no sólo rehúsen las posiciones de sujetos ofrecidas, sino que en realidad produzcan otras nuevas.

La obra de Mikhail Bakhtin (véase el cap. 2) ha sido utilizada por algunos Nuevos Historicistas como forma de escapar de la aparente clausura estructural de la teoría histórica de Foucault. La obra de Michael Bristol, *Carnival and Theater: Plebian Culture and the Structure of Authority in Renaissance England* (1985), utiliza el concepto de Bakhtin de «carnaval» con el fin de introducir un modelo más abierto de producción cultural. Afirma que Greenblatt y Dollimore no lograron reconocer la vitalidad y el poder de la cultura popular en el período isabelino. Bakhtin considera el «carnaval» como una «segunda cultura» que se oponía a la cultura oficial y que era desarrollada por el pueblo durante la Edad Media y ya entrada la Época Moderna. La idea de Bakhtin de que el Carnaval introduzca en las estructuras oficiales «una indeterminación, una cierta apertura semántica» podría muy bien ofrecer una forma para describir cómo deben responder los sujetos a los discursos dominantes a través de las modalidades de «contra-identificación» o incluso de «desidentificación»: Bristol resume el modo potencialmente subversivo del carnaval como sigue: «Al llevar los símbolos privilegiados y los conceptos oficialmente autorizados a una relación familiar con la experiencia cotidiana, el carnaval alcanza la transformación descendente o "sin coronar" de las relaciones *de jure* de dependencia, expropiación y disciplina social.» Naturalmente algunos foucauldianos replicarían que el carnaval también es una expresión oficialmente permitida y cuidadosamente controlada de subversión que, por su forma ritualizada, sólo confirma el poder de la autoridad de la que se burla.

Como hemos visto, los términos «Nuevo Historicismo» y «materialismo cultural» cubren un amplio abanico de planteamientos del estudio de la literatura y la historia. Como cabría esperar, estos nuevos planteamientos han cuestionado el canon recibido de obras literarias en las historias literarias ortodoxas, a menudo conjuntamente con la crítica feminista, poscolonialista y gay lesbiana (véase el cap. 10 para la última; y para ver ejemplos de la reinflexión del materialismo cultural con la teoría y la crítica *queer*, véanse los ensayos de Jonathan Dollimore y Alan Sinfield sobre Oscar Wilde en el cap. 5 de *A Practical Reader*). Recientemente este desafío ha sido lanzado en el ámbito de los Estudios Americanos en obras de Sacvan Bercovitch, Myra Jehlen, Philip Fisher y Henry Louis Gates Jr. (véase el capítulo 9 para un esbozo de la obra de Gates). Al discutir el canon de la literatura norteamericana del siglo XIX, algunos Nuevos Historicistas, como Jane Tomkins y Cathy Davidson, han llamado la atención hacia el género popular y el de ficción. La novela sentimental, por ejemplo, al decir de Tomkins, «ofrece una crítica de la sociedad norteamericana mucho más devastadora que cualquiera de las que hayan podido emitir críticos más conocidos como Hawthorne y Melville». Sin embargo, al mismo tiempo, se ha argumentado que en gran parte de la crítica del Nuevo Historicismo, los desafíos al canon han supuesto «menos la detección de sus "otros"... que un cuestionamiento repetido de los textos privilegiados familiares que, aunque los lanza a una nueva perspectiva, deja al propio canon bastante más intacto». Una vez más, se cree que el materialismo cultural británico supone un desafío más decisivo, abriendo la cultura popular británica de posguerra y la sociedad a un análisis politizado en ámbitos en los que las técnicas de los Nuevos Historicistas son utilizadas por los Estudios Culturales. La tradición británica ha intentado diferenciarse de lo que considera una lectura norteamericana limitada de Foucault. Sin embargo, hay una rica fusión de corrientes radicales de pensamiento historicista que sugiere la posibilidad de corrientes angloamericanas convergentes. El desarrollo de la nueva historia literaria también ha significado que el antiguo dominio de la deconstrucción en Estados Unidos ha concluido y una gran parte de nuevas obras interesantes (por ejemplo, como ya hemos visto, de los Nuevos Historicistas y de los teóricos postestructuralistas como Jonathan Culler y Christopher Norris) reconoce que la deconstrucción tiene que responder al desafío de los tipos foucauldiano y althusseriano de nueva historia.

La crítica estructuralista se proponía dominar el texto y desvelar sus secretos. Los postestructuralistas piensan que este propósito es vano porque existen fuerzas inconscientes, o históricas, o lingüísticas, que no pueden ser dominadas. El significante se aleja del significado, la *jouissance* disuelve el sentido, lo semiótico altera lo simbólico, la *différance* establece una brecha entre el significante y el significado, y el poder desorganiza el saber establecido. Los postestructuralistas plantean cuestiones; más que dar respuestas, se aferran a las diferencias que existen entre lo que el texto dice y lo que creen que dice. Ven el texto luchando contra sí mismo y se niegan a forzarlo para que *signifique* algo. Niegan la particularidad de la «literatura» y llevan a cabo una deconstrucción de los discursos no literarios, leyéndolos como si fueran literatura. Quizás nos irrite esta incapacidad para llegar a una conclusión, pero son coherentes con su intento de evitar el logocentrismo. Sin embargo, como admiten a menudo, su deseo de resistirse a las afirmaciones está en sí mismo condenado al fracaso porque sólo no diciendo nada podrán evitar que pensemos que quisieron decir algo. Este resumen de sus puntos de vista lleva implícito su fracaso. No obstante, Foucault y los Nuevos Historicistas inician un nuevo tipo de teoría histórica intertextual que es inevitablemente intervencionista ya que participa en el proceso de rehacer el pasado. En el materialimo cultural se hace más explícito un compromiso con las voces transgresoras y de oposición. Como tal, aunque se inspira en el postestructuralismo, cuestiona las reivindicaciones de algunas de sus versiones para liberar un inocente juego libre de significados.

Bibliografía seleccionada

Textos básicos

Barthes, Roland, *S/Z* (1970), trad. R. Miller, Hill & Wang, Nueva York; Jonathan Cape, Londres, 1975*a*.

—, *The Pleasure of the Text*, trad. R. Miller, Hill & Wang, Nueva York; Nueva York, 1975*b*.

—, «The Death of the Author», en *Image-Music-Text*, trad. S. Heath, Hill & Wang, Nueva York; Fontana, Londres, 1977.

Bloom, Harold, *The Anxiety of Influence: A Theory of Poetry*, Oxford University Press, Nueva York y Londres, 1973.

—, *A Map of Misreading*, Oxford University Press, Nueva York, Toronto, Melbourne, 1975.

—, *The Western Canon*, Macmillan, Londres, 1995.

Deleuze, Gilles y Guattari, Félix, *Kafka: Pour une littérature mineure*, Les Éditions de Minuit, París, 1975.

—, *Anti-Oedipus: Capitalism and Schizophrenia* (1972), Viking Press, Nueva York, 1977.

De Man, Paul, *Blindness and Insight: Essays in the Rhetoric of Contemporary Criticism*, Oxford University Press, Nueva York, 1971.

—, *Allegories of Reading: Figural Language in Rousseau, Nietzsche, Rilke, and Proust*, Yale University Press, New Haven, 1979.

—, *The Resistance to Theory* (1986), Manchester University Press, Manchester, 1987.

Derrida, Jacques, *Positions*, University of Chicago Press, Chicago, 1981), y Kamuf, más adelante.

Dollimore, Jonathan, *Radical Tragedy: Religion, Ideology and Power in the Drama of Shakespeare and his Contemporaries*, Harvester Wheatsheaf, Hemel Hempstead, 1984; 2.ª ed., 1989.

—, *Sexual Dissidence: Augustine to Wilde, Freud to Foucault*, Oxford University Press, Oxford, 1991.

Dollimore, Jonathan y Sinfield, Alan (eds.), *Political Shakespeare: New Essays in Cultural Materialism*, Manchester University Press, Manchester, 1985.

Foucault, Michel, *Language, Counter-Memory, Practice, Selected Essays and Interviews*, ed. D. F. Bouchard, Basil Blackwell, Oxford; Cornell University Press, Ithaca, 1977.

—, *The Foucault Reader*, ed. Paul Rabinov, Penguin, Harmondsworth, 1986.

Greenblatt, Stephen, *Renaissance Self-Fashioning: from More to Shakespeare*, University of Chicago Press, Chicago, 1980.

—, *Representing the English Renaissance*, California University Press, Berkeley, 1991*a*.

—, *Shakespearean Negotiations: The Circulation of Social Energy in Renaissance England*, California University Press, Berkeley, 1991*b*.

Harari, Josué V. (ed.), *Textual Strategies: Perspectives in Post-Structuralist Criticism*, Cornell University Press, Ithaca, 1979.

Hartman, Geoffrey H., *Criticism in the Wilderness*, Johns Hopkins University Press, Baltimore y Londres, 1980.

Hartman, Geoffrey, *Saving the Text: Literature/Derrida/Philosophy*, Johns Hopkins University Press, Baltimore, 1981.

—, *Easy Pieces*, Columbia University Press, Nueva York, 1985.

Johnson, Barbara, *The Critical Difference: Essays in the Contemporary Rhetoric of Reading*, Johns Hopkins University Press, Baltimore y Londres, 1980.

Kamuf, Peggy (ed.), *A Derrida Reader: Between the Blinds*, Prentice Hall/Harvester Wheatsheaf, Hemel Hempstead, 1991.

Kristeva, Julia, *The Kristeva Reader*, ed. Toril Moi, Basil Blackwell, Oxford, 1986.

Lacan, Jacques, *Ecrits: A Selection*, trad. A. Sheridan, Tavistock, Londres, 1977.

Laplanche, Jean y Pontalis, Jean-Baptiste, *The Language of Psycho-Analysis*, trad. D. Nicholson-Smith, Hogarth Press, Londres, 1973.

Levinson, Marjorie, *Wordsworth's Great Period Poems: Four Essays*, Cambridge University Press, Cambridge, 1986.

Levinson, Marjorie; Butler, Marilyn; McGann, Jerome y Hamilton, Paul (eds.), *Rethinking Historicism*, Blackwell, Oxford, 1989.

McGrann, Jerome, *Romantic Ideology: A Critical Investigation*, Chicago University Press, Chicago, 1980.

Miller, J. Hillis, *Fiction and Repetition: Seven English Novels*, Harvard University Press, Cambridge, MA, 1982.

—, *The Ethics of Reading: Kant, De Man, Eliot, Trollope, James and Benjamin*, Columbia University Press, Nueva York, 1987).

—, *Tropes, Parables and Performatives: Essays on Twentieth Century Literature*, Harvester Wheatsheaf, Hemel Hempstead, 1990.

Pêcheux, Michel, *Language, Semantics and Ideology*, 1975; traductor Harbans Nagpal, Macmillan, Basingstoke, 1982.

Ryan, Kiernan (ed.), *New Historicism and Cultural Materialism: A Reader*, Arnold, Londres, 1996.

Ryan, Michael, *Marxism and Deconstruction: A Critical Articulation*, Johns Hopkins University Press, Baltimore y Londres, 1982.

Simpson, David, *Wordsworth's Historical Imagination*, Methuen, Londres, 1987.

Sinfield, Alan (ver también con Dollimore, atrás), *Faultiness: Cultural Materialism and the Politics of Dissident Reading*, Clarendon Press, Oxford, 1992.

—, *Cultural Politics - Queer Reading*, Routledge, Londres, 1994.

White, Hayden, *Tropics of Discourse: Essays in Cultural Criticism*, Johns Hopkins University Press, Baltimore, 1978.

Young, Robert (ed.), *Untying the Text: A Post-Structuralist Reader*, Routledge & Kegan Paul, Boston, Londres y Henley, 1981.

Lecturas avanzadas

Aers, Lesley y Wheale, Nigel, *Shakespeare and the Changing Curriculum*, Routledge, Londres, 1991.

Belsey, Catherine, *Critical Practice*, Routledge, Londres, 1980.

—, *The Subject of Tragedy: Identity and Difference in Renaissance Drama*, Methuen, Londres, 1985.

—, *Desire: Love Stories in Western Culture*, Blackwell, Oxford, 1994.

Bercovitch, Sacvan (ed.), *Reconstructing American Literary History*, Harvard University Press, Cambridge, MA, 1986.

Bogue, Ronald, *Deleuze and Guattari*, Routledge, Londres, 1989.

Bristol, Michael, *Carnival and Theatre: Plebeian Culture and the Structure of Authority in Renaissance England*, Methuen, Londres y Nueva York, 1985.

Brown, Dennis, *Intertextual Dynamics within the Literary Group - Joyce, Lewis, Pound and Eliot: The Men of 1914*, Routledge & Kegan Paul, Londres, 1990.

Coward, Rosalind y Ellis, John, *Language and Materialism: Developments in Semiology and the Theory of the Subject*, Routledge & Kegan Paul, Londres, 1977.

Culler, Jonathan, *On Deconstruction: Theory and Criticism after Structuralism*, Routledge & Kegan Paul, Londres, 1983.

Dews, Peter, *Logics of Disintegration: Post-Structuralist Thought and the Claims of Critical Theory*, New Left Books, Londres, 1987.

Drakakis, John (ed.), *Shakespearean Tragedy*, Longman, Londres, 1991.

During, Simon, *Foucault and Literature: Towards a Genealogy of Writing*, Routledge, Londres, 1992.

Easthope, Antony, *British Post-Structuralism: Since 1968*, Routledge, Londres, 1991.

Felman, Shoshana (ed.), *Literature and Psychoanalysis: The Question of Reading - Otherwise*, Johns Hopkins University Press, Baltimore, 1982.

Fisher, Philip (ed.), *The New American Studies*, California University Press, Berkeley, 1991.

Healy, Thomas, *New Latitudes: Theory and English Renaissance Literature*, Arnold, Londres, 1992.

Howard, Jean E. y O'Connor, Marion F. (eds.), *Shakespeare Reproduced: The Text in History and Ideology*, Methuen, Nueva York, 1987.

Lechte, John, *Julia Kristeva*, Routledge, Londres, 1990.

MacCabe, Colin, *James Joyce and the Revolution of the Word*, Macmillan, Basingstoke, 1979.

—, *The Talking Cure: Essays in Psychoanalysis and Language*, Macmillan, Londres y Basingstoke, 1981.

Macdonell, Diane, *Theories of Discourse: An Introduction*, Basil Blackwell, Oxford, 1986.

Mapp, Nigel, «Deconstruction», en *Encyclopaedia of Literature and Criticism*, Martin Coyle *et al.* (eds.), Routledge, Londres, 1990.

Michaels, Walter Benn y Pease, Donald (eds.), *The American Renaissance Reconsidered*, Johns Hopkins University Press, Baltimore, 1985.

Mitchell, Juliet y Rose, Jacqueline (eds. y trad.), *Feminity and Sexuality: Jacques Lacan, the Ecole Freudienne*, Macmillan, Londres, 1982.

Norris, Christopher, *Derrida*, Fontana, Londres, 1987.

—, *Deconstruction: Theory and Practice*, Routledge, Londres, 2.ª ed., 1991.

Rustin, Michael, *The Good Society and the Inner World: Psychoanalysis, Politics and Culture*, Verso, Londres, 1991.

Rylance, Rick, *Roland Barthes*, Harvester Wheatsheaf, Hemel Hempstead, 1993.

Salusinsky, Imre, *Criticism in Society*, Methuen, Nueva York y Londres, 1987). Entrevistas con Derrida, Hartman, Said y otros.

Sarup, Madan, *An Introductory Guide to Post-Structuralism and Post-Modernism*, Harvester Wheatsheaf, Hemel Hempstead, 1988.

—, *Jacques Lacan*, Harvester Wheatsheaf, Hemel Hempstead, 1992.

Sturrock, J. (ed.), *Structuralism and Since: From Levi-Strauss to Derrida*, Oxford University Press, Oxford, 1979.

Textual Practice, vol. 3 (1989), pp. 159-172 y vol. 4 (1990), pp. 91-100, hechos a debate sobre Materialismo Cultural entre Catherine Belsey, Alan Sinfield y Jonathan Dollimore.

Tompkins, Jane, *Sensational Designs: The Cultural Work of American Fiction, 1790-1860*, Oxford University Press, Londres y Nueva York, 1985.

Veeser, H. Aram (ed.), *The New Historicism*, Routledge, Londres, 1989.

Wayne, Don E., «New Historicism», en *Encyclopaedia of Literature and Criticism*, Martin Coyle *et al.* (eds.), Routledge, Londres, 1990.

Wilson, Richard y Sutton, Richard (eds.), *New Historicism and Renaissance Drama*, Longman, Londres, 1991.

Wilson, Scott, *Cultural Materialism in Theory and in Practice*, Blackwell, Oxford, 1995.

Wright, Elizabeth, *Psychoanalytic Criticism: Theory in Practice*, Methuen, Londres y Nueva York, 1984.

—, «Psychoanalytic Criticism» en *Encyclopaedia of Literature and Criticism*, Martin Coyle *et al.* (eds.), Routledge, Londres, 1990.

CAPÍTULO 8

TEORÍAS POSMODERNISTAS

Durante los últimos veinte años aproximadamente, los críticos y los historiadores de la cultura han discutido sobre el término «posmodernismo». Algunos lo consideran simplemente como la continuación y el desarrollo de las ideas modernistas, otros han visto en el arte posmodernista una ruptura radical con el modernismo clásico, mientras que unos terceros contemplan la literatura y la cultura del pasado retrospectivamente a través de ojos posmodernos, identificando los textos y los autores (De Sade, Borges, el Ezra Pound de «Los Cantos») como ya «posmodernos». Sin embargo, otra discusión, asociada principalmente al filósofo y teórico social Jürgen Habermas, afirma que el proyecto de modernidad —que aquí designa los valores filosóficos, sociales y políticos de la razón, la igualdad y la justicia derivados de la Ilustración— no está todavía cumplido y no se debería renunciar a él. Esta postura también está relacionada con el debate acerca de la continua importancia (o redundancia) del marxismo, así como de la de las obras de arte modernistas. Cuando se defiende el movimiento de la modernidad (con o sin defensa paralela del modernismo artístico), se hace a pesar de las principales controversias del modernismo: en primer lugar, las «grandes narrativas» del progreso social e intelectual iniciadas por la Ilustración están en cuestión; y en segundo lugar, cualquier fundamento político de estas ideas en la «historia» o en la «realidad» ya no es posible, puesto que ambas se han «textualizado» en el mundo de las imágenes y simulaciones que caracteriza la era contemporánea del consumo de masas y las tecnologías avanzadas.

Estas últimas posturas incluyen las dos «narrativas» principales de lo que constituye el posmodernismo y con las que otros comentaristas están de acuerdo o las rechazan en diversos grados. Han suscitado numerosas cuestiones filosóficas, estéticas e ideológicas de interés para una amplia gama de disciplinas académicas (filosofía, teoría social y política, sociología, historia del arte, arquitectura, urbanismo y estudios mediáticos y culturales) y formas de producción cultural (arquitectura, cine y vídeo, música pop y rock), así como la teoría y la crítica literarias, y también conectan con lo dicho más atrás (véase el cap. 7) acerca de las relaciones entre el estructuralismo y el postestructuralismo. Pese a la diversidad de tendencias en el seno de cada movimiento, no cabe duda de que el pensamiento postestructuralista es, en cierta medida, un corpus de reflexiones sobre los mismos temas que preocupan a los comentaristas de la literatura y la cultura posmoderna. Más adelante profundizaremos en algunos de estos comentarios.

Sin embargo, existe un problema añadido en la utilización del término «posmodernismo», de carácter tanto descriptivo como evaluador. Los tres términos, «posmoderno», «posmodernidad» y «posmodernismo», son, de hecho, utilizados a menudo de forma intercambiable; como forma de periodizar los acontecimientos de la posguerra en las sociedades de medios avanzados y en las economías capitalistas; para describir los acontecimientos en el seno de un arte o en todas las artes —lo que frecuentemente no está sincronizado con el primer grupo de acontecimientos o con cada uno—; y también para señalar una actitud o postura acerca de estos acontecimientos. Para muchos, la mejor solución a este problema es utilizar el término «posmoderno» o «posmodernidad» para los acontecimientos generales de este período y reservar el término «posmodernismo» para los acontecimientos en la cultura y en las artes, aunque esto también se puede hacer para indicar una distinción muy simple entre los reinos económico y cultural. Sin embargo, se plantea un nuevo problema de definición porque el posmodernismo es un término de relación que se considera que denota una continuación de o bien una ruptura radical con los rasgos dominantes en un modernismo temprano o los movimientos de vanguardia. No es de extrañar que haya un gran debate en torno a la identidad y los límites de estos tempranos movimientos y de aquí la importancia de que se incluye o se reemplaza. Para algunos el posmodernismo indica una mercantilización deplorable de toda la cultura y la pérdida de la tradición y los valores, encarnados en este siglo de forma decisiva por las obras modernistas; para otros ha comportado una liberación de la ortodoxia conservadora de la alta cultura y una dispersión muy bien acogida de la creatividad en todas las artes y los nuevos medios de comunicación, abiertos ahora a los nuevos grupos sociales.

Varios teóricos llamaron la atención hacia la forma en que los críticos posmodernos rechazaban el elitismo, la experimentación formal sofisticada y el sentido trágico de la alienación, característico de los autores modernistas. Ihab Hassan, por ejemplo, contrasta la «deshumanización del arte» modernista con el sentido posmodernista de la «deshumanización del planeta y el fin de la humanidad». Mientras que Joyce es «omnipotente» en su dominio impersonal del arte, Beckett es «impotente» en sus representaciones minimalistas de los finales. Los modernistas siguen siendo trágicamente heroicos, mientras que los posmodernistas expresan agotamiento y «despliegan los recursos del vacío». Hassan, en *Paracriticisms* (1975), proporciona sugerentes listas de notas posmodernistas a pie de página relativas al modernismo. Incluyen la siguiente: «Antielitismo, antiautoritarismo. Difusión del ego. Participación. El arte se convierte en comunitario, opcional, anárquico. La aceptación... Al mismo tiempo, la ironía se transforma en radical, un juego que se agota a sí mismo, la entropía del significado.» En oposición a la experimentación modernista, los posmodernistas producen «Estructuras abiertas, discontinuas, improvisadas, indeterminadas o aleatorias». También rechazan la estética tradicional de la «belleza» y la «unicidad». Haciéndose eco de un famoso ensayo de Susan Sontag, Hassan añade que están «contra la interpretación». (Todas estas posturas, como ya hemos visto en el cap. 7, se encuentran en los diversos teóricos postestructuralistas.) Si hay una idea que lo resume todo es el tema del centro ausente. La experiencia posmoderna está ampliamente sostenida para frenar un profundo sentido de incertidumbre ontológica, una concepción explorada sobre todo por Brian McHale en su primera *Postmodernist Fiction* (1987). La conmoción humana ante lo inimaginable (polución, holocausto, la muerte del individuo) desemboca en una pérdida de puntos de referencia fijos. Ni el mundo ni uno mismo posee ya unidad, coherencia, significado. Están radicalmente «descentrados».

Esto no significa que la ficción posmoderna sea tan lúgubre como la pinta Beckett. Tal y como han visto algunos teóricos, el descentramiento del propio lenguaje ha producido un volumen importante de ficción alegre, autorreflexiva y autoparódica. Jorge Luis Borges es el maestro de este estilo y sus obras son paralelas a la exuberancia verbal postestructuralista de Roland Barthes o J. Hilis Miller. Los autores estadounidenses John Barth, Thomas Pynchon e Ishmael Reed, por ejemplo, y los europeos Italo Calvino, Umberto Eco, Salman Rusdie y John Fowles también son invariablemente discutidos como posmodernistas. En algunos de estos casos, y especialmente en el de Eco, hay una conexión explícita entre la teoría crítica y la ficción. Para Eco (semiótico, novelista y periodista), el posmodernismo se define por su intertextualidad y conocimiento y por su relación con el pasado —que el posmodernismo visita de nuevo en cualquier momento histórico con ironía—. Su «novela» *best-seller, El nombre de la rosa* (1980), es a un tiempo un ejemplo de la interpretación de las categorías de ficción y de no-ficción previamente separadas y vertiginosamente histórica: un *thriller* de detectives que mezcla el suspense gótico con la crónica y la erudición, cruza lo medieval con lo moderno y tiene una estructura narrativa de caja china, para producir un misterio cómico autorreflexivo sobre la supresión y la recuperación del «poder» carnavalesco del propio cómic. Otros ejemplos de metaficción posmodernista autorreflexiva, en la que convergen la ficción y los supuestos de la teoría postestructuralista, incluyen *La mujer del teniente francés* de John Fowles y *Waterland* de

Graham Swift, la *Trilogía de Nueva York* de Paul Auster o gran parte de la obra de E. L. Doctorow. Del mismo modo que la crítica postestructuralista distingue entre los órdenes tradicionales del discurso (crítica, literatura, filosofía, política) en el nombre de una textualidad general, los autores posmodernistas rompen las fronteras convencionales del discurso, entre la ficción y la historia, o la autobiografía, el realismo y la fantasía en un *bricolage* de formas y géneros.

La obra de Linda Hutcheon sobre ficción contemporánea, por ejemplo, ha buscado el modo paródico y aun así crítico que la literatura posmodernista puede adoptar en este ancho universo textual o narrativo, a la vez cómplice y subversivo. La personalidad y la historia, argumenta ella, no están perdidos en una ficción posmodernista (o lo que ella denomina «metaficción historiográfica»); pero de nuevo surgen problemas. La problematización de cómo se hizo la ficción y la historia es una característica primordial de lo posmoderno; una intertextualidad productiva que ni siquiera repudia el pasado, ni lo reproduce con nostalgia. La ironía posmodernista y la paradoja, desde este punto de vista, indican una distancia crítica dentro del mundo de las representaciones, planteando interrogantes sobre la construcción ideológica y discursiva del pasado y menos sobre la verdad de quién está en juego en estas construcciones narrativas. Hutcheon puede conservar una función política para este tipo de ficción (*contra* muchos comentaristas culturales que consideran el posmodernismo como inalterablemente comprometido o encerrado en un mundo de movimientos apolíticos) en la medida que se inscribe y a la vez interviene en un orden discursivo e ideológico. (Un ejemplo de estos aspectos de la obra de Hutcheon —en relación con *Niños de medianoche* de Salman Rusdie —aparece en el cap. 10 de *A Practical Reader*.) Patricia Waugh, en *Metafiction* (1984) y en *Feminine Fictions: Revisiting the Postmodern* (1989), también explora estos tres temas —en el último caso de forma explícita con referencia al feminismo y al potencial para la representación de una nueva materia de género social en la ficción contemporánea—. En una obra posterior *Practising Postmodernism/Reading Modernism* (1992), Waugh plantea el propio posmodernismo como una categoría estética y filosófica de la cual podemos aprender y que puede ser objeto de crítica. Como otros muchos, aquí busca redefinir más que deshacerse de las obras modernistas y las suposiciones en la elaboración de lo que ella denomina un «nuevo humanismo».

Sin embargo, estos y otros críticos han seguido respondiendo de forma invariable a las dos teorías más influyentes del posmodernismo que hemos comentado más atrás: el dominio del signo o la imagen y la consiguiente pérdida de lo real y un escepticismo hacia las grandes narrativas del progreso humano. Éstos se asocian respectivamente con los filósofos franceses Jean Baudrillard y Jean-François Lyotard.

JEAN BAUDRILLARD

Las primeras obras de Baudrillard cuestionaban los preceptos tanto del marxismo como del estructuralismo. Habiendo defendido el dominio del consumo en las modernas sociedades capitalistas sobre la producción y del significante sobre el significado, Baudrillard dirigió su atención a una crítica de la tecnología en la era de la reproducción de los medios de comunicación y llegó a repudiar todos los modelos que hacen distinción entre la superficie y la profundidad o lo aparente y lo real.

La reelaboración de Baudrillard de los temas del postestructuralismo y de los situacionistas franceses a finales de los años de 1970 y 1980 marcó una «retirada de la política» por parte de los intelectuales de izquierdas y comportó el estatus de culto de Baudrillard. Sus escritos apocalípticos y de una provocación creciente de este período anunciaban el reinado de los «simulacros» (la copia sin original) y el mundo de la «hiperrealidad» (un concepto que comparte con Umberto Eco; véase *Viajes por la hiperrealidad* de Eco (1987) en la cual las imitaciones o «falsificaciones» adquieren preeminencia y usurpan lo real.

La primera obra influyente de Baudrillard *Simulacra et Simulation* (1981, traducida en 1983 y 1994) explora este mundo sin fondo de imágenes sin reflejo. Según Baudrillard, los signos ya no corresponden o enmascaran su referente de la «vida real», sino que lo reemplazan en un mundo de «significantes flotantes» autónomos; ha tenido lugar «una implosión de imagen y realidad». Esta implosión, como comentó Neville Wakefield, conduce «al no-espacio simulado de la hiperrealidad. Lo "real" se define ahora en términos de los medios en los que se mueve». Se trata de las tecnologías de la comunicación posmodernas creadoras de imágenes —sobre todo la televisión— que para Baudrillard estimulan esta proliferación de imágenes autogeneradas por toda la superficie posmoderna. La experiencia es ahora en todas partes derivada y literalmente superficial y ha alcanzado su forma «utópica» final en la abundancia instantánea y la banalidad de la sociedad «inculta» de Estados Unidos, quintaesencialmente en Disneylandia.

Las obras de Baudrillard de finales de los años de 1980 y de 1990 (incluyendo *America, Fatal Strategies, The Illusion of the End*) han sido cada vez más nihilistas. Considera la posmodernidad repetidamente en términos de desaparición del significado, de inercia, de agotamiento y de finales, ya sea de historia o de subjetividad. (Otras muchas obras contemporáneas soportan de forma similar el tema del «fin de la historia», especialmente las reflexiones de Francis Fukuyama sobre las implicaciones de la caída del comunismo.) Para Baudrillard, todo está desplegado «de forma obscena», moviéndose sin fin y de forma transparente por una superficie en la que no hay control, ni referencia estabilizadora, ni ninguna perspectiva de transformación. Quizás su afirmación más provocativa en estas líneas fuera que la guerra del Golfo de 1991 no fue real, sino una guerra televisiva, un evento o espectáculo mediático: «es irreal», escribió, «una guerra sin los síntomas de la guerra». Él vio en este episodio la planificación de una «lógica de disuasión», de la guerra caliente a la guerra fría, y eso para luchar contra «el cadáver de la guerra». La guerra no puede escapar de la red de simulación posmoderna ya que «la TV es nuestro emplazamiento estratégico, un simulador gigante» que crea la guerra como una realidad virtual. Esta opinión recibió los ataques por su sofisticación irresponsable de Christopher Norris, uno de los críticos más serios de

Baudrillard. Su respuesta apareció como el primer capítulo de *Uncritical Theory: Postmodernism, Intellectuals and the Gulf War* (1992). Aquí como en todas partes, Norris aboga, a través de la tradición filosófica de Frege, Donald Davidson y Habermas, en favor de una alternativa al paradigma estructuralista y al consiguiente escepticismo del postestructuralismo y el posmodernismo. Aparte de una refutación del mundo de signos exclusivo de Baudrillard, a través de una llamada a la garantía del sentido común de que la desigualdad, la opresión, el desempleo, la decadencia urbana, la destrucción y la muerte en la guerra son formas manifiestamente reales de la experiencia social, Norris propone que las presuposiciones de la verdad y de la razón correcta están presentes en el discurso y en la conducta humanos a todos los niveles y que ofrecen las bases para la moralidad y el juicio político. Otros comentaristas interpretaron la obra más tardía de Baudrillard como simplemente frívola o, lo que es peor, insensible y ofensiva; al menos, como lamentable y manifiestamente desesperada.

Las obras de Baudrillard han llegado a evitar las características específicas de determinadas formas sociales, culturales o artísticas, mientras se pronunciaba sobre ellas de una forma que puede combinar el *aperçu* elegante con la hipérbole infundada; pero lo que aparece, para la sociedad, la teoría y el arte, es la opción de recombinar, repetir, relanzar las piezas diseminadas de un pasado (perdido). Su estética implícita es, por lo tanto, la de un pastiche (Baudrillard parece a menudo dedicarse al autopastiche), una idea desarrollada por Friedric Jameson (véase más adelante), aunque esto lo explicó Linda Hutcheon en los términos esbozados anteriormente. En literatura hay estrechas correlaciones e incluso anticipaciones del pensamiento de Baudrillard en la novela de principios de los años de 1960 *Crash* obra del novelista de ciencia ficción J. G. Ballard —sobre el cual Baudrillard escribió un posterior ensayo de admiración (véase *Simulacra and Simulation*, 1994)— y la ciencia ficción de Philip K. Dick. Más recientemente, las implicaciones de la hiperrealidad y los simulacros han sido explorados en la ficción ciberpunk de William Gibson, Bruce Sterling y otros —para Jameson «la suprema expresión literaria» del posmodernismo o del capitalismo tardío—, así como en una generación de películas principales, desde *Blade Runner* hasta *Terminator* y el *Toy Story* de Walt Disney (véase Brooker y Brooker, 1997). En estos primeros ejemplos, en un paralelo a la perspectiva de Baudrillard de que la humanidad debería rendirse a un triunfante mundo de imágenes, los sujetos humanos están inmersos en nuevas relaciones con las invasivas teorías posmodernas: un tema de gran interés y no siempre visto de forma pesimista, encarnados tanto en la teoría como en la ficción en la figura del cyborg (véase Haraway, 1985, y Wolmark, 1993). En efecto, tal y como sugirió Best y Kellner, quizás la mejor manera de interpretar la obra de Baudrillard sea como un ejemplo en sí misma de «ficción especulativa». Sus propios pensamientos en estas líneas (en *Fatal Strategies*, 1983 y *The Illusion of the End*, 1994) ofrecen un extremo melancólico respecto al cual juzgar estas otras especulaciones contemporáneas, en literatura y en todo, sobre el fin del milenio y el destino del ser humano.

JEAN-FRANÇOIS LYOTARD

Durante quince años miembro del grupo marxista revolucionario, el «socialismo de la barbarie», Jean-François Lyotard llegó a cuestionar el marxismo y a buscar otros términos para la investigación de la filosofía y de las artes. En *Discourse, figure* (1971) distinguía entre lo visto, lo visual y lo tridimensional (lo «figurativo») y lo leído, lo textual y lo bi-dimensional (lo «discursivo»). Lyotard identifica, de este modo, dos regímenes y conjuntos de leyes que los paradigmas estructuralistas y semióticos habían ignorado, interpretando el reino espacial y visual de las cosas de forma demasiado automática o inmediata en la monotonía del texto. En *Economie libidinale* (1974) Lyotard hizo extensiva esta crítica al marxismo, abogando por una filosofía alternativa del deseo, intensidades y energética debidas a Nietzsche. En su suposición de que la historia está a disposición de la conciencia, se considera el marxismo como si despojara a la historia de su materialidad, llenando el vacío que se ha creado con una narrativa totalizadora. Se considera que la conciencia discursiva inunda el mundo figurativo y su nexo asociado del deseo (en teoría próximo a la de Deleuze y Guattari, véase cap. 7). Esta represión representa la marca de lo «moderno», coherente con los procedimientos de la racionalidad y asociada con los modelos de justicia y civilización que caracterizan la modernidad. Tal y como lo resumió Thomas Docherty:

> El capital, la masculinidad, etc. —todas las formas de un pensamiento ideológico dominante que caracteriza el mundo moderno—, dependen de la supresión de la figuralidad y su transliteración prematura en la forma de discursividad. La propia modernidad está basada en la exclusión de la figura, de la profundidad de una realidad, de la materialidad de una historicidad que es resistente a las categorías de nuestro entendimiento, pero a las cuales obligamos a forjarse en las formas de nuestro mundo mental discursivo.

Como añade Docherty, lo que en la modernidad pasa por entendimiento (el particular modo discursivo del pensamiento racional) es, desde este punto de vista, «en sí mismo una maestría de la dominación, y desde luego no un entendimiento».

Lyotard cree por tanto que hay un nivel —el figurativo, marcado por el flujo y las intensidades del deseo y sus efectos libidinales— que es plural, heterogéneo e introducido a la fuerza en el significado unitario por la razón totalizadora. Desemboca en una valoración de la diferencia, de impulsos contrarios reprimidos, abierto a lo múltiple y a lo inconmensurable. A continuación desarrolla esto más allá de una filosofía del vitalismo a una filosofía del lenguaje y la justicia en los textos de los años de 1980 (*Just Gaming*, 1985 y *The Differend*, 1983). El arte que participa en esta conciencia posmoderna de la diferencia y la heterogeneidad crítica, por tanto, y desestabiliza las conclusiones de la modernidad. Explora lo «indecible» y lo «invisible».

Sin embargo, es la obra de Lyotard *The Postmodern Condition* (1979) la que ha demostrado ser el centro principal de los debates sobre el posmodernismo cultural. Inspirándose en primer lugar en la crítica de Nietzsche sobre las demandas totalizadoras de la razón como si carecieran de base moral o filosófica (o «legitimación») y en segundo lugar, en Wittgestein, Lyotard argumenta que los criterios que regulan las «demandas de verdad» del conocimiento derivan de «juegos lingüísticos» discretos y dependientes del contexto, no de reglas o estándares absolutos. En su fase «moderna», por ejemplo, la ciencia buscaba la legitimación de uno de dos tipos de narrativas: la de la liberación humana asociada a la Ilustración y la tradición revolucionaria, o la de la unidad futura de todo conocimiento asociado al hegelianismo.

De acuerdo con Lyotard, ninguna de estas metanarrativas legitimadoras o *grands récits* tiene credibilidad en la actualidad. En esta crítica, haciéndose eco del pesimismo de la escuela de Franckfurt aunque la atención de Lyotard se centra más estrechamente en formas de conocimiento moderno y posmoderno, se considera que el proyecto de la Ilustración ha producido una gama de desastres sociales y políticos: desde la guerra moderna, Auschwitz y el Gulag a la amenaza nuclear y la grave crisis ecológica. Los resultados de la modernización han sido la burocracia, la opresión y la miseria, al tiempo que la narrativa de la liberación y de la igualdad ilustrada han dado los frutos contrarios. Jürgen Habermas, como se ha señalado, ha rechazado este punto de vista y mantiene que un compromiso con la operación de una «razón comunicativa» intersubjetiva hará que los objetivos de la justicia y la democracia sean realizables. En opinión de Lyotard, las «demandas de verdad» y el consenso asumido de una universalización así de la historia son representativos e insostenibles. Privados de estos fundamentos, la ciencia «posmoderna» persigue metas técnicas y comerciales óptimas: un cambio reforzado por las nuevas tecnologías computerizadas que convierten la información en una cantidad política. Sin embargo, este orden tecnocrático está peleado con una trayectoria experimental interna que cuestiona los paradigmas de la «ciencia normal». Lo que Lyotard denomina la actividad del «paralogismo» —ejercida en el razonamiento ilógico o contradictorio— produce un avance en lo desconocido del nuevo conocimiento. Aquí surge una nueva fuente de legitimación, envuelta en *petits ré-*

cits más modestos y en deuda con la vanguardia radical imperativa de experimentar y «hacerlo nuevo».

Por consiguiente, la estética posmoderna que surge de la obra de Lyotard (examinada de modo más conveniente en el apéndice de *The Postmodern Condition*: «Answering the Question: What is Postmodernism?») puede considerarse como una estética investigadora de lo sublime. Aún más, habría que señalar que esto no sigue secuencialmente al modernismo tanto como contiene sus condiciones fundamentales. Aquí Lyotard se separa de Baudrillard, Jameson y otros comentaristas posmodernos que ven una ruptura decisiva entre los períodos moderno y posmoderno. Para Lyotard, lo posmoderno no es una época y menos un concepto periodizador que un estilo. «Lo posmoderno es indudablemente una parte de lo moderno», como lo expresó Lyotard, «sería lo que, en lo moderno, presenta lo impresentable en la propia presentación.» De la misma forma, lo «figurativo» y lo «discursivo» no deben considerarse como secuenciales o como exclusivamente identificados con lo posmoderno y lo moderno; lo posmoderno y lo figurativo pueden aparecer dentro de lo moderno y discursivo. Por lo tanto, esto presenta una forma de identificar a los escritores posmodernos y las tendencias en el período estrictamente «moderno» (el Joyce de *Finnegans Wake*, por ejemplo) y para recuperar las distinciones entre formas de modernismo más cercano y terrorista y más abierto y experimental (entre el alto modernismo y el de vanguardia radical, por ejemplo, o entre T. S. Elliot, William Carlos Williams y Gertrude Stein).

Por añadidura, el estilo posmoderno procede sin criterios o reglas predeterminados, ya que éstos son descubiertos más que asumidos. Por analogía, esto también se aplicará en la arena política y a una lenta penetración de conceptos de justicia «posmoderna». Sin embargo, es en este punto, en la consideración de los entresijos sociales y políticos, que algunos piensan que el pensamiento de Lyotard alcanza su punto más débil o ambiguo. Porque aunque para autorizar una micropolítica «posmoderna» conscientemente descentrada, en común con la deconstrucción en general, por una parte se puede prevenir contra la hetero-

geneidad, lo local, lo provisional y lo pragmático en los juicios éticos y la conducta, por la otra se puede interpretar
como garantía de un relativismo sin conexiones, alto en retórica y bajo en propuestas de acción social concreta (véase el prólogo de Jameson a *The Postmodern Condition*, ensayos de Nicholson, 1990 y Lecturas, 1990). Al mismo
tiempo, este tema no se limita a interpretaciones de Lyotard
y se podría decir que comprende el tema más acuciante y
vivo de los debates posmodernos.

POSMODERNISMO Y MARXISMO

Dos artículos significativos del posmodernismo proce-
dentes de la tradición angloamericana, que respondían a las
posturas representadas por Baudrillard y Lyotard y a los desafíos que el posmodernismo ofrece al marxismo en concreto, fueron publicados en *New Left Review* por Fredric
Jameson en 1984 y Terry Eagleton en 1985 (para profundizar
en el tratamiento de ambos críticos véase el cap. 5). Jameson ha explorado con gran coherencia los interrogantes de
los cambios sociales, económicos y culturales planteados
por el posmodernismo y también su relación con la naturaleza cambiante del capitalismo y al lugar que ocupa en él
el marxismo. El título de su ensayo de 1984, que actualmente constituye un documento clave en los debates sobre
el posmodernismo, reproducido en su versión más completa como el título-ensayo de su última obra, *Postmodernism,
or the Cultural Logic of Late Capitalism* (1991), arroja alguna luz sobre la relación simbiótica entre el posmodernismo
y lo que Jameson considera como la expansión y la conso-
lidación de la hegemonía capitalista. Él ve una profunda conexión entre la tecnología «electrónica y de energía nuclear» de la economía mundial multinacional y las imágenes sin fondo, fragmentadas y aleatoriamente heterogéneas
de la cultura posmodernista. Esta cultura ha borrado la
frontera (fuertemente defendida por el arte modernista) entre la alta cultura y la cultura de masas. Jameson señala la
fascinación «posmoderna» con el «panorama totalmente
"degradado" de *schlock* y kitsch, los seriales televisivos y el

Reader's Digest, la publicidad, los moteles, los programas picantes de madrugada, las películas serie-B y los *pulp-fiction* de Hollywood». Esta cultura comercial ya no se mantiene a raya ni se parodia a la manera modernista o de la forma con dobles sentidos descrita por Hutcheon (véase más atrás), sino que, a juicio de Jameson, se incorpora directamente al arte posmodernista. La obra de Andy Warhol, por ejemplo, revela la total interpenetración de la producción estética y mercantil. La forma característica de esta cultura, dice Jameson, es el «pastiche» o la «parodia vacía»: la «desaparición del sujeto» priva al artista de un estilo individual del mismo modo que la «pérdida de la historia» priva al arte de su originalidad. El artista tan sólo puede recurrir a la imitación de estilos pasados sin intención, ironía ni sátira. Jameson resume su visión del «estilo nostálgico» resultante de la siguiente manera: «La aproximación al presente, mediante el lenguaje artístico del simulacro o de la imitación del pasado estereotipado, dota a la realidad actual y a la apertura a la historia actual de la distancia de un espejismo brillante.» El arte posmodernista ya no puede representar un pasado real, sino sólo nuestras ideas y estereotipos del pasado en la forma de historia «popular».

El problema central de la postura de Jameson reside en adaptar su aceptación del posmodernismo como nuestra situación cultural y su compromiso con el marxismo hegeliano. Porque aunque aceptaría la perspectiva de Baudrillard de la sociedad actual como una sociedad de «imagen implosionada» o simulacro, separada de referencia, realidad e historia auténtica, desea conservar una distinción entre la superficie y la profundidad dentro del materialismo dialéctico que, por muy fortificado que esté, busca captar la «totalidad» de la sociedad fragmentada privada de «grandes narrativas» y llevar a cabo una transformación social y cultural.

En este artículo, Eagleton desarrolla la idea de la convergencia del arte y la producción en el capitalismo tardío. El análisis de Marx del dinero y el valor de cambio incluía el concepto de «fetichismo mercantil». Esto se refiere al desconcertante proceso por el cual el trabajo humano está traspuesto a sus productos: el valor que el tiempo de trabajo concede a los productos se considera como una propiedad independiente y objetiva de los propios productos. Esta incapacidad para considerar los productos por lo que son se encuentra en la raíz de la alienación y la explotación social. Eagleton trata el «fetichismo» como una categoría estética: el proceso del fetichismo mercantil es un proceso imaginario que insiste en la realidad independiente del producto concebido imaginativamente y la mente humana alienada acepta la independencia objetiva de su propia creación imaginaria. A la vista de esta profunda «irrealidad» tanto del arte como del producto, Eagleton afirma la «verdad histórica de que la misma autonomía y la propia identidad bruta del artefacto posmodernista es el efecto de su integración directa en un sistema económico en el que tal autonomía, en la forma de fetiche mercantil, está en el orden del día».

Linda Hutcheon debate la implicación que encuentra en Jameson y Eagleton de que la intertextualidad posmodernista reproduce simplemente el pasado en la forma de una nostalgia llana y comprometida más que revelar su construcción en el discurso y la ideología. En *The Politics of Postmodernism* (1989) responde a Eagleton —«un crítico marxista que ha acusado a la ficción posmoderna de ser ahistórica»— mediante un análisis de su propia novela histórica, *Saints and Scholars* (1987). Ella argumenta que esta novela «se mueve hacia un retorno crítico a la historia y a la política *a través*, y no a pesar de, la timidez metaficticia y la intertextualidad paródica». Aquí reside la paradoja del «"uso y abuso" posmodernista de la historia».

Otros críticos marxistas que entienden el posmodernismo como una intensificación del capitalismo, una extensión de privilegio y desventaja a escala mundial y que abogan, por tanto, en favor de la importancia continuada de los políticos de clase, siguen a Eagleton en su antagonismo, o, en el mejor de los casos, en su profunda cautela, hacia las teorías del posmodernismo. Al mismo tiempo, muchos miembros de la izquierda han pretendido revisar su política cultural y los ideales de la Ilustración o de la modernidad de la cual derivan con el fin de dar respuesta a las condiciones alteradas de los medios de comunicación globalizados y la sociedad de la información que describe el posmodernismo. Este debate se ha desarrollado con frecuencia, como también un intento de fundamentar una nueva ética o política posmoderna, en el marco de la filosofía, la teoría social o los estudios culturales, en lugar de en la teoría o la crítica literarias. (Véase Bauman, 1993, Squires, 1993, Nicholson y Seidman, 1995 y Hall, 1996.) Y así es, esta discusión critica los modelos más textualistas del posmodernismo que muchas veces hallamos en los estudios literarios. Sin embargo, también se ha movilizado un posmodernismo «mundial» comprometido, alineado con las tendencias en el pensamiento y la deconstrucción postestructuralista, para criticar los modelos esencialistas y exclusivos del sujeto y las ideas elitistas de literatura y cultura. Sus principales argumentos van dirigidos a «descentrar» las concepciones unitarias y normativas de la identidad sexual, étnica, racial o cultural, y, de este modo, el posmodernismo radical o social conecta con algunas de las ideas contemporáneas más provocativas del feminismo, el poscolonialismo, las teorías y obras afroamericanas, gays, lesbianas y homosexuales (véase más adelante).

LOS FEMINISMOS POSMODERNOS

Tal y como ha señalado Linda Nicholson, la crítica posmodernista de la neutralidad supuestamente académica y las demandas de racionalidad parecerían convertirla en una «aliada natural» de la oposición feminista a una masculinidad normativa que opera asociada con los ideales del proyecto de la Ilustración (*Feminism/Postmodernism*, 1990). Aunque algunos querrían defender los universales de la Ilustración de progreso, justicia e igualdad social como de una importancia inagotable para el feminismo (Lovibond, 1990), muy pocos los aceptarían sin revisar o negarían el reto de los argumentos posmodernos, tanto a las suposiciones culturales e intelectuales engendradas por la modernidad, como a las propias posiciones universalizantes o esencialistas del feminismo. El posmodernismo, dice Nicholson, puede contribuir a evitar «la tendencia a construir la teoría que se generaliza a partir de las experiencias de las mujeres blancas occidentales de clase media».

En la misma línea, Patricia Waugh (*Feminine Fictions*, 1989) considera que el feminismo «ha atravesado una etapa *necesaria* de buscar la unidad», pero que más recientemente ha generado concepciones alternativas del sujeto y de la subjetividad que «enfatizan la provisionalidad y la posicionalidad de la identidad, la construcción histórica y social del género y la producción discursiva de conocimiento y poder». En un ejemplo particularmente influyente de la teoría no-esencializante, también de finales de los años de 1980, Alice Jardine acuñó el término «ginesis» por oposición a «ginocrítica» o crítica centrada en el hombre, asociada especialmente a la obra de Elaine Showalter (véase cap. 6). La ginesis describe la movilización de un análisis postestructuralista de la categoría «mujer». Jardine observa que las crisis experimentadas por las principales narrativas occidentales no son neutrales en cuanto al género. Al examinar las relaciones de géneros originales de la filosofía griega, Jardine argumenta que las «oposiciones duales [fundamentales] que determinan nuestra forma de pensar» se encuentran entre el *techne* o *tiempo* (hombre) y la *physis* o *espacio* (mujer). Por tanto, un aspecto clave del cuestionamiento posmodernista de las principales narrativas de Occidente es «un intento por crear un nuevo espacio o espaciamiento entre ellas mismas para sobrevivir (de diferentes clases)».

Para Jardine, la condición de posmodernidad (o la «crisis-en-la-narrativa que es la modernidad», como prefiere expresarlo) está marcada por la «valoración de lo femenino, de la mujer» como algo «intrínseco a unos modos nuevos y necesarios de pensar, de escribir, de hablar». Respecto a la «falta de conocimiento» o al «espacio» femenino que las narrativas principales siempre tienen aunque no pueden controlarlo, la ginesis es el proceso de introducir en el discurso a ese «otro»: la «mujer». El objeto producido mediante este proceso es un *ginema*: una mujer no como persona, sino un «efecto de lectura», una «mujer-en-efecto» que «nunca es estable y carece de identidad» (y podría ser producida en los textos por escritores varones).

Como con otras versiones de *l'escriture féminine*, afirma la ginesis, en la fase de Mary Jacobus «no la sexualidad del texto, sino la textualidad del sexo». Ésta es, por tanto, una clase de escritura que no tiene género determinado, pero que altera el significado fijado y fomenta el juego libre textual más allá del control de la autoridad o de la crítica. La oposición de Jardine a la teoría feminista ginocéntrica supone un importante cuestionamiento de los conceptos fundamentales que el genocentrismo da por obviamente significativos. La ginesis también se opone a la incapacidad de la crítica angloamericana para teorizar adecuadamente la importancia y las significaciones de los textos literarios de vanguardia y modernistas. Aunque el modelo de Jardine es antihumanista, antirealista y antiesencialista, ella desea agarrarse a un modelo de política feminista válido. Como sugiere Catherine Belsey (*Critical Approaches*, 1992), para Jardine, el posmodernismo es «incompatible con el feminismo hasta el punto que el feminismo es la historia individual de la Mujer». La ginesis es una potente forma de deconstrucción política, cultural y crítica. Revaloriza y da nueva forma (si no explota) los cánones literarios, rechaza los significados unitarios o universalmente aceptados y politiza manifiestamente todo el dominio de la práctica discursiva. La ginesis no considera a la mujer como empíricamente demostrable, sino que, más bien, la «mujer» es un vacío o una ausencia que trastorna y desestabiliza las narrativas dominantes.

Las diferentes demandas de las tradiciones empírica y postestructuralista en la crítica feminista son un asunto de debate continuo, pero ha tomado una dirección posmodernista más pronunciada en el relato de Judith Butler del género (sobre Butler véase también el cap. 10). Butler reconoce que las ramas del feminismo informadas por el postestructuralismo han sido atacadas por perder de vista un concepto estable de identidad, pero afirma que «los debates feministas contemporáneos sobre los significados del género conducen una y otra vez a un sentimiento de conflicto, como si la indeterminación del género pudiese culminar finalmente en el fracaso del feminismo». Para Butler, el «nosotras» feminista es una «construcción fantasmática» que «niega la complejidad y la indeterminación internas» y «sólo se constituye mediante la exclusión de una parte de los constituyentes que, al propio tiempo, pretende representar».

Butler considera que el feminismo basado en la identidad es restrictivo y limitador porque tiene una tendencia, por mínima que sea, a producir identidades con género como «reales» o «naturales». La tesis de Butler es que «no hay identidad de género tras las expresiones de identidad», «la identidad está constituida por las mismas expresiones que se dice constituyen sus resultados». El comportamiento con género no es la consecuencia de una identidad previa: «no hace falta que haya un "autor tras el acto", más bien, el "autor" se construye invariablemente en y a través del acto». En este sentido, Butler difiere de las teorías esenciales de la personalidad (como las de Beauvoir), que mantienen una «estructura prediscursiva tanto de uno mismo como de sus actos» y de Cixous que sostiene el punto de vista de que las mujeres ocupan un mundo precultural o precivilizacional, más próximo a los ritmos de la naturaleza. En su lugar, Butler nos insta a considerar la identidad como la *práctica significativa*: el género es algo que «hacemos» y, como todas las prácticas significativas, depende de la repetición —la repetición de palabras y actos que hacen al sujeto culturalmente inteligible—. El resultado es que no sólo son categorías de identidad como la feminidad reconocidas como diversas y contestadas (más que fijadas), sino que también se hace posible una subversión de la identidad.

Por lo tanto, el modelo privilegiado de Butler de subversión en la acción es la práctica de la parodia en la cual el género es producido como una «copia defectuosa», como algo esencialmente agrietado y dividido. Su argumento discurre próximo en este punto a la versión de Linda Hutcheon de la parodia posmoderna y al relato de Homi Bhabha de la imitación colonial en el cual los imitadores, que están obligados a internacionalizar las leyes de las naciones colonizadoras, sólo lo consiguen de forma imperfecta: «casi lo mismo, pero no del todo»; una repetición o imitación imperfecta que significa las grietas y fisuras del proyecto colonial. Para Butler, la repetición paródica del género expone la «ilusión de la identidad de género como una profundidad intratable y una sustancia interior». La «pérdida de las normas de género» tendría el efecto de proliferar las configuraciones de género, desestabilizando la identidad sustantiva y privando a las narrativas naturalizadoras de la sexualidad coercitiva de sus protagonistas centrales: el «hombre» y la «mujer».

El ensayo de Donna Haraway, «A Manifesto for Cyborgs» (1985, en Nicholson, ed., 1990), es importante en este punto y ha sido de interés continuo. El punto de vista de Haraway del «cyborg» como «criatura en un mundo de postgénero» marca otra crítica radical de las dualidades y las polaridades (como por ejemplo naturaleza/cultura, público/privado, orgánico/tecnológico) que son constantemente rearticulados como estructuras organizativas fundamentales de subjetividad en Occidente. La apertura de Haraway a la tecnología le permite cuestionar la fuerza de los mitos de origen y cumplimiento. Los «potentes mitos gemelos» del desarrollo individual y de la historia «inscritos con mayor fuerza para nosotros en el psicoanálisis y el marxismo» dependen del «argumento de unidad original fuera de la cual la diferencia debe ser producida y obtenida en un drama de dominación intensificada de mujer/naturaleza». El radicalismo del cyborg es que «se salta el paso de la unidad original, de identificación con la naturaleza en el sentido occidental»; es opositivo, utópico y «carece de trato con la bisexualidad, la simbiosis preedípica, el trabajo inalienado u otras seducciones a la integridad orgánica».

El argumento de Haraway toma de las perspectivas feminista y poscolonial contemporáneas que la lucha por los significados de la escritura/los escritos es una importante forma de lucha política. Para Haraway, escribir es «preeminentemente la tecnología de los cyborgs» y la política de los cyborgs es la «lucha por el lenguaje y la lucha contra la comunicación perfecta, contra el código único que traduce/transcribe de forma perfecta todos los significados, el dogma central del faloegocentrismo». Haraway encuentra equivalentes de identidades de los cyborgs en las historias de «extraños»: definidos como esos grupos (como «las mujeres de color» en Estados Unidos, véase más adelante «Raza y etnicidad») sin ningún sueño original disponible de un lenguaje común (una idea asociada con Adrienne Rich, sobre la cual véase el cap. 10). A la hora de volver a relatar historias del origen o explorar temas de identidad cuando jamás se ha poseído el lenguaje original o jamás se ha «residido en la armonía de la heterosexualidad legítima en el jardín de la cultura», los autores cyborgs celebran su ilegitimidad y trabajan para subvertir los mitos centrales de la cultura occidental.

BIBLIOGRAFÍA SELECCIONADA

Textos básicos

Baudrillard, Jean, *The Mirror of Production* (1973), trad. Mark Poster, Telos Press, St. Louis, 1975.
—, *For a Critique of the Political Economy of the Sign* (1976), traducción Charles Levin, Telos Press, St. Louis, 1975.
—, «The Ecstasy of Communication», en Foster, ed. (1985), más adelante.
—, *America* (1986), trad. Chris Turner, Verso, Londres, 1988.
—, *Simulacra and Simulation* (1981), trad. Sheila Faria Glaser, University of Michigan Press, Ann Arbor, 1994.
Benjamin, Andrew (ed.), *The Lyotard Reader*, Basil Blackwell, Londres y Cambridge, MA, 1989.
Brooker, Peter (ed.), *Modernism/Postmodernism*, Longman, Londres, 1992.
Butler, Judith, *Gender Trouble: Feminism and the Subversion of Identity*, Routledge, Londres y Nueva York, 1992.
—, *Bodies that Matter: On the Discursive Limits of «Sex»*, Routledge, Londres y Nueva York, 1993.
Connor, Steven, *Posmodernist Culture: An Introduction to Theories of the Contemporary*, Basil Blackwell, Oxford, 1989.
Docherty, Thomas (ed.), *Postmodernism A Reader*, Harvester Wheatsheaf, Hemel Hempstead, 1992.
Eagleton, Terry, «Capitalism, Modernism and Postmodernism» (1985), en *Against the Grain: Selected Essays, 1975-85*, Verso, Londres, 1986.
Eco, Umberto, *Travels in Hyperreality*, trad. W. Weaver, Picador, Londres, 1987.
Foster, Hal (ed.), *Postmodern Culture*, Pluto, Londres, 1985.
Haraway, Donna, «A Manifesto for Cyborgs: Science, Technology

and Socialist Feminism in the 80s», *Socialist Review*, 15, 18 (1985), en Nicholson, ed. (1990), más adelante.

Hassan, Ihab, «POSTmodernISM», en *Paracriticisms: Seves Speculations on Outr Time*, Illinois University Press, Urbana, 1975.

—, *The Postmodern Turn: Essays in Postmodern Theory and Culture*, Illinois University Press, Urbana, 1975.

Hutcheon, Linda, *A Poetics of Postmodernism: History, Theory, Fiction*, Routledge, Londres, 1988.

—, *The Politics of Postmodernism*, Routledge, Londres, 1989.

Huyssen, Andreas, *After the Great Divide: Modernism, Mass Culture, Postmodernism*, Macmillan, Basingstoke, 1988.

Jameson, Fredric, «Postmodernism or the Cultural Logic of Late Capitalism», *New Left Review*, 146, 1984.

—, «Postmodernism and Consumer Society», en Foster, ed., 1985, véase más atrás.

—, *Postmodernism or the Cultural Logic of Late Capitalism*, Verso, Londres, 1991.

Jardine, Alice, *Gynesis: Configurations of Women in Modernity*, Cornell University Press, Ithaca, 1985.

Lovibond, Sarah, «Feminism and Postmodernism», en Roy Boyne y Ali Rattansi (eds.), *Postmodernism and Society*, Macmillan, Basingstoke, 1990.

Lyotard, Jean-François, *Discours, figure*, Klincksieck, París, 1971.

—, *The Postmodern Condition: A Report on Knowledge* (1979), trad. G. Bennington y B. Massumi, Manchester University Press, Manchester, 1984.

Nicholson, Linda (ed.), *Feminism/Postmodernism*, Routledge, Londres y Nueva York, 1990.

Poster, Mark (ed.), *Jean Baudrillard: Selected Writings*, Polity Press, Cambridge, 1988.

Readings, Bill, *Introducing Lyotard. Art and Politics*, Routledge, Londres y Nueva York, 1990.

Waugh, Patricia (ed.), *Postmodernism: A Reader*, Arnold, Londres, 1992.

Lecturas avanzadas

Alexander, Marguerite, *Fights from Realism: Themes and Strategies in Posmodernist British and American Fiction*, Arnold, Londres, 1990.

Baudrillard, Jean, *Symbolic Exchange and Death* (1976), trad. Iain Hamilton Grant, Sage, Londres, 1993.

—, *Fatal Strategies* (1983), trad. P. Beitchman y W. G. J. Nieluchowski, J. Fleming (ed.), Pluto, Londres, 1990.

—, *The Illusion of the End* (1992), trad. Chris Turner, Polity Press, Oxford, 1994.

Bauman, Zygmunt, *Postmodern Ethics*, Blackwell, Oxford, 1993.

Bertens, Hans, *The Idea of the Postmodern. A History*, Routledge, Londres, 1995.

Belsey, Catherine, «Critical Approaches», en Claire Buck (ed.), *Bloomsbury Guide to Women's Literature*, Bloomsbury, Londres, 1992.

Best, Steven y Kellner, Douglas, *Postmodern Theory: Critical Interrogations*, Macmillan, Basingstoke, 1991.

Brooker, Peter y Brooker, Will (eds.), *Postmodern After-Images. A Reader in Film, TV and Video*, en preparación, Arnold, Londres, 1997.

Callinicos, Alex, *Against Postmodernism*, Polity / Basil Blackwell, Cambridge, 1989.

Docherty, Thomas, *After Theory: Postmodernism / Postmarxism*, Routledge, Londres, 1990.

Hall, Stuart, *Critical Dialogues in Cultural Studies*, David Morley y Kuan-Hsing Chen, eds., Routledge, Londres y Nueva York, 1996.

Kaplan, E. Ann (ed.), *Postmodernism and its Discontents: Theories, Practices*, Verso, Londres, 1988.

Kellner, Douglas, *Jean Baudrillard: From Marxism to Postmodernism and Beyond*, Polity/Basil Blackwell, Cambridge, 1988.

—, *Postmodernism/Jameson/Critique*, Maisonneuve Press, Washington, DC, 1990.

Lee, Alison, *Realism and Power: Postmodern British Fiction*, Routledge, Londres, 1990.

McHale, Brian, *Postmodernist Fiction*, Routledge, Londres, 1987.

—, *Constructing Postmodernism*, Routledge, Londres, 1993.

Nicholson, Linda y Seidman, Steven (eds.), *Social Postmodernism. Beyond Identity Politics*, Cambridge University Press, Cambridge, 1995.

Norris, Christopher, *What's Wrong with Postmodernism: Critical Theory and the Ends of Philosophy*, Harvester Wheatsheaf, Hemel Hempstead, 1991.

—, *Uncritical theory: Postmodernism, Intellectuals and the Gulf War*, Lawrence & Wishart, Londres, 1992.

Readings, Bill, *Introducing Lyotard: Art and Politics*, Routledge, Londres, 1990.

Sarup, Madan, *An Introductory guide to Post-Structuralism and Post-modernism*, Harvester Wheatsheaf, Hemel Hempstead, 1988; 2.ª ed., 1993.

Silverman, Hugh J. (ed.), *Postmodernism, Philosophy and the Arts*, Routledge, Londres, 1990.

Squires, Judith (ed.), *Principled Positions. Postmodernism and the rediscovery of Value*, Lawrence & Wishart, Londres, 1993.

Wakefield, Neville, *Postmodernism: The Twighlinght of the Real*, Pluot, Londres, 1990.

Waugh, Patricia, *Metafiction: The Theory and Practice of Self-Conscious Fiction*, Routledge, Londres, 1984.

—, *Feminine Fiction: Revisiting the Postmodern*, Routledge, Londres, 1989.

—, *Practising Postmodernism / reading Modernism*, Arnold, Londres, 1992.

Wolmark, Jenny, *Aliens and Others. Science Fiction, feminism and Postmodernism*, Prentice Hall / Harvester Wheatsheaf, Hemel Hempstead, 1993.

CAPÍTULO 9

TEORÍAS POSCOLONIALISTAS

Otro movimiento que recurre a las implicaciones más radicales del postestructuralismo es el estudio del discurso colonial o lo que comúnmente se denomina «crítica poscolonial» —aunque deberíamos hacer una advertencia respecto a aferrarse demasiado a un nombre para este grupo internacional y variopinto de escritores y obras—. El análisis de la dimensión cultural del colonialismo/imperialismo es tan viejo como la lucha contra él; esta tarea ha sido un elemento básico de los movimientos anticoloniales de todas partes. Entró en el orden del día de los intelectuales y académicos metropolitanos como reflejo de una nueva conciencia a raíz de la independencia de la India (1947) y como parte de una reorientación izquierdista general de las luchas del Tercer Mundo (sobre todo en Argelia) a partir de los años de 1950. La obra de Frantz Fanon *The Wretched of the Earth* (1961) fue y sigue siendo un texto clave inspirador (tuvo un importante prefacio obra del «converso» metropolitano Jean-Paul Sartre). Más tarde, los «estudios poscoloniales» asumieron la problemática categoría ideológica de «literatura de la Commonwealth» para surgir en los años de 1980 como un conjunto de preocupaciones marcadas por el descentramiento asociado filosóficamente con el postestructuralismo y sobre todo con la deconstrucción (véase el cap. 7).

La aparición de la crítica poscolonial se ha solapado, por tanto, con los debates sobre el posmodernismo, aunque conlleva también una conciencia de las relaciones de poder entre las culturas de Occidente y las del Tercer Mundo, que el más festivo, paródico y esteticizante posmodernismo ha ignorado o ha tardado en desarrollar. Desde una perspectiva poscolonial, los valores y las tradiciones occidentales del pensamiento y la literatura, incluyendo versiones del posmodernismo, son culpables de un etnocentrismo represivo. Los modelos del pensamiento occidental (derivados, por ejemplo, de Aristóteles, Descartes, Kant, Marx, Nietzsche y Freud) o de la literatura (Homero, Dante, Flaubert, T. S. Eliot) han dominado el mundo de la cultura, marginalizando o excluyendo las tradiciones y las formas de vida y expresión culturales no-occidentales.

Jacques Derrida ha descrito la metafísica occidental como «la mitología blanca que reúne y refleja la cultura de Occidente: el hombre blanco escoge su propia mitología, la mitología indoeuropea, su propio *logos*, es decir, el *mythos* de su idioma, para la forma universal de eso que todavía quiere llamar Razón» y los métodos de la deconstrucción han demostrado constituir una importante fuente de inspiración para los críticos poscoloniales. Algunos de los restantes argumentos teóricos discutidos en la presente obra —derivados, por ejemplo, de la dialógica de Bakhtin, del concepto de Gramsci de hegemonía y de los escritos de Foucault sobre el poder y el conocimiento— han sido también relevantes para las formas de pensamiento y lectura pos o anticoloniales y la crítica posmoderna de Lyotard de las narrativas y estrategias históricas universalizadoras de la racionalidad occidental también han influido notablemente. No obstante, el hecho de que estos modelos tengan su fuente en las tradiciones intelectuales occidentales las convierte en cierto modo en problemáticas. En el caso de Lyotard, por ejemplo, hay irónicamente un empuje totalizador a su «guerra a la totalidad» y a su «incredulidad hacia las narrativas dominantes» y, para algunos, una arrogancia demasiado característica de la ceguera de los paradigmas occidentales vanguardistas.

Linda Hutcheon (1989, y véase más atrás) trata de aclarar algunas de estas cuestiones trazando una distinción entre los respectivos objetivos y las agendas políticas. Por esta razón, el posmodernismo y el postestructuralismo dirigen su crítica al sujeto humanista unificado, mientras que el poscolonialismo busca socavar al sujeto imperialista. Hutcheon afirma que el primero debe «ser sometido» con el fin de que los discursos poscolonial y feminista puedan ser «los primeros en afirmar una subjetividad negada o enajenada». Pero esto es comprometer a las culturas no-occidentales (del mismo modo que compromete a las mujeres) a una forma de subjetividad y a una narrativa (reprimida) del individuo y de la autolegitimación nacional características del humanismo liberal occidental. Evidentemente, el peligro es que los «sujetos coloniales» se confirman en su sometimiento a las formas ideológicas occidentales, que a su vez se confirman a sí mismas en su centralización controladora. Ésta es la perspectiva del «orientalismo» explorado y expuesto por Edward Said (*Orientalism*, 1978), una influencia importante en la crítica poscolonial, cuyo trabajo está motivado por su compromiso político con la causa palestina. El discípulo americano más distinguido de Foucault, Said, se ve atraído por la versión nietzscheana de su mentor del postestructuralismo porque le permite ligar la teoría del discurso con las luchas sociales y políticas reales. Al desafiar al discurso occidental, Said sigue la lógica de las teorías de Foucault: ningún discurso está fijado para siempre; es tanto causa como efecto. No sólo ejerce poder, sino que también estimula la oposición.

EDWARD SAID

El orientalismo, señala Said, ocupa tres dominios en expansión. En primer lugar, designa la historia de 4.000 años de las relaciones culturales entre Europa y Asia; en segundo lugar, la disciplina científica que producen los especialistas en lenguas y culturas orientales desde principios del siglo XIX; y en tercer lugar, las imágenes a largo plazo, los estereotipos y la ideología general sobre Oriente como el «Otro», elaborado por generaciones de eruditos occidentales que han originado mitos sobre la pereza, el engaño y la irracionalidad de los orientales, como también su reproducción y refutación en los debates habituales sobre el mundo árabe-islámico y sus intercambios, sobre todo con

Estados Unidos. El orientalismo depende, en todos estos aspectos, de la distinción construida desde una óptica cultural entre «el Oriente» y «el Occidente» (un hecho más de «geografía imaginativa» que de naturaleza, tal y como lo expresa Said) y es ineludiblemente político, como también lo es su estudio. Por lo tanto, esto plantea el tema decisivo para el poscolonialismo de la posición del crítico; Said lo expresa en *Orientalism Reconsidered* (1986) del siguiente modo: «cómo el conocimiento que no es dominante ni coercitivo puede generarse en un escenario que está profundamente dedicado a la política, las consideraciones, las posiciones y las estrategias de poder». Said rechaza cualquier suposición de un punto «libre» fuera del objeto de análisis y rechaza también las suposiciones del historicismo occidental que ha homogeneizado la historia mundial de una eurocentricidad privilegiada y supuestamente culminante. La obra de Said se acerca al marxismo (Gramsci), la «dialéctica negativa» de Adorno y, más notablemente, como ya hemos señalado, en el análisis del discurso como poder de Foucault, para dilucidar la función de las representaciones culturales en la construcción y el mantenimiento de las relaciones «Primer/Tercer Mundo». Dice que el análisis tiene que entenderse «en su sentido más pleno siendo a contracorriente, deconstructivo y utópico». Reclama una «conciencia crítica descentrada» y un trabajo interdisciplinario comprometido con el objetivo libertario colectivo de desmantelar los sistemas de dominación. Al mismo tiempo, advierte contra el obstáculo de esta meta de «exclusivismo posesivo»; el peligro de que las críticas antidominantes demarquen áreas separatistas de resistencia y lucha. Las credenciales del crítico no residen en la supuesta autenticidad de identidad étnica o sexual, ni en la experiencia, ni en ninguna pureza de método, sino en otra cosa. Qué es y dónde está esta otra cosa es el problema principal de la crítica poscolonial y de otras formas de «crítica ideológica» dirigidas de forma diferente. La propia obra *Orientalism* de Said ha sido criticada en este aspecto por su llamada no teorizada y no problemática a los valores humanistas; pero aunque los ecos más fuertes de la deconstrucción en las últimas obras de Said ayudan a responder a esta acusación, la deconstrucción en sí misma no fundamenta el tipo de práctica política y de cambio que Said desea contemplar.

En el ensayo que da título a *The World, the Text and the Critic* (1983), Said explora la «mundanidad» de los textos. Rechaza la opinión de que el discurso está en el mundo y los textos han sido eliminados del mundo, teniendo únicamente una nebulosa existencia en la mente de los críticos. Cree que la crítica más reciente exagera la «ilimitación» de la interpretación porque rompe los lazos entre texto y realidad. El caso de Oscar Wilde indica que todos los intentos por divorciar el texto de la realidad están condenados al fracaso. Wilde trató de crear un mundo estilístico ideal en el que poder resumir toda existencia en un epigrama, pero, al final, lo escrito le condujo a un conflicto con el mundo «normal». Una carta firmada por él se convirtió en documento incriminatorio clave en el caso de Crown contra él. Los textos son profundamente «mundanos»: sus usos y efectos están muy relacionados con la «propiedad, la autoridad, el poder y la imposición de la fuerza».

¿Y qué hay del poder del crítico? Said sostiene que cuando se escribe un ensayo crítico se establecen una o más de las diversas relaciones con el texto y el público. El ensayo puede permanecer entre el texto literario y el lector o estar a uno de los dos lados. (Para ver un ejemplo de los propios escritos críticos de Said en este contexto, véase su ensayo sobre *El corazón de las tinieblas* de Joseph Conrad en el cap. 6 de *A Practical Reader.*) Said plantea una interesante cuestión en relación con el contexto histórico real del ensayo: «¿Cuál es la categoría del discurso del ensayo en relación con la *realidad, fuera de* ella y en ella, la *realidad,* el terreno de la presencia y la vitalidad histórica no textual que tiene lugar de modo simultáneo al ensayo mismo?» Como el pensamiento postestructuralista excluye lo «no textual», las palabras de Said (realidad, no textual, presencia) constituyen una afrenta. A continuación dirige esta pregunta del contexto hacia el significado monolítico más habitual de un texto del pasado, pero siempre tiene que escribirlo dentro del «archivo» del presente. Said, por ejemplo, sólo puede hablar de Wilde en términos aceptados por el discurso vigente que, a su vez, es producido de modo impersonal desde el archivo del presente. No reclama autoridad para lo que dice, pero sin embargo trata de producir un discurso *poderoso*.

GAYATRI CHAKRAVORTY SPIVAK

Una crítica poscolonial importante, que sigue atentamente las lecciones de la deconstrucción y cuya obra plantea una vez más la difícil política de esta empresa, es Gayatri Chakravorty Spivak, también traductora y autora del importante prefacio del traductor a la obra de Derrida *Grammatology* (1976). Además de una «ética» de la deconstrucción no asimilada y desafiante, Spivak se aproxima también al marxismo y al feminismo, y este riguroso eclecticismo híbrido «antifundacionalista» es en sí mismo significativo, ya que ella no pretende sintetizar estas fuentes, sino preservar sus discontinuidades —las formas en que se inducen unas a otras a entrar en crisis—. Se percata de que aparece como «una anomalía»: a veces se la considera como una «mujer del Tercer Mundo» y por ende como una marginada conveniente o una extraña invitada especial, el eminente profesor americano, pero que sólo está de visita; otras veces, como una exiliada bengalí de clase media; y otras, una historia de éxito en el sistema estelar de primeras figuras de la vida académica americana. No se la puede etiquetar simplemente, individualmente, biográficamente, profesionalmente o teóricamente como «centrada»; y sin embargo, ella *está*, y gran parte de su pensamiento y obra atiende escrupulosamente a este proceso, a las condiciones y a la lógica de las formas como los demás la denominan a ella, como el «otro» o como el mismo. Esto da origen a un paciente proceso de cuestionamiento y afirmación que a veces parece retroceder o quedar en suspenso, que provocar el dar por supuesto en el posicionamiento del sujeto y la denominación o «verbalización» en su terminología, del «Tercer Mundo» según esa misma descripción. En otras palabras, los métodos de Spivak están por encima de cualquier deconstructivismo. Como Derrida, está interesada en «cómo se construye la verdad más que en exponer el error» y confirma que: «la deconstrucción sólo puede hablar en el lenguaje de la cosa que critica... Las únicas cosas que realmente deconstruye son las cosas con las que uno está íntimamente ligado». Esto lo convierte en algo muy diferente de la crítica ideológica; como lo expresó en otra ocasión, la investigación deconstructiva te permite mirar «las formas en las que eres cómplice de aquello a lo que con tanto cuidado y celo te opones».

La crítica poscolonial en general llama la atención hacia cuestiones de identidad en relación con historias y destinos nacionales más amplios; y la obra de Spivak es de especial interés porque ella ha convertido los desincronizados y contradictorios factores de la etnicidad, la clase y el género que componen esas identidades en su propia «materia». Señala esta «difícil situación del intelectual poscolonial» en un mundo neocolonizado en su propio caso y también en los textos de las tradiciones occidentales e indios que examina. Lo que parece aunar estos aspectos de su obra es la estrategia de «negociar con las estructuras de violencia» impuestas por el liberalismo occidental: intervenir, cuestionar y cambiar el sistema desde dentro. Esto significa mostrar la forma en que una etiqueta como la de «Tercer Mundo» o «mujer del Tercer Mundo» expresa el deseo de los pueblos del «Primer Mundo» de otro mundo manejable y cómo un texto principal de la literatura inglesa necesita de «otro» para construirse a sí mismo, pero desconoce o no reconoce esta necesidad. Un ejemplo claro de este último análisis aparece en la discusión de Spivak de las novelas *Jane Eyre*, *El mar de los Sargazos* y *Frankenstein* en el ensayo «Three Women's Texts and a Critique of Imperialism» (las partes del ensayo que tratan de los dos primeros textos están reproducidas en *A Practical Reader*, cap. 3, sobre *Jane Eyre*). Spivak ve en *Jane Eyre* —por otra parte, un texto clásico del feminismo angloamericano— «una alegoría de la violencia epistémica general del imperialismo»; y en su observación central lee la última sección de *El mar de los Sargazos* de Jean Rhys, donde la novia criolla de Rochester, Antoinette, es conducida a Inglaterra y hecha prisionera con el nuevo nombre de Bertha, como una promulgación de la narrativa no escrita de *Jane Eyre*. «Rhys hace que Antoinette se vea a sí misma como la Otra, la Bertha de Brontë... En su Inglaterra de ficción tiene que representar hasta el final su papel, escenificar la transformación de su "personalidad" en esa Otra de ficción, prender fuego a la casa y quitarse la vida, de forma que Jane Eyre pueda llegar a ser la heroína individualista feminista de la ficción británica.»

Un problema que plantea esto es la figura del «subalterno» (una categoría para la no elite colonizada, tomada de Gramsci y representada en la ficción por Antoinette/Bertha) mudo en las obras de Spivak. Esto es, los oprimidos y los silenciados no pueden, por definición, hablar ni alcanzar la autolegitimidad sin dejar de ser ese sujeto nombrado bajo el neocolonialismo. Pero si los subalternos oprimidos no pueden hablar por obra de los intelectuales occidentales —porque esto no alteraría el hecho más importante de su posición—, ni hablar por sí mismos, aparentemente no puede existir un discurso no colonial o anticolonial. El poscolonialismo deconstructivo llega a un callejón sin salida habiendo alcanzado su límite político, cómplice finalmente con los sistemas a los que se opone, pero que está «interiormente manchado». Esto podría considerarse como una consecuencia de aceptar el concepto de la deconstrucción de la «textualidad», aunque Spivak insiste en que, según Derrida, esto significa más un entramado de indicios y condiciones constitutivos que simplemente una textualidad verbal sin fin. Aun así, el crítico poscolonial se mantiene dentro de la textualidad, comprometido con la «problematización deconstructiva de la posicionalidad del sujeto de investigación». Sin embargo, en un momento determinado al menos, en una discusión del «New Historicism» (véase cap. 7), Spivak parece aceptar que hay «algo más» que identifica la realidad más allá de la producción de signos. Esto guarda relación con la «narrativa de la producción» del capitalismo sobre la cual el marxismo ofrece una explicación global. Sin embargo, Spivak reclama una moratoria para las soluciones globales e instructivamente describe el marxismo como una «filosofía crítica» sin una política positiva. «El modo de producción narrativo de Marx», afirma, «no es una narrativa dominante y la idea de clase no es una idea inflexible». Es decir, que los textos de Marx se pueden leer

de formas diferentes de las interpretaciones fundamenta-
listas de la tradición marxista. Esto equivale a leer a Marx
a través de Derrida, quizás, pero junto con su oposición al
feminismo liberal individual y a su decidido antisexismo,
ofrece una serie de interrogantes sobre el poder y el patriarcado capitalista que extiende la deconstrucción de posiciones intelectuales occidentales sojuzgadas. (Para un
ejemplo más reciente del complejo entretejido de Spivak
sobre tales corrientes discursivas, véase su lectura de *Los
versos satánicos* de Salman Rusdie en *A Practical Reader*,
cap. 10.)

Homi K. Bhabha

La modalidad de crítica poscolonialista de Homi Bhabha también despliega un repertorio específicamente postestructuralista (Foucault, Derrida, psicoanálisis lacaniano y
kleiniano) para sus exploraciones del discurso colonial. El
principal interés de Bhabha está en la «experiencia de la
marginalidad social» tal y como se deriva de las formas culturales no canónicas o se produce y legitimiza dentro de las
formas culturales canónicas. Las obras recopiladas bajo el
título *The Location of Culture* (1994) se caracterizan por su
fomento de las ideas de la «ambivalencia colonial» y el «carácter híbrido» y por su utilización de términos y categorías
estéticos (mímesis, ironía, parodia, *trompe l'oeil*) para movilizar un análisis de los términos de compromiso (inter)cul-
tural dentro del contexto del imperio. (Véase *A Practical
Reader*, cap. 9, para su discusión en la Introducción a esta
recopilación, del *Beloved* de Toni Morrison.) Para Bhabha,
el «texto rico» de la misión civilizadora está notablemente
escindido, fisurado y agrietado. El proyecto de domesticar
y civilizar a las poblaciones indígenas se basa en las ideas
de repetición, imitación y similitud y en el ensayo «Of Mi-
micry and Man: The Ambivalence of Colonial Discourse»
(1984, en 1994). Bhabha demuestra los mecanismos (psíquicos) de este proceso de «re-presentación» para probar
la «ambivalencia» de un proyecto que produce súbditos coloniales que son «casi lo mismo, pero no del todo»: del

«encuentro colonial entre la presencia blanca y su apariencia negra, surge la cuestión de la ambivalencia de la
imitación como la problemática de la dominación colonial». La obligación por parte de los colonizados de reflejar una imagen del colonizador no da origen a identidad,
ni a diferencia, sólo a una versión de una «presencia» que
el súbdito colonizado sólo puede asumir «parcialmente».
De aquí que el «imitador» que ocupa el espacio imposible
entre culturas (una figura que puede «ser localizada a través de las obras de Kipling, Forster, Orwell, Naipaul») es el
«efecto de una mímesis colonial con fisuras en la cual estar anglicizado equivale enfáticamente a no ser inglés».
Ocupando también la precaria «área entre la imitación y el
remedo», el imitador es por lo tanto icónico tanto para la
aplicación de la autoridad colonial como para su «estratégico fracaso».

El interés de Bhabha en estas figuras o representaciones
del «intermedio» del discurso colonial es evidente también
en su invocación y transformación del concepto bakhtinia-
no del «carácter híbrido». En Bakhtin, la hibridación desestabiliza las formas unívocas de autoridad. Bhabha considera el carácter híbrido como una «problemática de la
representación colonial» que «invierte los efectos de la negación colonialista [de la diferencia], con el fin de que otros
conocimientos "negados" se incorporen al discurso dominante y hacer perder a la ficción las bases de su autoridad».
Nuevamente, la «producción de la hibridación» no sólo expresa la condición de la proclamación colonial, sino que
también marca la posibilidad de la resistencia anticolonial:
el carácter híbrido «marca esos momentos de desobedien-
cia civil dentro de la disciplina de la civilidad: señales de resistencia espectacular». Esta teoría de la resistencia se extendió más en su teorización de «The Third Space of
enunciation» como la afirmación de la diferencia en el discurso: el «valor transformacional del cambio reside en la
rearticulación, o traslación, de elementos que no son *ni el
Uno* (la clase trabajadora unitaria) *ni el Otro* (los políticos
del género), *sino algo más además* que rebate los términos
y territorios de ambos».

El radicalismo de la obra de Bhabha reside en su desarrollo de la idea de *différance* (disonancia interna) en el seno de un análisis del colonialismo como «texto cultural o sistema de significado» y su énfasis en la dimensión realizable de la articulación cultural; porque, tal y como afirma, «la representación de la diferencia no debe leerse a la ligera como el reflejo de rasgos étnicos o culturales predeterminados». Una preocupación que le ha guiado a lo largo de su pensamiento es el desarrollo de una práctica crítica poscolonial que reconozca que «el problema de la interacción cultural surge sólo en los límites significativos de las culturas, donde los significados y los valores son (mal)interpretados o se hace mal uso de los signos». La afirmación más clara de Bhabha de la «perspectiva poscolonial» queda recogida en el ensayo «The Postcolonial and the Postmodern: The Question of Agency» (1992, en 1994), que constituye también una defensa de su interés por la «indeterminación» contra las acusaciones de la orientación formalista de su obra (véase Thomas, Parry y MacClintock más adelante).

En la actual denominación de todas estas críticas bajo la etiqueta de «poscolonial» persiste un problema clave, ya que el prefijo pos(t)- plantea cuestiones similares a las que se suscitan a raíz de su acoplamiento al término modernismo. ¿Es que «pos(t)-» indica una ruptura en una fase y una conciencia de una independencia y autonomía construidas de nuevo «más allá» o «después» del colonialismo o bien implica una continuación e intensificación del sistema, entendido mejor como neocolonialismo? La segunda forma de entenderlo autoriza las estrategias de la crítica «poscolonial» (dentro, pero crítico hacia el neocolonialismo) adoptadas por Gayatri Spivak. Sin embargo, esto no constituye una crítica antiimperialista o anticolonialista del tipo de la que se puede atribuir a Frantz Fanon o al autor y crítico Chinua Achebe, el cual opina, por ejemplo, que el relato de Joseph Conrad «El corazón de las tinieblas» es «racista» y, por tanto, inaceptable (mientras que otros defienden su valor porque historiza su complicidad combinada en el colonialismo y, a la vez, crítico hacia él. (El ensayo de Achebe [1988] se ha reproducido en el cap. 6 de *A Practical Reader*.) En efecto, el ejemplo de Achebe señala que la «crítica poscolonial» se utiliza a menudo como término paraguas para identificar una variedad de disciplinas diversas y diferentes como el análisis del discurso colonial, los estudios subalternos, la política cultural británica, la teoría tercermundista, los estudios culturales afroamericanos. A partir de estas fuentes que rebaten las estrategias analíticas de la «teoría» poscolonial «canónica» (Said, Spivak, Bhabha) se está desarrollando una rica variedad de obras que argumentan contra las explicaciones del discurso colonial y lo presentan como una «lógica de la denigración ahistórica y global», insensible a la voz y a la presencia de los colonizados. Benita Parry («Problems in Current Theories of Colonial Discourse», 1987), Nicholas Thomas (*Colonislism Culture*, 1994), Anne McLintock (*Imperial Leather: Race, Genderand Sexuality in the Colonial Context*, 1995) han argumentado que la «teoría» poscolonial encaja tanto los aspectos históricamente contingentes de la significación y los «nativos como sujeto histórico y agente de un discurso de oposición».

Otro movimiento sugerido en estos debates es la adopción de la idea de una literatura mundial comparativa de reciente fundación o el uso de términos tales como «multiculturalismo» o «cosmopolitanismo» como un avance respecto a las ambigüedades y limitaciones del «poscolonialismo». Sin embargo, cualquier término singular, esencialista o totalizador, será en estos momentos problemático. Todos estos términos nuevos que se han sugerido, como también ocurre con los términos «postestructuralismo», «posmodernismo» y «poscolonialismo», dan fe de una crisis contemporánea de relaciones de significación y de poder, al menos dentro de la crítica literaria y cultural. Estos debates pueden parecer herméticos y dilatorios, para suspender más que para promover un cambio, pero al mismo tiempo muestran una predisposición a cuestionar y a trabajar a través de temas de lenguaje y significado hacia un nuevo discurso de relaciones literarias y culturales mundiales.

RAZA Y ETNICIDAD

«La experiencia de los pueblos inmigrantes o en la diáspora», escribe Marie Gillespie (1995), «es esencial en las sociedades contemporáneas.» Respondiendo a este acontecimiento, los estudios sobre raza y etnicidad han estado en el primer plano de las discusiones recientes que pretenden articular la experiencia vivida de la posmodernidad. La teoría y la crítica literarias han tomado la delantera en este punto a los estudios culturales, aunque los límites entre estas áreas están sintomáticamente difuminados. Esta obra pretende, en primer lugar, distinguir entre los conceptos de raza y etnicidad y deconstruir las suposiciones en el uso de ambos términos de una identidad nacional fijada, dada naturalmente o unificada. Con esta finalidad ha desarrollado conceptos que también se exhiben en la teoría poscolonial: uno de ellos es el concepto de hibridación utilizado por el sociólogo cultural británico Stuart Hall. La hibridación es una metáfora que hace posible la teorización de la «experiencia negra» como una «experiencia de diáspora» (tanto en Gran Bretaña como en el Caribe) y ocupa un lugar preeminente en las estructuras de doble vertiente o de doble voz que él considera constitutivas de esta experiencia.

El análisis de Hall de las prácticas culturales y estéticas en la diáspora negra utiliza el concepto-metáfora de «hibridación» tanto para referirse a la complejidad de la «presencia/ausencia de África» («no se encuentra por ninguna parte en su estado puro, prístino», sino «ya fusionado, sincretizado, con otros elementos culturales») y para iluminar el «diálogo de poder y resistencia, de rechazo y reconocimiento», a favor y en contra de la dominación de las culturas europeas. Hall no utiliza el término «diáspora» en el sentido «imperializador», «hegemonizador» de «tribus dispersas cuya identidad sólo puede garantizarse en relación con alguna patria sagrada a la que tienen que regresar a cualquier precio, aunque ello signifique empujar a otra gente al mar». En lugar de eso, la experiencia de la diáspora se define «no por esencia o pureza, sino por el reconocimiento de una heterogeneidad y diversidad necesarias; por una concepción de la "identidad" que vive con y en, y no a pesar de, la diferencia; por hibridación». Hall siempre ha considerado los estudios culturales como una práctica intervencionista y los importantes ensayos «Minimal Selves»

(1988) y «New Ethnicities» (1996) introducen el concepto de identidad étnica provisional y politizada (comparable al concepto de Spivak de «esencialismo estratégico») para combatir al mismo tiempo las implicaciones políticamente quietistas y que flota libre de concepciones más textualistas de la diferencia, y las asociaciones nacionalistas reaccionarias y convencionales del concepto de etnicidad.

La redefinición de Hall de la identidad étnica y su explicación de la «estética de la diáspora» y de los «intelectuales en la diáspora» han ido acompañadas por obras relacionadas con otras áreas de los estudios culturales (Bell Hooks, 1991; Gilroy, 1993; Mercer, 1994) las cuales a veces incluyen, aunque no priorizan, la literatura junto con una amplia gama de representaciones culturales, a saber películas y música.

Los análisis de Paul Gilroy de la «moderna cultura política negra» se centran en el carácter doble o «doble conciencia» de la subjetividad negra, haciendo hincapié en que la experiencia constitutiva de las modernas identidades en la diáspora es la de estar «en Occidente, pero no ser de él». Gilroy, como Hall, señala que «el inglés negro contemporáneo» se encuentra «entre (al menos dos) grandes complejos culturales, que han mutado en el curso del mundo moderno que los compone y han asumido nuevas configuraciones». Gilroy es coherentemente antiesencialista, pero, igual que Hall, parece evitar un postestructuralismo de moda no historicizado: «europeo» y «negro» son «identidades inconclusas» para las cuales los pueblos negros modernos de Occidente no son «mutuamente exclusivas». Para Gilroy, las culturas «no siempre discurren dentro de patrones congruentes con las fronteras de los estados nación esencialmente homogéneos», pero su práctica crítica cuestiona la popularidad de las teorizaciones del «espacio intermedio» o de la «criollización, el mestizaje, la hibridación», no sólo porque estos términos no pierden de vista ideas de limitación cultural y de condiciones culturales comunes, sino también porque son «formas bastante insatisfactorias de aludir a los procesos de mutación cultural y de (dis)continuidad incansable que excede el discurso racial y soslaya la captura por parte de sus agentes». El «carácter doble» y la «mezcolanza cultural» distinguen la «experiencia de los bretones negros en la Europa contemporánea» y Gilroy considera la expresión artística negra como «si hubiera desbordado de los contenedores que el moderno estado nación les proporciona». (Para conocer la opinión de Gilroy sobre la novela *Beloved* de Toni Morrison, por ejemplo, véase *A Practical reader*, cap. 9.)

La idea de «carácter doble» (derivada de las teorizaciones del pionero historiador afroamericano W. E. B. DuBois) es también un concepto fundamental en la obra del influyente crítico afroamericano Henry Louis Gates Jr. La recopilación de ensayos de Gates, *Black Literature and Literature Theory* (1984) fue rompedora desde el punto de vista crítico y gran parte de su obra de los años de 1980 (como *The Signifying Monkey: a Theory of Afro-American Literary criticism*, 1988) ofreció un análisis innovador influenciado por la deconstrucción de la literatura afroamericana. En estos estudios, Gates llama la atención sobre los «antecedentes formales dobles complejos, los occidentales y los negros» de las literaturas afroamericanas y reclama el reconocimiento de la continuidad entre las tradiciones vernácula negra y literaria. En la década de 1980, Gates desarrolló en su obra un planteamiento crítico que consideraba la literatura negra como «palimpsesto» y la cual liberaba la «voz negra» para que hablara por sí misma, retornando a la «literalidad» del texto negro. Gates defendía la lectura atenta de la literatura negra en una época en la que «los teóricos de la literatura europea y angloamericana ofrecían críticas del formalismo angloamericano», porque las metodologías críticas habían «esbozado prácticamente la "literalidad" del texto negro». Como expresa Gates en su Introducción a la importante compilación de ensayos «*Race*», *Writing and Difference* (1985), «en una ocasión pensé que era nuestro gesto más importante para dominar el canon de la crítica, para iniciarla y aplicarla, pero ahora creo que debemos mirar hacia la propia tradición negra para desarrollar las teorías de la crítica indígena en nuestras culturas».

Sin embargo, posteriormente Gates ha puesto el acento en la intertextualidad dialógica tanto de las obras negras «que significan» por sí mismas en la elaboración de una geografía simbólica común (una idea que comparte con Houston A. Baker Jr. y Toni Morrison) y en la corriente principal de la literatura blanca. Esto está ligado a una concepción deconstructiva de las identidades, más allá de las binarias puras de negro y blanco. «Ya no hay que considerar los conceptos de "negro" y "blanco" como preconstituidos», escribe; «más bien son mutuamente constitutivos y socialmente producidos» (1990*c*). «Todos somos étnicos», concluye en un ensayo posterior, «el desafío de trascender el chauvinismo étnico es uno al que todos nos enfrentamos» (1991). Por lo tanto, ser americano es poseer una identidad étnica y con guiones, formar parte de «un complejo cultural de cultura viajera», pero esto no quiere decir que esté libre de efectos reguladores de poder y privilegio. Porque si la cultura americana se considera principalmente como «una conversación entre diferentes voces», dice Gates, «algunos de nosotros no hemos podido participar en ella hasta hace poco».

La problemática de la identidad también ha sido asumida por Cornel West. West es un teórico clave de la formación de sujetos culturales posmodernos (minoritarios) (un «sujeto fragmentado, que extrae del pasado y del presente, que produce un producto heterogéneo de forma innovadora») y West comparte con Stuart Hall y Paul Gilroy el deseo de crear un discurso de la diferencia cultural que luche contra la fijeza étnica y representa un discurso minoritario más amplio que incorpora temas de sexualidad, religión y clase. La contribución clave de West a los debates actuales es su construcción de una «tradición pragmática profética» (citada en *The Future of the Race*, 1996, DuBois, Martin Luther King, James Baldwin, Toni Morrison), argumentando que «es posible ser un pragmático profeta y pertenecer a movimientos políticos diferentes, por ejemplo, feminista, negro, chicano, socialista o de izquierdas» (*The American Evasion of Philosophy*, 1990).

En la tradición negra americana feminista y erudita, el acontecimiento crítico decisivo incluye la pionera recopilación de ensayos de Barbara Smith, *Towards a Black Feminist Criticism* (1977), que esboza los contornos y las diferencias de las obras de las mujeres negras. Al proponer una estética feminista negra, también expone y critica de forma notable el silenciamiento de la escritora lesbiana negra tanto en la crítica negra masculina como en la crítica blanca femenina. Alice Walker en *In Search of Our Mother's Gardens* (1983) está comprometida de forma parecida con una crítica literaria feminista negra, pero rechaza la frase racial y relacional de «feminismo negro» en favor del concepto de «*mujerismo*».

También a principios de los años de 1980, Bell Hooks (*Ain't I A Woman*, 1981) se contaba entre las diversas escritoras y críticas feministas negras que pusieron de manifiesto la «doble invisibilidad» sufrida por las mujeres negras: «Ningún otro grupo de América ha sufrido el problema de socializar su identidad fuera de la existencia como las mujeres negras... Cuando se habla de los negros, el centro suele ser sólo los hombres negros; y cuando se habla de las mujeres, el centro suele ser las mujeres blancas.» En *Talking Back: Thinking feminist, Thinking Black* (1989), Hooks cuestiona el eslogan feminista «lo personal es político» y sugiere que fijarse en lo personal a expensas de lo político es peligroso. En su lugar, defiende la necesidad de coaliciones, de trabajar juntos en contra de las diferencias. Hasta este punto su visión política (y su visión de la política de escribir) es parecida a la que avanzó Cornel West. Ambos abogan también, en este sentido, por formas politizadas de posmodernismo (West, 1988; Hooks «Postmodern Blackness» 1991).

La obra de Hazel Carby *Reconstructing Womanhood: The Emergence of the Afro-American Woman Novelist* (1987) está en desacuerdo con cualquier intento simple de reconstruir una tradición literaria afroamericana que articule la «experiencia compartida» y señala la necesidad de mirar las diferencias históricas y que sitúan las obras de las mujeres afroamericanas. También destaca aquí la obra de Toni Morrison. Su ensayo: «Rootedness: The Ancestor as Foundation» (1984) trata de las exclusiones de las mujeres de la escritura, pero también examina la relación del artista de la comunidad «por la que habla». Morrison explora estos temas, incluyendo la relación de la escritura negra con la tradición (o canon) blanca hegemónica, tanto en sus obras de ficción como en ensayos posteriores. A saber, en *Playing*

in the Dark (1992) expone la doble exclusión o marginalización de la cultura negra de la sensibilidad literaria blanca dominante para la cual la negritud ha sido una «presencia» negada, aunque definidora. Por tanto, igual que
Gates y otros, su obra explora el «carácter doble» o «carácter híbrido» de la identidad afroamericana, en un proyecto comprometido con la recuperación de las historias
suprimidas y una política cultural comprometida (para una
discusión crítica de *Beloved* de Morrison, véase *A Practical
Reader*).

La recopilación de ensayos de June Jordan *Civil Wars*
(1981) había ilustrado los peligros de «apropiarse» y reconstruir las voces de esas mujeres que no pueden hablar
por sí mismas. Durante los años de 1980, la visibilidad y la
creciente confianza política de los escritores y críticos nativos latinos americanos y de los asiáticos americanos de-
sembocaron en afirmaciones y estudios del carácter distintivo de estas literaturas, en especial como obras que alen-
taban una supresión de los límites y una mezcla de géneros
(véase Asunción Horno-Delgado, *Breaking Boundaries: Latina
Writings and Critical Reading*, 1989; Paula Gunn Allen, *The
Sacred Hoop; Recovering the Feminine in American Indian
Traditions*, 1986, y Shirley Geok-lin Lim y Amy Ling [eds.],
Reading the Literatures of Asian America, 1992).

Gran parte de las obras feministas caribeñas escritas en
inglés y francés están igualmente preocupadas por resta-
blecer la presencia de las mujeres escritoras que han sido
sumergidas y eliminadas por el privilegio crítico de sus
iguales masculinos. El tema de la «doble colonización» de
las mujeres (expresado de forma tan elocuente por Gayatri
Spivak en su ensayo «Can the Subaltern Speak?») repasa y
une diversas tradiciones de crítica feminista poscolonial
y trata de desarrollar identidades nacionales y culturales de
«nueva ética». Las críticas feministas irlandesas han señalado que las escritoras irlandesas se ven obligadas a negociar las mediaciones y violaciones tanto del patriarcado
como del colonialismo sobre la subjetividad y la sexualidad.
En Canadá, algunas críticas feministas han expresado la
opinión de que la designación convencional «escritora étnica» (dada a las escritoras cuya primera lengua no es ni in-

glés ni francés) refuerza una doble marginalización: en base al género y a la etnia. La tarea de negociar la forma de desprenderse de este «doble lastre» informa los proyectos feministas de las mujeres indígenas de Australia, Nueva Zelanda, la región del Pacífico, África oriental y occidental y de los movimientos feministas de Sudáfrica, confrontados además a causa del perjuicio inflingido a las identidades y afiliaciones políticas herencia del *apartheid*.

En cada uno de estos casos puede parecer que la identidad nacional o cultural de determinados escritores y críticos se está afirmando como una posición preestablecida o una identidad fundamental para la exclusión de los demás rasgos constitutivos. Pero las cuestiones de identidad y posición están consecuentemente problematizadas en el feminismo internacional como en las restantes áreas consideradas más atrás y muy pocas veces hay una llamada a las identidades esencialistas que sea poco atrevida o no se comprometa. Éstos son temas cruciales a todas luces para las feministas negras culturales y poscoloniales como Trinh T. Minh-ha (*Women Native Other*, 1989), las cuales están preocupadas porque la categoría genérica «mujer» no sólo «tiende a eclipsar la diferencia dentro de sí misma», sino que con frecuencia garantiza el privilegio blanco. Chandra Talpade Mohanty («Under Western Eyes», 1991) ha señalado que el discurso feminista no tiene las manos limpias cuando se trata del poder y la construcción del feminismo occidental de la «diferencia del Tercer Mundo» y que con frecuencia se apropia y «coloniza» la «complejidad constitutiva que caracterizan las vidas de las mujeres de estos países». La reivindicación de que el feminismo confronta sus propias hegemonías sexista y racista y reconoce que las identidades constituidas cultural y políticamente son complejas y múltiples ha sido durante mucho tiempo una fuerza impulsora de la crítica feminista negra y anticolonial. Contra las feministas blancas, la raza (y por supuesto la edad, clase, religión y nación) no es un problema «añadido» donde las articulaciones racial y cultural se han «proyectado en» la diferencia sexual. Se coloca el énfasis en las «interarticulaciones» de raza, clase y sexualidad y las «identidades múltiples» forman un vínculo común entre muchas «mujeres de color» y escritoras de la clase trabajadora asiáticas, afroamericanas, negras británicas y aborígenes australianas.

Una estrategia básica ha sido establecer tradiciones discursivas identificables y separadas a fin de dar voz a la experiencia particular de las mujeres negras y otras (como en *In Search of Our Mothers' Gardens*, 1983, de Alice Walker). Para las mujeres que han estado «ocultas de la historia», simplemente hacer constar y valorar tal experiencia es una iniciativa política importante. Igualmente, inspirar «otras» tradiciones culturales (cuentos, canciones, costumbres domésticas), una «poética» de la diferencia (como la poesía de Sonia Sánchez y las novelas de Bharati Mukherjee) cuestiona a la vez las nociones occidentales de la autonomía de la estética y establece y celebra un discurso de las mujeres no incorporadas.

La proposición de Donna Haraway (véase más atrás, cap. 8) de que «las «mujeres de color» deberían entenderse como una «identidad cyborg» es una contribución más a una poética y una política de la diferencia. El modelo de Haraway del cyborg como una «subjetividad potente sintetizada a partir de las fusiones de identidades externas» se aproxima, en ciertos aspectos, a la idea de Gloria Anzaldúa de la mestiza (*Borderlands/La Frontera: The New Mestiza*, 1987), una figura ilimitada y flexible de la feminidad que es a la vez «culta» e «inculta». Para Anzaldúa, una escritora y maestra chicana e identificada a sí misma como «mujer de la frontera», la nueva mestiza tolera las contradicciones, ambigüedades y «aprende a falsear culturas»; ella tiene una «personalidad plural» y «opera de un modo pluralista». La obra de la conciencia mestiza es trascender las dualidades: la «respuesta al problema entre la raza blanca y la de color, entre hombres y mujeres, reside en la escisión que se origina en el propio fundamento de nuestras vidas, nuestra cultura, nuestras lenguas, nuestros pensamientos». La resistencia de Anzaldúa a teorizar sobre el sujeto como algo fijado y culturalmente limitado es poner en práctica a través de su alusión al famoso modelo de Virginia Woolf de la hermandad internacional: «Como mestiza no tengo país... y sin embargo todos los países son míos porque soy la her-

mana de todas las mujeres o su amante potencial.» (Véase
también el cap. 10, sobre las teorías lesbianas y homosexuales.)

La idea de la unidad transcultural de las mujeres ha sido
significante e insistentemente cuestionada por las feministas que no se consideran a sí mismas como parte de las tradiciones eurocéntricas culturales y políticas. El importante
posicionamiento de Gayatri Spivak en el feminismo francés
dentro de un «marco internacional» le permite articular una
profunda crítica no sólo de la crítica feminista angloamericana (blanca, de la «Primera Guerra Mundial»), en su etno-
centricidad, sino también de la teoría francesa (sobre todo
de *About Chinese Women*, 1977, de Kristeva) en su predisposición a exportar su análisis a diferentes contextos políticos sin investigar ni su propia relación con otros feminismos, ni su tendencia a abrazar una creencia en el potencial
revolucionario de la vanguardia metropolitana. Al preguntarse las cuestiones vitales «no sólo ¿quién soy?, sino ¿quién
es esa otra mujer? ¿Cómo la estoy llamando? ¿Cómo me llama ella a mí? ¿Es esto parte de la problemática que estoy
discutiendo?», Spivak lanza un debate acerca del posicionamiento que Cora Kaplan considera («Feminist Literary
Criticism», 1990) como el resultado en la crítica feminista
occidental que se transforma en «más consciente que nunca de que tanto la crítica como el texto necesitan entenderse en relación a su posición dentro de la cultura —cualquier
práctica nueva de lectura... tiene que ubicarse primero a sí
misma y al hacerlo tiene que reflexionar sobre sus limitaciones y posibilidades para el lector».

A esta necesaria autoconciencia se une la idea de Spivak del «esencialismo estratégico» («Subaltern Studies»,
1988, y véase Stuart Hall sobre la identidad, más atrás).
Aunque una autocrítica implacable podría parecer un im-
pedimento, este concepto permite un reconocimiento de las
identidades políticamente constituidas como un «uso estratégico del esencialismo positivista en un interés político escrupulosamente visible». Tal y como Diana Fuss ha argumentado de forma parecida (*Essentially Speaking*, 1989),
existe una «distinción importante» entre «"desplegar" y "activar" el esencialismo y "caer en" o "incurrir en" el esencia-

lismo": "desplegar" implica que el esencialismo puede tener algún valor estratégico o intervencionista». Quizás el rasgo característico de la teoría feminista contemporánea en este «marco internacional» posmoderno es análogo una vez más a la «conciencia mestiza» de Gloria Anzaldúa: el «movimiento creativo continuo que sigue destruyendo el aspecto unitario de cada nuevo paradigma». De ser así, ésta es una estrategia que ya apunta el fin de la universalización no sólo del concepto de «mujer», sino también de «feminismo».

BIBLIOGRAFÍA SELECCIONADA

Textos básicos

Anzaldúa, Gloria, *Borderlands/La Frontera: The New Mestiza*, Spinsters/Aunt Lute, San Francisco, 1987.

Bhabha, Homi K., «The Other Question: Difference, Discrimination and the Discourse of Colonialism», en Barker *et al.* (eds.), 1986, *Further Reading*, más adelante.

— (ed.), *Nation and Narration*, Routledge, Londres, 1990.

—, *The Location of Culture*, Routledge, Londres y Nueva York, 1994.

Derrida, Jacques, «White Mythology» (1971), en *Margins of Philosophy*, trad. Alan Ball, Chicago University Press, Chicago, 1982.

—, «Racism's Last Word», en Henry Louis Gates, Jr. (ed.) *«Race» Writing and Difference*, Chicago University Press, Chicago y Londres, 1985.

Fanon, Frantz, *The Wretched of the Earth*, trad. C. Farrington, Penguin, Hardmondsworth, 1961.

—, *Black Skin, White Masks*, trad. C. L. Markmann con un Prólogo de Homi Bhabha, «Remembering Fanon: Self, Psyche and the Colonial Condition», Pluto, Londres, 1986.

Gates, Henry Louis, Jr., (ed.), *Black Literature and Literary Theory*, Routledge, Londres, 1984.

— (ed.), *«Race», Writing and Difference*, Chicago University Press, Chicago y Londres, 1985. Contiene ensayos de Bhabha, Spivak y Derrida.

—, *Figures in Black: Words, Signs and the «Racial» Self* (1987), Oxford University Press, Oxford, 1990*a*.

—, *The Signifying Monkey: A Theory of Afro-American Literary Criticism* (1988), Oxford University Press, Oxford 1990*b*.

—, «Introduction: Tell me, Sir, ... What is "Black" literature?», *PMLA*, 105, enero 1990c.

—, «Goodbye Columbus? Notes on the Culture of Criticism», *American Literary History*, 4, invierno 1991.

Gilroy, Paul, *There Ain't No Black in the Union Jack: The Cultural Politics of Race and Nation*, Hutchinson, Londres, 1987.

—, *The Black Atlantic: Modernity and Double Consciousness*, Verso, Londres, 1993.

—, *Small Acts: Thoughts on the Politics of Black Cultures*, Serpent's Tail, Londres y Nueva York, 1993.

Hall, Stuart, «Minimal Selves», en *The Real Me. Postmodernism and the Question of Identity*, ICA Documents, Londres, 1988.

—, «Cultural Identity and Diaspora», en Jonathan Rutherford (ed.), *Identity: Community, Culture, Difference*, Lawrence & Wishart, Londres, 1990.

—, *Critical Dialogues in Cultural Studies*, David Morley y Kuan-Hsing Chen, eds., Routledge, Londres y Nueva York, 1996.

Hooks, Bell, *Ain't I A Woman: Black Women and Feminism*, Pluto, Londres, 1981.

—, *Talking Back. Thinking Feminist, Thinking Black*, Pluto, Londres, 1989.

—, *Yearning. Race, Gender and Cultural Politics*, South End Press, Boston; Turnaround Press, Londres, 1991.

Mercer, Kobena, *Welcome to the Jungle. New Positions in Black Cultural Studies*, Routledge, Londres y Nueva York, 1994.

Morrison, Toni, «Rootedness: The Ancestor as Foundation», en Mari Evans (ed.), *Black Women Writers 1950-1980: A Critical Evaluation*, Pluto, Londres, 1984.

—, *Playing in the Dark. Whiteness and the Literary Imagination*, Harvard University Press, Cambridge, MA, y Londres, 1978.

Said, Edward, *Orientalism*, Routledge, Londres, 1978.

—, *The World, the Text and the Critic*, Harvard University Press, Cambridge, MA, 1983.

—, «Orientalism Reconsidered», en Barker *et al.* (eds.) (1986), *Further reading*, más adelante.

Smith, Barbara, *Toward A Black Feminist Criticism*, Out and Out Press, Nueva York, 1977.

— (ed.), *Home Girls: A Black Feminist Anthology*, Kitchen Table Women of Color Press, Nueva York, 1983.

Spivak, Gayatri Chakravorty, «Three Women's Texts and a Critique of Imperialism» en *«Race», Writing and Difference*, Henry Louis Gates, Jr. (ed.). (Chicago University Press, Chicago y Londres, 1985.

—, *In Other Worlds: Essays in Cultural Politics*, Routledge, Londres, 1987.

Spivak, Gayatri Chakravorty, en Sarah Harasyn (ed.), *The Post-Colonial Critic: Interviews, Strategies, Dialogues*, Routledge, Londres, 1990.

Trinh, T. Minh-ha, *Woman, Native, Other: Writing, Postcoloniality and Feminism*, Indiana University Press, Bloomington, 1989.

Walker, Alice, *In Search of Our Mothers' Gardens: Womanist Prose*, Harcourt Brace Jovanovich, Nueva York, 1983.

—, *Living By the Word: Selected Writings, 1973-1987*, Harcourt Brace Jovanovich, Nueva York, 1988.

West, Comel, «Interview with Cornel West» en A. Ross (ed.), *Universal Abandon*, Edimburgh University Press, Edinburgo, 1988.

Lecturas avanzadas

Ansell-Pearson, Keith, Parry, Benita y Squires, Judith (eds.), *The Gravity of History. Reflections on the Work of Edward Said*, Lawrence & Wishart, Londres, 1996.

Ashcroft, Bill, Griffiths, Gareth y Tiffin, Helen (eds.), *The Empire Writes Back: Theory and Practice in Post-Colonial Literature*, Routledge, Londres, 1985.

— (eds.), *The Post-Colonial Studies Reader*, Routledge, Londres y Nueva York, 1995.

Baker, Houston A., Jr., *Modernism and The Harlem Renaissance*, Chicago University Press, Chicago, 1987.

—, *Afro-American Poetics. Revisions of Harlem and the Black Aesthetic*, University of Wisconsin Press, Madison, 1988.

Baker, Francis, Hulme, Peter, Loxley, Diana e Iverson, Margaret (eds.), *Literature, Politics, Theory: Papers from the Essex Conference. 1974-76*, Routledge, Londres, 1986.

Bell, R. P., Perker, B. J. y Guy-Sheftall, B. (eds.), *Sturdy Black Bridges: Visions of Black Women in Literature*, Anchor Press, Garden City, NY, 1979.

Carby, Hazel V., *Reconstructing Womanhood: The Emergence of the Afro-American Woman Novelist*, Oxford University Press, Oxford, 1987.

Christian, Barbara, *Black Feminist Criticism: Perspectives on Black Women Writers*, Pergamon, Nueva York, 1985.

Clifford, James, *The Predicament of Culture: Twentieth-Century Ethnography, Literature and Art*, Harvard University Press, Cambridge, MA, 1988.

Gates, Henry Louis, Jr. y West, Cornel, *The Future of the Race*, Alfred A. Knopf, Nueva York, 1996.

Gillespie, Marie, *Television, Ethnicity and Cultural Change*, Routledge, Londres y Nueva York, 1995.

Hodge, Bob y Mishra, Vijay, *The Dark Side of the Dream: Australian Literature and the Postcolonial Mind*, Allen & Unwin, Sydney, 1991.

Hull, Gloria y cols. (eds.), *All the Woman Are White, All the Blacks Are Men, But Some of Us Are Brave: Black Women's Studies*. The Feminist Press, Nueva York, 1982.

Hulme, Peter, *Colonial Encounters: Europe and the Native Caribbean 1492-1797*, Routledge, Londres, 1992.

Hutcheon, Linda, «Circling the Downspout of Empire: Post-colonialism and Postmodernism», *Ariel*, vol. 20:4 (1989), 149-175. Rpt en Ian Adam y Helen Tiffin (eds.), *Past the Last Post: Theorizing Post-colonialism and Post-modernism*, Harvester Wheatsheaf, Hemel Hempstead, 1991.

Jump, Harriet Devine (ed.), *Diverse Voices: Twentieth-Century Women's Writing from Around the World*, Harvester Wheatsheaf, Hemel Hempstead, 1991.

McDowell, Deborah E. y Rampersand, Arnold (eds.), *Slavery and the Literary Imagination*, Johns Hopkins University Press, Baltimore, 1989.

Mohanty, Chandra Talpade, «Under Western Eyes: Feminist Scholarship and Colonial Discourses», en Mohanty y cols. (eds.) *Third World Women and the Politics of Feminism*, Indiana University Press, Bloomington, 1991.

Pryse, M. y Spillers, Hortense (eds.), *Conjuring: Black Women's Fiction and the Literary Tradition*, Indiana University Press, Bloomington, 1985.

Wall, C. A. (ed.), *Changing Our Own Words: Essays on Criticism, Theory and Writing by Black Women*, Rutgers University Press, New Brunswick, 1989.

West, Cornel, *The American Evasion of Philosophy*, Macmillan, Basingstoke, 1990.

Williams, Patrick y Chrisman, Laura (eds.), *Colonial Discourse and Postcolonial Theory: A Reader*, Prentice Hall/Harvester Wheatsheaf, Hemel Hempstead, 1993.

Willis, Susan, *Specifying: Black Women Writing the American Experience*, Routledge, Londres, 1990.

Young, Robert, *White Mythologies: Writing, History and The West*, Routledge, Londres, 1990.

—, *Colonial Desire: Hybridity in Theory, Culture and Race*, Routledge, Londres y Nueva York, 1995.

Capítulo 10

TEORÍAS GAYS, LESBIANAS Y *QUEER**

Las teorías gays y lesbianas no se originaron, como la crítica feminista y negra, en las instituciones académicas, sino en los movimientos radicales de los años de 1960. El nacimiento del Movimiento de Liberación Gay puede reseguirse hasta los disturbios de Stonewall en Nueva York en 1969, cuando los ocupantes de un bar gay se resistieron a una redada policial. Este acontecimiento tuvo un efecto radicalizador sobre los grupos de lucha por los Derechos de los Homosexuales en Estados Unidos y en toda Europa.

En los años de 1960, la Liberación Gay tenía dos objetivos principales: resistir la persecución y la discriminación contra una minoría sexual y animar a los propios gays a desarrollar un orgullo por su identidad sexual. El movimiento utilizaba dos estrategias fundamentales: el «despertar de la conciencia», que había tomado de los movimientos negros y feministas, y el «salir del armario» —afirmar públicamente la identidad gay—, que es única a las comunidades gays cuya opresión reside en parte en su invisibilidad social. Los activistas de la Liberación Gay se consideraban a sí mismos como parte de un movimiento general que se movía hacia la liberalización de las actitudes sexuales característica de los años de 1960, pero en particular desafia-

---

* El término *queer* (literalmente, «extraño, anómalo»; coloquialmente, «maricón, bollera») se aplica a todos aquellos que se escapan de los parámetros normales de comportamiento y, más concretamente, a homosexuales y lesbianas. El movimiento gay se ha apropiado de este término y le ha dado un significado positivo y de resistencia. *(N. del t.)*

ba los prejuicios homofóbicos y el carácter represivo de la sociedad homosexual principal.

Más recientemente, los activistas gays y lesbianas han utilizado el término «heterosexismo» para referirse a la organización social prevaleciente que privilegia y ordena la heterosexualidad con el fin de invalidar y suprimir las relaciones homosexuales. Considerando que «homofobia» —el temor u odio irracional al amor entre personas del mismo sexo— implica una condición individualizada y patológica, «heterosexismo» designa una relación de poder social y político desigual y ha demostrado razonablemente ser el término teórico más útil en las teorías gays y lesbianas. Este concepto está en deuda a todas luces con el concepto feminista de sexismo: la desigual organización social de género y, en este sentido, ha sido de más importancia para la teoría feminista lesbiana que para la teoría gay que se desarrolló de formas solapadas pero distintas en los años de 1970 y 1980.

TEORÍA Y CRÍTICA GAY

La diversidad en la investigación gay y bisexual desde los años de 1970 refleja los esfuerzos por reivindicar los textos literarios, los fenómenos culturales y las narrativas históricas que han permanecido ocultas a la atención de la crítica. Al mismo tiempo (en gran medida como producto del psicoanálisis y el feminismo), ha tenido lugar una explosión de estrategias para explotar estos materiales. Aunque han habido varios intentos de ofrecer modelos explicativos que definen diversas etapas en la historia de la sexualidad (Bray, 1988; Cohen, 1989), en general, estos estudios concluyen que las pasadas construcciones de la sexualidad no pueden comprenderse de forma exhaustiva ni en sus propios términos, ni en los nuestros. Para muchos críticos, el pasado ofrece construcciones extrañas de la sexualidad, en una relación que contrasta con el presente, más que posibles identificaciones o momentos de celebración. Jonathan Katz (1994) extrae la siguiente lección de su historia de la pena sodomítica:

nuestra organización social contemporánea del sexo es tan históricamente específica como las formas sociosexuales del pasado. Estudiando el pasado, observando las diferencias esenciales entre las formas de sexo social pasadas y presentes, podemos adquirir una perspectiva fresca de nuestro propio sexo como algo elaborado socialmente, no como algo naturalmente recibido.

Un interés compartido por los recientes estudios gays e historicistas (Cohen, Katz, Trumbach) ha sido la construcción de la sexualidad en una red de relaciones de poder ejercido a través de las prácticas reguladoras de la Iglesia y el Estado, y de las formas menos evidentes pero numerosas en que la cultura occidental ha circunscrito las relaciones personales.

Las dos influencias principales sobre la teoría gay han sido las de Freud y Michael Foucault. Ya en el siglo XIX y principios del XX, aparecieron casos detallados de estudio psicológico para complicar y expandir infinitamente la gama de la sexualidad. Karl Heinrich Ulrichs publicó doce volúmenes sobre la homosexualidad entre 1864 y 1879 (el término fue utilizado por primera vez por Benkert en 1869); la obra *Psychopathia Sexualis* de Krafft-Ebing (en su edición de 1903) incluía 238 historias de casos (véase Weeks, 1985). Tales obras eran de gran importancia para Freud para estudiar la idea de que la heterosexualidad estaba, con total seguridad, fundamentada en la naturaleza. En *Three Essays on the Theory of Sexuality*, por ejemplo, señaló que no estaba tan claro el hecho de que los hombres tuvieran un interés sexual en las mujeres. Por esta razón, la teoría psicoanalítica parecía prometer una nueva pluralidad de clasificaciones posibles. Sin embargo, en ciertos aspectos, la obra de Freud demostró tener un efecto estrictamente normativo en el trabajo de sus seguidores, cuyo objetivo parecía ser devolver al paciente a un saludable estado de integridad, purgado del desorientador «mal» de la homosexualidad. La crítica que Jeffrey Weeks hace de Freud se centra en la idea de que el deseo «no puede reducirse a las necesidades biológicas primitivas que escapan del control humano, ni tampoco se puede considerar como un producto de la voluntad y la planificación consciente. Está en al-

guna parte de forma ambigua, evasiva, intermedia, omnipotente, pero intangible, poderosa, pero carente de objetivo» (1985). En la medida en que el deseo es intrínsecamente inestable, el objetivo procreador del individuo (o,
más concretamente, de sexo genital) se encuentra amenazado por fuerzas perversas y transgresoras. Freud señaló en
Outline of Psychoanalysis que la vida sexual estaba relacionada básicamente con la obtención de placer por parte del
cuerpo, con frecuencia más allá de las necesidades reproductoras. Si éste es el caso, la heterosexualidad apoya la
ideología de la burguesía hasta el punto de que la procrea-
ción refleja la producción. Por el contrario, el sexo gay es el
deseo privado de este objetivo; es la negación misma del
trabajo productivo.

La segunda influencia fundamental sobre la teoría gay,
que ha llevado a muchos críticos a una nueva lectura de
Freud, ha sido Michel Foucault (véase cap. 7), que ha inspirado el estudio de numerosas operaciones de poder y
ha establecido la problemática de definir la homosexualidad en el marco del discurso y de la historia. En *History of
Sexuality* (1976) Foucault considera que la homosexualidad
de finales del siglo XIX se caracteriza «por cierta calidad
de sensibilidad sexual, una cierta forma de invertir lo masculino y lo femenino en uno mismo». La homosexualidad
aparecía como una de las formas de sexualidad cuando
se trasponía de las prácticas de la sodomía a una especie
de androginia interior, un hermafrodismo del alma. «El
sodomita —concluye—, había sido una aberración temporal; el homosexual era ahora una especie.» Foucault estudió
la forma en que la sodomía estaba determinada en gran
parte por códigos civiles o canónicos como «una categoría
de actos prohibidos» que, por consiguiente, definían a
quien los perpetraba como poco más que su sujeto judicial.
Sin embargo, afirma Foucault, el siglo XIX fue testigo del
surgimiento del homosexual como «un personaje, un pasado, un caso histórico y una niñez... Nada de lo que intervi-
no en su composición total quedaba libre de su sexualidad».
Este modelo ha sido ampliamente aceptado, aunque posteriormente elaborado y, a veces, discutido en sus detalles
(Cohen, 1989). Sin embargo, la forma de Foucault de teori-

zar sobre la transición de un estilo a otro plantea un problema de carácter general. Como señaló Eve Kosofsky Sedgwick (1985), en el perfil discontinuo de Foucault «un modelo de relaciones entre el mismo sexo es reemplazado por otro, el cual, a su vez, volverá a ser reemplazado por otro. En cada caso, el supuesto modelo desaparece después del marco del análisis». No obstante, los historiadores de la sexualidad han reunido modelos de categorías sexuales que variaban con el tiempo influenciados por Foucault, pero más eruditos y menos rígidos o polémicos que el propio de Foucault. El historiador Randolph Trumbach, por ejemplo, ha sido mucho más abierto que Foucault al surgimiento del lesbianismo en el siglo XVIII, mientras que Weeks, Greenberg y Bray, pese a aceptar la construcción de la sexualidad, han resistido la postura extrema de fechar la categoría de la homosexualidad, característica de la obra de Foucault.

No obstante, la influencia de Foucault sobre los estudios gays se extiende más allá de los debates mencionados más atrás a obras realizadas dentro de áreas del Nuevo Historicismo y el materialismo cultural (véase cap. 7). En la obra de Jonathan Dollimore y Alan Sinfield, más conocida en Gran Bretaña, la teoría gay forma parte de una poética cultural más amplia y de una política cultural centrada en los estudios literarios, y como tal tiene afinidades con la obra de otros autores (Stallybrass y White, 1986, por ejemplo), que persiguen un proyecto general similar.

En esta crítica se han movilizado varias categorías para tratar sobre la inscripción de la homosexualidad en los textos y para reivindicar aspectos de la vida gay: «afeminación», *drag* y «amanerado», por ejemplo, o las categorías de «homoerótico», «unión entre hombres» u «homosocialidad» que se han utilizado en la lectura de textos no gays o antigays. En esta conexión, la teoría de la «homofobia» también ha dado origen a los conceptos de «pánico» y de «homofobia internalizada». Por ejemplo, Alan Sinfield (1989) ha demostrado cómo operaba la antiafeminación en el escrito «The Movement» de John Wain y Kingsley Amis (entre otros) y cómo se utilizaba la afeminación con el significado de perversión. Sin embargo, también demuestra que la escritura muscular y prosaica de «The Movement» fue destruida en la poesía de Thom Gunn, que construía personajes de jóvenes rudos que se movían en dirección a la identificación homoerótica. La construcción de la masculinidad ha sido objeto de un estudio más exhaustivo en el ensayo de Sinfield y Dollimore recogido en *Henry V* (Drakakis, ed., 1985) y en la obra de Gregory Woods sobre Hemingway. En ella Woods demuestra que los escritores que funcionan como emblemas del machismo tienen que ser establecidos. Afirma que lo que «la lucha contra la elocuencia afeminada» expresa en este escrito «es la constante ansiedad que constituye la verdadera condición (en ambos sentidos) de la masculinidad». La voz de la masculinidad heterosexual tiene que «ser comparada con la de los gays no declarados, hasta el extremo de vivir atemorizado por la indiscreción. Hablar demasiado puede equivaler a sonar *queer*» (Still y Worton, 1993, p. 171). En un estudio relacionado con éste, *Articulate Flesh* (1987), Woods explora la expresión del homoerotismo en D. H. Lawrence, Hart Crane, W. H. Auden, Allen Ginsberg y Thom Gunn.

La crítica gay de este tipo toma prestadas las técnicas de la poética cultural y estudia las relaciones entre cultura, historia y texto en una versión cada vez más politizada de los estudios literarios. Nicholas F. Radel, en su ensayo «Self as Other: The Politics of Identity in the Works of Edmund White», por ejemplo (en Ringer, ed., 1994), ha afirmado que las novelas de White contribuyen a revelar «un sujeto gay ya que responde a la presión política de la cultura en general. Lejos de ser meros productos estéticos, estas novelas sobre la vida gay confirman y a la vez cuestionan su entorno histórico y su construcción de la orientación sexual en tanto que diferencia de género». El análisis de David Bergman del *Giovanni's Room* de Baldwin sirve para ilustrar su exhibición de «homofobia internalizada». Pretende posicionar a Baldwin «en una línea que él no reconoce en ninguna parte —una línea de escritores gays y afroamericanos» (en Bristow, ed., 1992)—. Y también cada vez más, los críticos han explorado la relación entre nacionalismo, antiimperialismo y sexualidad —en Parker *et al.*, *Nationalities and Se-*

xualities (1992) por ejemplo, y Rudi C. Bleys, *The Geography of Perversion* (1996).

En la obra de Foucault, las configuraciones multiplicadoras de poder resultan ser esenciales para la producción y el control de la sexualidad. Al desarrollar esta perspectiva Jonathan Dollimore, en particular, ha investigado la compleja implicación del poder con el placer: «Placer y poder no se anulan ni se vuelven uno contra otro», escribe en *Sexual Dissidence* (1991), «persiguen sobreponerse y reforzarse mutuamente. Están unidos por complejos mecanismos y recursos de excitación e incitación». De esta manera, Dollimore ha devuelto de forma efectiva la teoría gay al concepto de Freud de «perversidad polimorfa» —la teoría de que el niño disfruta de múltiples sexualidades antes de culminar en la primacía del sexo genital—. Pero Dollimore va más allá que Freud y desde luego más allá que Foucault, y vuelve a trazar un programa políticamente subversivo para la perversidad. Argumenta que deberíamos pensar en términos de lo «paradójico perverso o la dinámica perversa» la cual es, según él, «una dinámica intrínseca del proceso social». Tanto Sinfield como Dollimore y otros que trabajan dentro de la tradición de la crítica materialista cultural gay han llamado nuevamente la atención sobre el ejemplo de Oscar Wilde (véase *A Practical Reader*, cap. 5). En Wilde, Dollimore descubre una estética transgresora:

> La experiencia de Wilde del deseo desviado... no le conduce a escapar del represivo ordenamiento de la sociedad, sino a una nueva adscripción en ella y a una inversión en los binarios de los cuales depende ese ordenamiento; el deseo y la estética transgresora que le da forma, reacciona contra ella, la altera y la desplaza desde dentro.

Un cambio así, más allá de las oposiciones binarias, marca la transición de la teoría gay a la *queer*.

LA TEORÍA Y LA CRÍTICA FEMINISTA LESBIANA

La teoría feminista lesbiana surgió como respuesta al heterosexismo de la cultura dominante y de las subculturas radicales y también al sexismo del Movimiento de Liberación Gay dominado por los hombres. Su epicentro son las estructuras entrelazadas de género y opresión sexual. Concretamente, la teoría feminista lesbiana ha problematizado la heterosexualidad como una institución central para el mantenimiento del patriarcado y de la opresión de la mujer dentro de éste. La teoría feminista lesbiana, como el feminismo lésbico, es un campo variado que se inspira en una amplia gama de otras teorías y métodos. Aunque no puede reducirse a un único modelo, en ella destacan varios rasgos: una crítica de la «heterosexualidad obligatoria», un énfasis en la «identificación de la mujer» y la creación de una comunidad femenina alternativa. Ya sea centrándose en el feminismo negro, en un feminismo radical o en una aproximación psicoanalítica, la teoría feminista lesbiana pone en primer plano uno o todos estos elementos.

El concepto de «heterosexualidad obligatoria» fue articulado por primera vez por Gayle Rubin (1975) y posteriormente puesto en circulación de modo generalizado por Adrienne Rich en su ensayo «Compulsory Heterosexuality and Lesbian Existence» (1980). El concepto desafía la perspectiva del sentido común de la heterosexualidad como algo natural y que, por tanto, no requiere una explicación, a diferencia de la sexualidad gay y lesbiana. Rich afirma que la heterosexualidad es una institución social que cuenta con el apoyo de un amplio rango de sanciones de peso. Pese a tales sanciones, el hecho de la existencia del lesbianismo constituye una prueba de una poderosa corriente de uniones entre mujeres que no puede silenciarse. Rich sitúa la fuente del lesbianismo en el hecho de que las niñas nacen «mujeres» y tienen un vínculo original del mismo sexo con sus madres.

El concepto análogo de Monique Wittig de «mente recta» (1980, reimpresión 1992) considera la heterosexualidad como una construcción ideológica que se da prácticamente por supuesto, aunque instituye una relación social obligatoria entre hombres y mujeres: «como principio obvio, previo a cualquier ciencia, la mente recta desarrolla una interpretación totalizadora de la historia, la realidad social, la cultura, la lengua y todos los fenómenos subjetivos al mismo tiempo». Los discursos de heterosexualidad trabajan para oprimir a todos aquellos que tratan de concebirse a sí mismos de otra manera, sobre todo las lesbianas. En contraste con Rich, Wittig rechaza el concepto de «identificación como mujer», argumentando que continúa ligado al concepto dual de género que las lesbianas desafían. Ella afirma que en un sentido muy importante las lesbianas no son mujeres, «ya que lo que hace a una mujer es una relación social determinada con un hombre» y así «mujer» adquiere «significado tan sólo en los sistemas heterosexuales de pensamiento y en los sistemas económicos heterosexuales».

Judith Butler (1990), inspirándose en el trabajo de Wittig y Rich, utiliza el término «matriz heterosexual», «para designar esa red de inteligibilidad cultural a través de la cual se naturalizan cuerpos, géneros y deseos». Butler deja de utilizar el término en su útlima obra (véase más adelante), pero continúa abogando por la subversión de la identidad sexual y por una distinción entre sexo, sexualidad y género en las «interpretaciones» que los constituyen.

Los conceptos de «identificación de la mujer» y «comunidad feminista lesbiana» fueron introducidos por las radicalesbianas en su influyente ensayo «The Woman-Identified Woman» (1973) y nuevamente desarrollado por Adrienne Rich. Rich (1980) pinta la unión entre mujeres como un acto de resistencia al poder patriarcal y avanza el concepto de «continuum lésbico» para describir «una gama —a lo largo de la vida de cada mujer y a lo largo de la historia— de experiencia identificada de mujer». Su definición abarca no sólo una simple experiencia sexual, sino todas las formas de «intensidad primaria» entre dos o más mujeres, incluyendo las relaciones de familia, la amistad y la política. El propio ensayo de Rich de 1976 «The Temptations of a Motherless Girl» ilustra perfectamente el concepto de «continuum lésbico» y el revisionismo crítico lésbico relacionado. Ofrece una lectura lésbica de *Jane Eyre* que cambia por completo el epicentro de una trama romántica heterosexual a una narración de pedagogía femenina amorosa en la cual Jane es criada y educada por una sucesión de mentoras femeninas. Rich demuestra y desnaturaliza con éxito la hegemonía ideológica de la heterosexualidad en nuestras lecturas y estrategias interpretativas.

El ensayo de Barbara Smith «Towards a Black Feminist Criticism» (reimpreso en Showalter, 1986) adopta un modelo crítico similar al de Rich, para razonar que el *Sula* de Toni Morrison puede muy bien ser releído como novela lésbica, «no porque las mujeres sean "amantes", sino porque... tienen relaciones esenciales entre ellas... Ya sea consciente o inconscientemente», añade, «la obra de Morrison plantea cuestiones tanto lésbicas y feministas como referentes a la autonomía de las mujeres negras y su impacto en las vidas de las demás». La feminista francesa Luce Irigaray explora un concepto análogo de sexualidad femenina autónoma en *This Sex Which Is Not One* (1985). Redefine la sexualidad de la mujer basándose en la diferencia más que en la similitud, argumentando que es múltiple: «La mujer no tiene sexo. Tiene por lo menos dos... En efecto, tiene más que eso. Su sexualidad, que siempre es al menos doble, es de hecho plural.»

Irigaray trata de ir más allá y combinar una aproximación psicoanalítica y política al lesbianismo. En «When the Goods Get Together» avanza el concepto de «hom(m)osexualidad» —haciendo juegos de palabras con los significados tanto de masculino como de similitud— para capturar la naturaleza dual de la cultura heteropatriarcal. El discurso «hom(m)osexual» privilegia las relaciones masculinas homosociales y la sexualidad masculina entre iguales (ya sea hetero u homosexual). Su obra aúna las críticas de ambos géneros y las relaciones de poder sexual y en su antiesencialismo concuerda con los objetivos políticos del feminismo lésbico.

El concepto de «identificación de la mujer» ha sido cuestionado por algunas feministas lesbianas, especialmente críticas negras y del Tercer Mundo. Gloria Anzaldúa y Cherrie Moraga (1981), por ejemplo, llaman la atención sobre la forma en que se ha utilizado este concepto para enmascarar las relaciones de poder entre mujeres. Rechazando un modelo universal de identidad, crean conceptos más flexibles de identidad lesbiana —como el concepto de Anzaldúa (1987) de la nueva *mestiza*— capaz de abarcar las conexiones entre mujeres de diferentes culturas y etnias (véase más atrás).

La representación —tanto en sentido político como literario— es un concepto clave para la crítica lesbiana. En 1982, Margaret Cruikshank identificó el papel decisivo que la literatura había desempeñado en el desarrollo de la crítica lesbiana. En los veinticinco años desde su surgimiento, la crítica literaria lésbica ha pasado de ser una forma de crítica ampliamente polémica que reivindicaba el reconocimiento de las escritoras, las obras y los textos lésbicos —y su definición— a un cuerpo sofisticado y variopinto de obras teóricas políticamente informadas que tienen por objeto explorar las múltiples articulaciones del signo «lesbiana».

El orden del día de la crítica lesbiana fue establecido por el análisis de Virginia Woolf de la relación entre mujeres y obras en *Una habitación propia* (1929), que mostraba cómo las relaciones de poder literario culminan en un borramiento textual de las relaciones entre mujeres. Sin embargo, no fue hasta la publicación de *Lesbian Images* (1975) de Jane Rule que un texto crítico pretendió recoger la tradición literaria lésbica. Aquí el análisis de Rule de la vida y la obra de un grupo de escritoras lesbianas del siglo XX, incluyendo a Gertrude Stein, Ivy Compton-Burnett, Maureen Duffy y Mary Sarton. A pesar de centrarse en escritoras individuales, el texto de Rule trasciende el mero planteamiento biográfico y anticipa el estilo multigenérico e intertextual de la posterior crítica literaria lesbiana.

La crítica literaria lesbiana de los años de 1960 y principios de 1980 se preocupaba por identificar una tradición y una estética literarias de signo lésbico, ya fuera basadas en el contenido textual, los personajes, los temas o la identificación de la autora como lesbiana. A esto contribuyeron diversas obras referenciadas en la bibliografía (Grier, 1981; Cruikshank, 1982; Monique Wittig y Sandi Zeig, 1979) que continúan proporcionando fuentes materiales de valor incalculable para las profesoras, las estudiantes e investigadoras lesbianas. Obras de este tipo también representaron el valioso «(re)descubrimiento» de escritoras que se suponían heterosexuales (el ensayo de Judith Fetterley sobre Willa

Cather [1990] es uno de los ejemplos más recientes) o en el ensayo de Alison Hennigan de 1984 «What is a Lesbian Novel?», que identificaba una «sensibilidad» lésbica en una «visión del mundo necesariamente oblicua» de un texto. En relación con esto está el planteamiento de la «codificación» avanzado por Catherine Stimpson (1988), que analiza las estrategias de ocultamiento (el uso de un idioma, un género y una ambigüedad pronominal oscuros o con seudónimo masculino) o de una censura y un silencio internos necesariamente utilizados por las mujeres identificadas como tales que escribían en una cultura homofóbica y misógina. Un ejemplo de este planteamiento es el análisis de Stimpson de los códigos sexuales, el uso del silencio y la experimentación con la sintaxis en las obras de Gertrude Stein. Otros críticos han utilizado el planteamiento para interpretar la obra de Angelina Weld Grimke, Emily Dickinson, H. D. y Willa Carter.

Sin embargo, dada la dificultad histórica de escribir como lesbianas, como también el cambio de definiciones de signo lésbico, las críticas lesbianas se han alejado progresivamente de esta búsqueda de una única identidad o discurso lésbicos. Mandy Merck (1985), por ejemplo, está en desacuerdo con la opinión de Hennegan de que las lesbianas comparten una perspectiva común. Lo que Hennegan denomina «sensibilidad» lesbiana, dice Merck, se puede encontrar en obras de otras escritoras que no se identifican como lesbianas. También cuestiona el énfasis, como el que encontramos en «On Becoming a Lesbian Reader» de Hennegan, en la importancia de las representaciones textuales en la formación de la identidad lésbica de las lectoras. Un planteamiento más radical, afirma Merck, reside en la aplicación de lecturas perversas que no confían ni en el ocultamiento del autor, ni en el del texto, ni en la revelación de la identidad sexual, sino en la perspectiva *queer* del lector que derriba las estructuras interpretativas dominantes. También Bonnie Zimmerman (1986), en su ensayo «What has Never Been: An Overview of Lesbian Literary Criticism», ofrece un modelo más sofisticado de textualidad lésbica. Zimmerman lanza una advertencia contra los modelos reductivos y esencialistas del texto lésbico y propone el concepto de «doble visión» lésbica inspirado en las perspectivas duales de las lesbianas como miembros de la cultura de la corriente principal y de la minoritaria simultáneamente. En un estudio posterior, *The Safe Sea Of Women* (1991), Zimmerman avanza una definición de base histórica de la ficción lésbica, basando esta categoría en los contextos cultural e histórico en los cuales se produce y se lee.

Por lo tanto, en lugar de buscar una tradición autónoma lésbica, estética distintiva, de autora o lectora lesbiana, la crítica lesbiana más reciente ha tratado la cuestión de cómo los textos internalizan el heterosexismo y cómo las estrategias literarias lesbianas pueden derribar estas normas. Una estrategia así es la intertextualidad. En uno de sus primeros ensayos, Elaine Marks (1979) argumentaba que las obras de lesbianas son fundamentalmente intertextuales y se han inspirado en figuras históricas como Safo en la clasificación de su historia discursiva y en la producción de «contraimágenes desafiantes»: textos lésbicos «escritos exclusivamente por mujeres para mujeres, indiferentes a la aprobación masculina». Más recientemente, algunas de las críticas lesbianas más excitantes proceden de escritoras lesbianas bilingües y poscoloniales/tercermundistas que ponen en primer plano los aspectos intertextuales dialógicos de sus textos. La escritora quebequesa Nicole Brossard y la chicana Cherrie Moraga escribieron textos líricos polémicos que entremezclaban teoría, política y poesía. En *Amantes* (1980), Brossard practica la «escritura en femenino» que, igual que la *écriture féminine*, deconstruye la oposición del cuerpo/texto. De la misma forma, el concepto de Moraga y Anzaldúa de «teoría en la carne» (1981) suprime el vacío entre el cuerpo y el texto lésbico chicano.

Teresa de Lauretis (1993) en su artículo «Sexual Indifference and Lesbian Representation» también se inspira en la teoría francesa, utilizando el concepto de Irigaray de «hom(m)osexualidad» para discutir sobre la invisibilización del cuerpo/texto lésbico. Su ensayo derriba las interpretaciones dominantes de la famosa novela lésbica de Radclyffe Hall, *The Well of Loneliness*, interpretando a contrapelo la sexología y haciendo hablar al «otro» lesbianismo del texto. En común con la teoría lesbiana y *queer*, De Lauretis

explota la distinción entre sexo/género y sexualidad, cele-
brando la diversidad de escritos lésbicos, tanto críticos
como creativos, y las formas en las que las escritoras lesbianas «han buscado de muchas maneras huir del género,
negarlo, trascenderlo, o representarlo en exceso e inscribir
lo erótico en lo críptico, alegórico, realista, afeminado u
otros modelos de representación».

Estas estrategias y la intersección resultante de los discursos posmodernos y la crítica lesbiana han desembocado
en la textualización de la identidad lésbica por la que el lesbianismo se considera como una posición desde la cual hablar «de otra manera» y de ahí el discurso *queer* heterose-
xista.

TEORÍA Y CRÍTICA *QUEER*

Durante los años de 1980 el término *queer* fue reivindi-
cado por una nueva generación de activistas políticos im-
plicados en la Nación *Queer* y grupos de protesta tales
como ActUp y Outrage, aunque algunos críticos y activistas
culturales gays y lesbianas que adoptaron el término en los
años de 1950 y 1960 continuaron usándolo para describir
su particular sentido de la marginalidad tanto de la cultura
dominante como de las minoritarias. En los años de 1990
la «Teoría *queer*» designa un replanteamiento radical de la
relación entre subjetividad, sexualidad y representación. Su
aparición en esta década debe mucho a las primeras obras
de los críticos *queer* como Ann Snitow (1983), Carol Vance
(1984) y Joan Nestle (1988), pero también al reto aliado de
la diversidad iniciado por los críticos negros y del Tercer
Mundo. Además, adquirió un impulso de las teorías posmodernas con las que se solapa de forma muy significativa.
Teresa de Lauretis en la Introducción al tema de la «Teoría *queer*» de las *diferencias* (1991) sitúa la aparición del término «*queer*» y describe el impacto del posmodernismo sobre la teoría gay y lesbiana. Más ejemplos que estudien esta
intersección y la forma en que ambos discursos operan
para descentrar las narrativas fundacionalistas basadas en
el «sexo» o la «razón» incluyen *A lure of knowledge* (1990)

de Judith Roof y *The lesbian Postmodern* (1994) de Laura
Doan, así como varios ensayos publicados en *Sexy Bodies*
(1995). El énfasis que ha puesto la teoría *queer* en una política de la diferencia y la marginalidad ha ayudado a las
críticas de gays y lesbianas a la hegemonía y el patriarcado
heterosexuales, mientras que el desarrollo de una estética
posmoderna ha contribuido a inspirar la expresión de la
pluralidad sexual y la ambivalencia de género en el área de
la producción cultural: un diálogo dinámico que ha ayudado a colocar las teorías gays y lesbianas en la vanguardia de
las obras en el ámbito cada vez más interdisciplinar de la
teoría crítica.

Indicios de esta evolución han aparecido en el surgimiento académico de los Estudios sobre el Género y los diálogos en los Estudios Gays con la nueva disciplina de los
Estudios sobre los Hombres, que pretenden construir la teoría feminista y gay para proporcionar una crítica y una re-
construcción de la sexualidad y la forma de vida masculinas. Ha habido cierta ansiedad al respecto y también oposición a ambas tendencias. Y todavía hay en algunos lares
una relación desequilibrada e incluso antagónica entre la
teoría gay y el feminismo. Según Joseph Bristow, «la crítica gay y lesbiana no abarca un campo coherente», aunque
él cree que «en esto reside su fuerza» (1992). La exploración
de Bristow de lo que significa lesbiana y gay implica un
sentido de sus similitudes y diferencias; «designan enteramente deseos, placeres físicos, opresiones y visibilidades
diferentes... Pero ambos grupos subordinados comparten
historias paralelas dentro de una cultura dominante sexualmente prohibitiva...». A medida que surgen nuevas
áreas de investigación teórica, resulta menos evidente la forma
de mantener los límites académicos. Por ejemplo, ¿el tra-
vestismo o el vestirse como el sexo opuesto son temas de los
estudios lesbianos, gays o bisexuales, o de los Estudios sobre los Hombres, o sobre las Mujeres, o sobre el Género, o
para Shakespeare, estudios de teatro o de representación?
Los estudios *queer* «fastidian» a las ortodoxias y promueven
o provocan estas incertidumbres, moviéndose más allá de la
sexualidad lesbiana y gay para incluir una nueva gama de
sexualidades que alteran esta categorización prefijada.

Algunas de las figuras y argumentos que influyen en la transición de la teoría gay a la *queer* se han expuesto ya. Jeffrey Weeks, por ejemplo, aunque argumenta que las sexualidades se construyen históricamente, las ve como algo que rehúsan ofrecer un núcleo cognitivo estable, sino «tan sólo modelos cambiantes en la organización del deseo» (1985). Sin embargo, si esto es cierto acerca de la homosexualidad, con toda seguridad la heterosexualidad también es una construcción reciente y no una identidad fundamentada de forma natural. Como ya hemos visto, la idea de que el deseo sexual comporta de forma natural y necesaria una gravitación hacia una persona del sexo biológico opuesto ya había sido cuestionada por Freud (véase también Thomas Laqueur, 1990). En un mundo posmoderno poscolonial en el que el objeto de conocimiento se ha convertido él mismo en un espacio problemático, la teoría *queer* pretende hacer algo más que cuestionar todas estas tendencias esencializadoras y el pensamiento binario. Una sexualidad evasiva, fragmentada en particularidades locales y perversas, es celebrada en todas sus versiones desviadas. Tales «perversiones» se han movilizado para resistirse a la construcción burguesa de la personalidad modelada sobre una heterosexualidad rígida y patriarcal que ha ejercido su hegemonía durante dos siglos.

Para repolitizar la teoría gay en esta dirección, la teoría *queer* se ha inspirado en Foucault, como hemos discutido más atrás, y en su inflexión, sobre todo en Gran Bretaña, hacia el materialismo cultural, en la obra de Althusser y Raymond Williams. En este punto ha surgido cierta tensión entre las posiciones *queer* y los planteamientos marxistas más tradicionales. Desde el punto de vista de Jeffrey Weeks, por ejemplo, las relaciones sociales capitalistas tienen un efecto sobre la sexualidad (como en tantos otros temas), «pero una historia del capitalismo no es una historia de la sexualidad» (1985). Su propia obra demuestra que el poder no se debe tratar de forma individual y unitaria, sino como algo diverso, cambiante e inestable y por ende abierto a la resistencia de innumerables formas. Este argumento hace posible la formación, en términos de Foucault, de un «discurso "opuesto"» en el cual «la homosexualidad comenzó a hablar en su propio nombre para exigir que se reconociera su legitimidad o «naturalidad», a menudo en el mismo vocabulario, utilizando las mismas categorías por las cuales fue médicamente descalificada» (1976).

Los teóricos y críticos que seguían la tradición marxista o posmarxista tienen que negociar la situación resumida por Raymond Williams en *Marxism and Literature* (1977) como una en la que «todas o casi todas las iniciativas y contribuciones, incluso cuando adoptan abiertamente formas alternativas o de oposición, están en la práctica ligadas a las hegemónicas». La teoría *queer* cuestionaría la implicación, aparente aquí y en la obra de Foucault, de que los significados alternativos o de oposición son totalmente apropiados. Como escribe Dollimore (1991), «pensar la historia en términos de la dinámica perversa empieza a socavar esa oposición binaria entre los esencialistas y los antiesencialistas». Como descubre en las múltiples resistencias a las ideologías renacentistas, la marginalidad no es simplemente marginal. La obra de Dollimore y Sinfield, en un tándem teórico con otros ejemplos del materialismo cultural y del nuevo historicismo (Stallybrass y White, 1986; Bredbeck, 1991; Goldberg, 1992, 1994, avanzando de nuevo, especialmente en el área de los estudios renacentistas, más allá de Foucault), demuestra que las oposiciones binarias se tambalean y pasan a ser inestables en el momento subversivo de escribir como *queer*.

De nuevo, un ejemplo clave es Oscar Wilde. Identificando una serie de oposiciones entre Wilde (X) y su cultura (Y) tales como «superficie/fondo», «mentira/verdad», «anormal/ normal», «narcisismo/madurez», Dollimore concluye: «lo que la sociedad prohíbe, Wilde lo restituye a través y dentro de algunas de sus categorías culturales principales y más queridas —el arte, la estética, la crítica artística, el individualismo—». Afirma que Wilde se apropia de las categorías dominantes en el mismo gesto que «las transvaloriza a través de la perversión y la inversión», demostrando que la «anormalidad no es justo lo opuesto, sino la antítesis de la normalidad que necesariamente siempre está presente».

Otras dos figuras de especial importancia en el surgimiento de la teoría *queer* son Judith Butler y Eve Kosofsky

Sedgwick. Butler utiliza la (no)categoría de *queer* para alterar no sólo la autoridad de la economía hom(m)osexual, sino también la atribución de la identidad *per se*. En «Imitation and Gender Insubordination» (1991), reclama el rechazo del esencialismo de la oposición binaria hetero/homosexual y hace una llamada para fastidiar a las narrativas dominantes heterosexistas. A diferencia de las feministas lesbianas como Wittig, rehúsa identificar lesbiana como término de oposición positivo, argumentando que es la ausencia de una contraidentidad lesbiana definida la que hace posible que las lesbianas posmodernas estropeen el discurso dominante: «Me gustaría tener siempre confuso precisamente lo que ese signo significa» (1992). De esta manera, la teoría *queer* propone una alteración de identidad que promulgar en la interpretación de convertirse en lesbiana. En el contexto de la identidad gay, Moe Meyer (1994) ha argumentado de forma similar que la teoría *queer* constituye «un desafío ontológico que desplaza las nociones burguesas de la Personalidad como única, lineal y continua, y en su lugar lo sustituye por un concepto de la Personalidad como interpresentativo, de improvisación, discontinuo y procesualmente constituido por actos repetitivos y estilizados». A la manera postestructuralista, el cambio en el poder es representado cuidadosamente hasta el final por la oposición entre diversidad e individualidad.

Liz Grosz (1996) coincide con Butler en que es la indeterminación del signo «lesbiana» lo que le confiere su potencial radical, pero también ofrece una crítica de la elisión de la teoría *queer* de estructuras de poder sistemáticas y su celebración de prácticas sexuales desviadas de la índole que sean. Otras feministas lesbianas son críticas respecto a la tendencia de la teoría *queer* de minimizar la significación de la diferencia de género. Muchas argumentarían que aunque distintos, género y sexualidad no se pueden desarticular por completo. No tiene sentido exigir que la opresión sobre las lesbianas, aun siendo específica, no está relacionada con su opresión como mujeres. La tendencia de la existencia lésbica a ser marginalizada en los nuevos discursos *queer* no es, sin duda, indicativa de las continuas relaciones de poder entre los sexos. Sin embargo, hay una tensión productiva entre las lesbianas, los gays y la teoría feminista en el desarrollo de las estrategias textuales e intertextuales que socavan tanto las normas literarias como los estereotipos sexuales cotidianos (Humm, 1994).

Como Judith Butler, Eve Kosofsky Sedgwick se inspira en la teoría posmoderna deconstructivista, aunque con una intención o implicación política más evidente, que a menudo ha sido examinada en otros estudios. La supuesta oposición entre sexo y género, afirma, parece «delinear tan sólo un espacio problemático en lugar de una distinción precisa» (1991). La sexualidad se ha confundido a menudo con el sexo, dice, añadiendo que otras categorías como la raza o la clase podrían ser importantes por sí mismas en la construcción de la sexualidad. Del mismo modo que no hay una sola sexualidad, no existe ninguna narrativa nacional privilegiada. Por consiguiente, la sexualidad, como las nacionalidades, están modeladas simplemente por sus diferencias, no por algo en que se fundamenten de forma innata. Los límites sexuales no están mejor establecidos que los nacionales, aunque durante una época pueden servir para delimitar un espacio discursivo particular. Los últimos trabajos en este ámbito han demostrado que la sexología y la antropología colonial estaban relacionadas, pero las clasificaciones sexuales de una nación no eran del todo iguales a las de otra. Esto ha coincidido con un alejamiento de la denuncia negra de la homosexualidad como algo ajeno a la cultura negra. Al mismo tiempo, aunque la existencia en otras culturas de individuos que se visten como los del sexo opuesto y del rito homosexual del paso a la edad viril han sido a veces exorcizados y malinterpretados, una lectura crítica de las literaturas etnográficas (como la de Rudi C. Bleys, 1996) puede ofrecer un sentido de las narrativas más amplias implicadas en la construcción de la identidad gay.

Eve Kosofsky Sedgwick también ha desplegado el concepto de «homosocialidad» como una herramienta interpretativa para demostrar la «utilidad de ciertas categorías históricas marxista-feministas para la crítica literaria». En su obra *Between Men: English Literature and Male Homosocial Desires* (1985), comienza a distanciarse de determinados conceptos patriarcales; a pesar de todo, la homosocialidad masculina y femenina tienen diferentes formas históricas y continúan siendo «articulaciones y mecanismos de la sempiterna desigualdad de poder entre hombres y mujeres». Reconoce una deuda con el feminismo, pero cada vez más, en un gesto típico de las tendencias deconstructivas de la teoría *queer*, se ocupa de la construcción múltiple de sexo, género y sexualidad. Su estudio de los Sonetos de Shakespeare, la obra *The Country Wife* de Wicherley, Tennyson, George Eliot y Dickens ilustran las tendencias paradójicamente historicizantes y deshistoricizantes de este tipo de obras. El libro destaca también por su discusión de lo gótico como «Terrorismo y Pánico Homosexual». En particular (basándose en Freud) explora la teoría de que «la paranoia es la psicosis que hace gráficos los mecanismos de la homofobia».

La teoría *queer* considera que el modelo de sexualidad tradicional prescriptivo y esencialista no ha logrado realizar el trabajo conceptual que conlleva una adecuada descripción de los mecanismos de funcionamiento del deseo y de la forma en que se construye la sexualidad. La gama de terminologías, modelos y estrategias críticas apuntadas anteriormente confirma que ya no es viable pensar en términos de una única «sexualidad» coherente y que esto ha tenido consecuencias sobre la transición del individuo homosexual «natural», a quien se le podían reconocer unos derechos, a la concepción desorientadora de que todas las sexualidades son perversas y pueden reconocerse y celebrarse como tales. Si la teoría gay o lesbiana con frecuencia se han basado en los derechos liberales, la teoría *queer* constituye un reto filosófico más profundo para el *statu quo*, el cual a su vez tiene como objetivo ofrecer interpretaciones que destruyan la diferencia y celebren la diferencia a un tiempo.

En consecuencia, la teoría *queer* es móvil y variada en su asalto a los «orígenes» heterosexuales estables y privilegiados. Mientras que algunos con humor festivo buscan celebrar el carnaval del estilo, el artificio y la representación y juegan al descubierto a sexualidades perversas, otros buscan una posición más politizada trascendiendo a Foucault o en una respuesta materialista al textualismo postestructuralista. Week busca el «flujo del deseo» como algo demasiado excesivo por sí mismo para que la sociedad capitalista lo tolere, ya que simultáneamente alienta y aborrece este caos y no puede vivir con la infinita variedad de interconexiones e interrelaciones potenciales. De forma parecida, Eve Kosofsky Sedgwick ha atacado la opinión de que la homosexualidad hoy en día «comprende un campo de definición coherente en lugar de un espacio de fuerzas definitorias en conflicto, contradictorias y sobrepuestas». Al cuestionar las clasificaciones de sexualidad estables y no problemáticas, parece eliminarse la posibilidad de cualquier tipo de plataforma común para la acción. Sin embargo, Eve Kosofsky Sedgwick insta un planteamiento menos sistemático: con toda seguridad, argumenta, sería sensato trabajar desde «la relación posibilitada por la coexistencia irracionalizada de diferentes modelos durante los períodos en que existen».

Por consiguiente, el punto de partida de la «teoría *queer*» es, en palabras de Moe Meyer, «un desafío ontológico a las filosofías etiquetadoras dominantes». Esta estrategia estudia el «torbellino de la deconstrucción» de Week al rebatir la oposición binaria (entre otras cosas) entre la homosexualidad y la heterosexualidad y recientemente ha tenido un importante efecto en las comunidades académicas y gays. En los años de 1980, se temió que el espectro del SIDA desataría la represión homofóbica; que los gays serían marginados y el derecho a una diversidad de placeres sexuales se limitaría de forma estricta. Sin embargo, el mensaje de que el sexo debía ser simplemente seguro y no menos variado ha conducido a la recuperación y a la reinvención de posibilidades eróticas. Los grupos gays trabajan codo con codo con los trabajadores sexuales (hombres y mujeres), haciendo que la sexualidad retorne a cuestiones de clase, economía y desigualdad. La aparición del SIDA y el VIH han cambiado las nociones de identidad y han comportado nuevos retos, discursos y formas de representación. En una dirección más teórica, Lee Edelman, examinando las asociaciones de SIDA y plagas indicadas por Susan Sontag (1989), aboga en su «The Plague of Discourse: Politics, Literary Theory, and Aids» (en Butters, *AIDS and its Metaphors*, 1989), en favor de la ubicación de la literatura entre la «política» y el «SIDA», ya que «ambas categorías produ-

cen y son producidas como discursos históricos susceptibles de análisis por las metodologías críticas asociadas con
la teoría literaria». Su ensayo cuestiona la oposición ideológica entre lo biológico, lo literal y lo real, por un lado, y
por el otro, lo literario, lo figurativo y lo ficticio, y concluye que una teoría *queer* deconstructiva tiene que realizar su
defensa del SIDA a través de un discurso necesariamente
«enfermo».

Además, los críticos *queer* continúan fomentando el «salir del armario» de la teoría en el mundo académico. El silencio a este respecto ya es una forma de estar en el armario. En un escrito de 1990, Eve Kosofsky Sedgwick recordó
que «en una clase que impartí en Amherst College, la mitad
de los estudiantes dijeron haber estudiado el *Dorian Grey*
previamente, pero ninguno había discutido jamás el libro
en términos de ningún contenido homosexual» (*A Practical
Reader*, pp. 192-193). En éste y otros textos, como se recoge en *Queer Words, Queer Images* (1994) de Ringer, queda
mucho por hacer a la hora de aprender a hablar y escribir
sobre la construcción sexual de la literatura y sobre la propia de cada uno.

BIBLIOGRAFÍA SELECCIONADA

Textos básicos

Abelove, Henry *et al.* (eds.), *The Lesbian and Gay Studies Reader*,
    Routledge, Londres, 1993.
Anzaldúa, Gloria, *Borderlands/La Frontera: The New Mestiza*, Aunt
    Lute Books, San Francisco, 1987.
Butler, J., *Gender Trouble: Feminism and the Subversion of Identity*,
    Routledge Londres y Nueva York, 1992.
—, *Bodies That Matter. On the Discursive Limits of «Sex»*, Rout-
    ledge, Londres y Nueva York, 1993.
Cohen, Ed., «Legislating the Norm: From Sodomy to Gross Inde-
    cency», *South Atlantic Quaterly*, 88 (1989), pp. 181-217.
Cruikshank, Margaret (ed.), *Lesbian Studies: Present and Future*,
    The Feminist Press, Nueva York, 1982.
De Lauretis, Teresa, «Introduction», *differences* «Queer Theory
    Issue», 3:2, Summer, 1991.

—, «Sexual Indifference and Lesbian Representation» en H. Abelove *et al.* (eds.), 1993.

Doan, Laura (ed.), *The Lesbian Postmodern*, Columbia University Press, Nueva York, 1993.

Fetterley, Judith, «My Antonia! Jim Blunden and the Dilemma of the Lesbian Writer», en Karla Jay, Joanne Glasgow y Catharine R. Stimpson (eds.), *Lesbian Texts and Contexts: Radical Revisions*, Nueva York University Press, Nueva York, 1990.

Grier, Barbara, *The Lesbian in Literature: A Bibliography*, The Naiad Press, Tallahassee, 1981.

Hennegen, Aleson, «What is a Lesbian Novel?», *Woman's Review*, n.º 1, 1984.

—, «On becoming a Lesbian Reader», en S. Radstone (ed.), *Sweet Dreams: Sexuality, Gender and Popular Fiction*, Lawrence and Wishart, Londres, 1988.

Jay, Karla y Glasgow, Joanne (eds.), *Lesbian Texts and Contexts: Radical Revisions*, New York University Press, Nueva York, 1990.

Marks, Elaine, «Lesbian Intertextuality», en George Stamboulian y Elaine Marks (eds.), *Homosexualities and French Literature*, Cornell University Press, Ithaca, 1979.

Merck, Mandy, Revisión de *Girls Next Door*, *Women's Review*, 1, noviembre 1985, p. 40.

—, *Perversions: Deviant Readings*, Virago, Londres, 1993.

Munt, Sally (ed.), *New Lesbian Criticism*, Harverter, Wheatsheaf, Hemel Hempstead, 1992.

Radicalesbians, «The Woman-Identified Woman», *The Ladder*, vol. 14, 11/12, 1970.

Rich, Adrienne, «Compulsory Heterosexuality and Lesbian Existence», *Signs*, 5, 4, Summer 1980, pp. 631-660.

—, «The Temptations of a Motherless Girl», en *On Lies, Secrets and Silence*, Virago, Londres, 1980.

Roof, Judith, *A Lure of Knowledge: Lesbian Sexuality and Theory*, Columbia University Press, Nueva York, 1990.

Rule, Jane, *Lesbian Images*, Crossing Press, Trumansberg, NY, 1975.

Sedgwick, Eve Kosofsky, *Epistemology of the Closet*, Harverter Wheatsheaf, Hemel Hempstead, 1991.

Showalter, Elaine (ed.), *The New Feminist Criticism: Essays on Women, Literature and Theory*, Virago, Londres, 1986.

Smith, Barbara, «Towards a Black Feminist Criticism» en E. Showalter (ed.), *New Feminist Criticism*, Virago, Londres, 1986.

Wittig, Monique y Zeig, Sandi, *Lesbian Peoples: Materials for a Dictionary*, Avon, Nueva York, 1979.

Wittig, Monique, «The Straight Mind» (1980), reeditado en *The*

Straight Mind and Other Essays, Harverter Wheatsheaf, Hemel Hempstead, 1992.

Zimmerman, Bonnie, «What Has Never Been: An Overview of Lesbian Feminist Literary Criticism», en E. Showalter (ed.), *New Feminist Criticism*, Virago, Londres, 1986.

—, *The Safe Sea of Women: Lesbian Fiction 1969-1989*, Beacon Press, Boston, 1991.

Lecturas avanzadas

Burston, Paul y Richardson, Colin (eds.), *A Queer Romance: Lesbians, Gay Men and Popular Culture*, Routledge: Londres, 1995.

Daly, Mary, *Gyn/Ecology: The Mataethics of Radical Feminism*, Beacon Press, Boston, 1978.

De Jean, Joan, *Fictions of Sappho 1565-1937*, University of Chicago Press, Chicago y Londres, 1989.

Donoghue, E., *Passions Between Women: British Lesbian Culture 1668-1801*, Scarlet Press, Londres, 1993.

Fuss, Diana (ed.), *Inside/Outside: Lesbian Theories, Gay Theories*, Routledge, Londres, 1991.

Gever, Martha, Parmar, Pratibha y Greyson, John, *Queer Looks*, Routledge, Londres, 1993.

Grosz, Elizabeth, *Space, Time, Perversion*, Routledge, Londres, 1996.

Grosz, Elizabeth y Probyn, Elsbeth (eds.), *Sexy Bodies The Strange Carmalities of Feminism*, Routledge, Londres, 1995.

Hamer, Diane y Budge, Belinda (eds.), *The Good, The Bad and The Gorgeous: Popular Culture's Romance with Lesbianism*, Pandora, Londres, 1994.

Humm, Maggie, *A Reader's Guide to Contemporary Feminist Theory*, Harvester Wheatsheaf, Hemel Hempstead, 1994.

Irigaray, Luce, *This Sex Which is Not One*, Cornell University Press, Ithaca, 1985.

Johnstone, Jill, *Lesbian Nation*, Simon and Schuster, Nueva York, 1973.

Leeds Revolutionary Feminist Group, «Political Lesbianism: The Case against Heterosexuality», en Onlywomen Press (ed.), *Love Your Enemy? The Debate Between Heterosexual Feminism and Political Lesbianism*, Onlywomen Press, Londres, 1981.

Lewis, Reina, «The Death of the Autor and the Resurrection of the Dyke», en S. Munt (ed.), *New Lesbian Criticism*, Harvester Wheatsheaf, Hemel Hempstead, 1992.

Lorde, Audre, *Sister/Outsider*, Crossing Press, Nueva York, 1984.

Moraga, Cherrie y Anzaldúa, Gloria, *This Bridge Called My Back: Writings by Radical Women of Color*, Kitchen Table Press, Nueva York, 1981.

Nestle, Joan, *A Restricted Country, Essays and Short Stories*, Sheba, Londres, 1988.

Palmer, Paulina, *Contemporary Lesbian Writing*, Oxford University Press, Oxford, 1993.

Rubin, Gayle, «The Traffic in Women», en Rayna R. Reiter (ed.), *Toward an Anthropology of Women*, Monthly Review Press, Nueva York, 1975.

Sedgwick, Eve Kosofsky, *Tendencies*, Routledge, Londres, 1994.

Snitow, Ann *et al.* (eds.), *Powers of Desire. The Politics of Sexuality*, New Feminist Library, Nueva York, 1983.

Stimpson, Catharine, *Where the Meanings Are: Feminism and Cultural Spaces*, Routledge, Londres, 1988.

Todd, Janet, *Women's Friendship in Literature*, Columbia University Press, Nueva York, 1980.

Vance, Carole, S. (ed.), *Pleasure and Danger: Exploring Female Sexuality*, Routledge, Londres, 1984.

Wittig, Monique, «One Is Not Born a Woman», *Feminist Issues* (1981), pp. 47-54.

Teoría gay y queer
Textos básicos

Bleys, Rudi C., *The Geography of Perversion: Male-to-Male Sexual Behaviour Outside the West and the Ethnographic Imagination 1750-1918*, Cassell, Londres, 1996.

Bouce, P.-G. (ed.), *Sexuality in Eighteenth-Century Britain*, Manchester, Manchester University Press, 1982.

Bray, Alan, *Homosexuality in Renaissance England*, Gay Men's Press, Londres, 1988.

Bredbeck, Gregory, W., *Sodomy and Interpretation: Marlowe to Milton*, Cornell University Press, Ithaca, 1991.

Bristow, Joseph (ed.), *Sexual Sameness. Textual Difference in Lesbian and Gay Writing*, Routledge, Londres, 1992.

—, *Effeminate England: Homoerotic Writing after 1885*, Open University Press, Milton Keynes, 1995.

Bristow, Joseph y Wilson, Angela R. (eds.), *Activating Theory. Lesbian, Gay and Bisexual Politics*, Lawrence y Wishart, Londres, 1996.

Butters, Ronald R. *et al.* (eds.), *Displacing Homophobia: Gay Male*

Perspectives in Literature and Culture, Duke University Press, Durham y Londres, 1989.

Dollimore, Jonathan, *Sexual Dissidence: Augustine to Wilde, Freud to Foucault*, The Clarendon Press, Oxford, 1991.

Edelman, Lee, *Homographesis. Essays in Gay Literary and Cultural Theory*, Routledge, Londres, 1994.

Foucault, Michel, *The History of Sexuality: Volume 1. An Introduction* (1976), Penguin, Harmondsworth, 1990.

Goldberg, Jonathan, *Sodometries: Renaissance Texts: Modern Sexualities*, University of California Press, Stanford, CA, 1992.

— (ed.), *Reclaiming Sodom*, Routledge, Londres y Nueva York, 1994.

— (ed.), *Queering the Renaissance*, Duke University Press, Durham y Londres, 1994.

Greenberg, David F., *The Construction of Homosexuality*, University of Chicago Press, Chicago, 1988.

Hocquenghem, Guy, *Homosexual Desire*, Allison & Busby, Londres, 1978.

Katz, J. N., «The Age of Sodomitical Sin, 1607-1740», en Goldberg, J. (ed.), *Reclaiming Sodom*, Routledge, Nueva York y Londres, 1994.

Kopelson, Kevin, *Love's Litany: The Writing of Modern Homoerotics*, University of California Press, Stanford, CA, 1994.

Laqueur, Thomas, *Making Sex: Body and Gender from the Greeks to Freud*, Harvard University Press, Cambridge, MA, 1990.

Meyer, Moe (ed.), *The Politics and Poetics of Camp*, Routledge, Nueva York y Londres, 1994.

Ringer, R. Jeffrey (ed.), *Queer Words, Queer Images: Communication and the Construction of Homosexuality*, New York University Press, Londres y Nueva York, 1994.

Rousseau, G. S. y Porter, Roy (eds.), *Sexual Underworlds of the Enlightenment*, Manchester University Press, Manchester, 1992.

Sedgwick, Eve Kosofsky, *Between Men: English Literature and Male Homosocial Desire*, Columbia University Press, Nueva York, 1985.

—, *Epistemology of the Closet*, University of California Press, Berkeley y Los Ángeles, 1990.

Sinfield, Alan, *Literature, Politics and Culture in Postwar Britain*, Basil Blackwell, Oxford, 1989.

—, *The Wilde Century*, Cassell, Londres, 1994.

—, *Cultural Politics - Queer Reading*, Routledge, Londres, 1994.

Smith, Bruce, R., *Homosexual Desire in Shakespeare's England: Cultural Poetics*, University of Chicago Press, Chicago y Londres, 1991.

Trumbach, Randolph, «Sodomitical Subcultures, Sodomitical

Roles, and the Gender Revolutions of the Eighteenth Century: The Recent Historiography», *Eighteenth-Century Life*, 9, 1985, pp. 109-121.

Trumbach, Randolph, «London's Sapphists: from Three Sexes to Four Genders in the Making of Modern Culture» en Julia Epstein y Kristina Straub (eds.), *Bodyguards*, 1991.

Weeks, Jeffrey, *Sexuality and its Discontents: Meanings, Myths and Modern Homosexualities*, Routledge, Nueva York y Londres, 1985.

Woods, Gregory, *Articulate Flesh: Male Home-Eroticism in Modern Poetry*, Yale University Press, New Haven y Londres, 1987.

Lecturas avanzadas

Bingham, C., «Seventeenth-Century Attitudes Toward Deviant Sex», *Journal of Interdisciplinary History*, 1, 1971, pp. 447-468.

Bremmer, Jeni, *From Sappho to de Sade: Moments in the History of Sexuality*, Routledge, Londres, 1989.

Davenport-Hines, R., *Sex, Death and Punishment: Attitudes to Sex and Sexuality in Britain Since the Renaissance*, Collins, Londres, 1990.

Drakakis, J. (ed.), *Alternative Shakespeares*, Methuen, Londres, 1985.

Dynes, Wayne, *Homolexis: A Historical and Cultural Lexicon of Homosexuality*, Gai Saber Monograph, Nueva York, 1985.

Epstein, Julia y Straub, Kristina (eds.), *Body Guards: the Cultural Politics of Gender Ambiguity*, Routledge, Londres, 1991.

Ferris, Lesley (ed.), *Crossing the Stage: Controversies on Cross-Dressing*, Routledge, Nueva York y Londres, 1993.

Garber, Marjorie, *Vested Interests: Cross-Dressing and Cultural Anxiety*, Routledge, Nueva York y Londres, 1992.

Gerrard, Kent y Hekma, Gert (eds.), *The Pursuit of Sodomy in Early Modern Europe*, Haworth, Nueva York, 1987.

Lilly, Mark (ed.), *Lesbian and Gay Writing: An Anthology of Critical Essays*, Macmillan, Besingstoke, 1990.

Maccubin, Robert P., *Tis Nature's Fault: Unauthorised Sexuality during the Enlightenment*, Cambridge University Press, Cambridge, 1985.

Norton, Rictor, *Mother Clap's Molly House: The Gay Subculture in England 1700-1830*, The Gay Men's Press, Londres, 1992.

Parker, Andrew *et al.* (eds.), *Nationalisms and Sexualities*, Routledge, Londres y Nueva York, 1992.

Saslow, James M., *Ganymade in the Renaissance: Homosexuality in Art and Society*, Yale University Press, New Haven y Londres, 1986.

Senelick, Laurence, «Mollies or Men of Mode? Sodomy and the Eighteenth-Century London Stage», *Journal of the History of Sexuality*, 1, 1990, pp. 33-67.

Stallybrass, Peter y White, Allon, *The Politics and Poetics of Transgression*, Methuen, Londres, 1986.

Still, Judith y Worton, Michael, *Textuality and Sexuality: Reading Theories and Practices*, Manchester University Press, Manchester, 1993.

ÍNDICE ALFABÉTICO

ÍNDICE

LA TEORÍA LITERARIA CONTEMPORÁNEA

Impreso en el mes de noviembre de 2001
en HUROPE, S. L.
Lima, 3 bis
08030 Barcelona